W9-CTZ-104

MADAME PROUST

DU MÊME AUTEUR

MADAME ZOLA, *biographie*, Grasset, 1997. (Grand Prix des lectrices de *Elle*, 1998.)

CHEZ ZOLA, À MEDAN, collection « Maison d'écrivain », Christian Pirot, 1999.

ELLES – HISTOIRES DE FEMMES (collectif), Filipacchi, 1999.

LÉGENDES RUSTIQUES DE GEORGE SAND, introduction, Christian Pirot, 2000.

BALADES EN YVELINES, coll. Sur les pas des écrivains (collectif), éd. Alexandrines, 2001.

FLORA TRISTAN, la femme-messie, *biographie*, Grasset, 2001. (Prix François Billetdoux de la SCAM)

EVELYNE BLOCH-DANO

MADAME PROUST

BERNARD GRASSET
PARIS

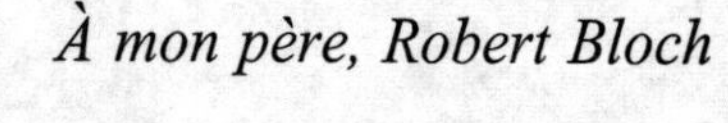

À mon père, Robert Bloch

« A chaque instant, je te remercie mentalement de penser ainsi à moi et de me faire la vie si facile et qui serait si douce si j'étais tout à fait bien. »

Marcel PROUST

ŒUVRES DE MARCEL PROUST ET ABRÉVIATIONS

RTP *À la recherche du temps perdu*, Gallimard, « Bibliothèque de la Pléiade », édition publiée sous la direction de J.-Y. Tadié, 1987-1989, 4 volumes.

JS *Jean Santeuil*, Gallimard, « Quarto », 2001.

CSB *Contre Sainte-Beuve*, Gallimard, « Bibliothèque de la Pléiade », édition P. Clarac et Y. Sandre, 1971.

CSB *Contre Sainte-Beuve*, éd. Bernard de Fallois, coll. Idées, NRF, Gallimard, 1965.

Correspondance avec sa mère (1887-1905), édition de Philip Kolb, Plon, 1953.

Corr. *Correspondance*, Plon, édition de Philip Kolb, 1971-1993, 21 volumes.

Écr. *Écrits de jeunesse*, 1887-1895, édités par Anne Borrel, Institut Marcel Proust international, 1991.

Mon cher petit, Lettres à Lucien Daudet, édition établie par Michel Bonduelle, Gallimard, 1991

P et J *(Les Plaisirs et les Jours) Jean Santeuil* précédé de *Les Plaisirs et les Jours*, édition de P. Clarac et Y. Sandre, « Bibliothèque de la Pléiade », 1971.

S et L Préface à *Sésame et les Lys* de John Ruskin, Mercure de France, 1935 (1re édition 1906).

Carnets, édition établie et présentée par Florence Callu et Antoine Compagnon, Gallimard, 2002.

L'Indifférent, Gallimard, 1978.

BSAMP *Bulletin de la Société des amis de Marcel Proust.*

AN Archives nationales.

AP Archives de Paris.

MONNAIE

1franc de 1901 = 3,2 euros. Cet indice est calculé en fonction du pouvoir d'achat. (Source Insee 2004.)

Première partie

1

UNE JEUNE FILLE À MARIER

Chez les Weil, on dînait à 7 heures précises. Dès 7 heures moins dix, Nathé Weil écartait son journal pour sortir sa montre du gousset. A 7 heures moins deux, il se levait et l'on passait à table. Or, en ce soir de juillet 1870, son fils Georges n'était toujours pas rentré. Mme Weil s'éclipsa à la cuisine. Le dîner était prêt. Le bouillon de la poule au pot frémissait sur la cuisinière. Le raifort râpé était déjà sur la table. Elle alla jeter un coup d'œil par la fenêtre de la salle à manger qui, comme les autres pièces, donnait sur la cour. Aucune chance de voir Georges arriver par la rue mais, en se penchant un peu, elle pourrait peut-être l'apercevoir dans l'entrée de l'immeuble, s'engouffrant dans l'escalier et saisissant la rampe d'acajou pour grimper plus vite les deux étages.

Adèle revint s'asseoir et échangea un regard avec sa fille Jeanne qui, à son entrée, avait levé les yeux de son livre. Elles se comprenaient. Les principes de Nathé Weil n'admettaient aucune dérogation, ils étaient aussi inflexibles que les Dix Commandements et les quelque six cents règles bibliques qu'on avait depuis longtemps cessé d'observer dans la famille. Le tempérament fantaisiste d'Adèle s'en trouvait bien, au fond. Elle mettait ses passions ailleurs. Un sourire amusé flotta sur son visage. « Il ne va pas tarder », prononça-t-elle calmement. Elle connaissait son fils. Le jeune avocat avait oublié l'heure en bavardant avec un ami. Il devait être en train de courir vers la rue du Faubourg-Poissonnière. « J'espère bien. De toutes les façons, on dîne dans trois minutes », répliqua M. Weil en consultant une nouvelle fois sa montre.

Quant à Jeanne, elle s'était replongée dans sa lecture. Elle était assise à sa place favorite, près de la fenêtre. On ne voyait d'elle que la masse de sa chevelure brune ramenée en chignon sur la tête, et sa nuque d'où s'échappaient quelques mèches. Sa robe d'été blanche mettait en valeur son profil ivoire. Le nez un peu fort, le menton volontaire, la bouche pleine dont elle mordillait la lèvre en lisant, tout en elle révélait une forte personnalité. Sa beauté épanouie était déjà celle d'une femme. Ses yeux noirs aux paupières bombées, aux sourcils épais, étaient fixés sur son livre. Cette scène ne la concernait pas. Elle s'était reproduite cent fois. Georges arriverait à temps, à peine essoufflé. Il prononcerait quelques mots d'excuse et une plaisanterie pour détendre l'atmosphère. Son père grommellerait pour la forme, et tout serait oublié jusqu'à la prochaine fois. Son tour à elle viendrait plus tard, et sur un sujet bien plus grave. La porte de l'entrée s'ouvrit au troisième coup de l'horloge, juste au moment où Nathé se levait pour se diriger vers la salle à manger.

A 7 heures précises, la famille Weil s'installait autour de la table, et Philomèle apportait la soupière.

Les Weil ont bien des raisons d'être inquiets en cette année 1870. Malgré le plébiscite de mai, les Français savent que la situation de l'Empire est loin d'être florissante. L'Empereur, malade, somnole sous l'effet des remèdes. Il ne semble guère conscient des dangers qui menacent la France. La reine d'Espagne a dû abdiquer, et le trône pourrait bien revenir à un Hohenzollern. Les ambitions de Guillaume, soutenues par l'habileté de son chancelier Otto von Bismarck, n'ont plus de bornes. Ne rêve-t-il pas de mener à bien l'unification de l'Allemagne et de la Prusse ?

Plus que d'autres peut-être, Adèle et Nathé Weil sont sensibles aux tensions qui précèdent les conflits. Bien que parisiens tous les deux, ils sont originaires de ces régions frontalières qui en cas de guerre souffrent toujours plus que les autres. Même si la famille Weil a quitté l'Alsace depuis le début du siècle, même si Rose, la mère d'Adèle, a vécu à Paris après son mariage à Metz, même si son père Nathan Berncastel, né à Trèves, est devenu citoyen français, la perspective d'un conflit entre la Prusse et la France ressuscite des antagonismes venus de très loin. Jamais le patriotisme de Nathé, garde national en 1848, ne s'est affirmé avec autant d'éclat. Il ne supporte pas qu'on menace la France. Il est fier de son frère Alphonse, chef de bataillon dans l'infanterie. Les carrières militaires chez les Juifs ne sont pas si fréquentes : comment pourrait-il en être autrement, quand ils n'ont acquis la citoyenneté que depuis 1791 ?

Nathé Weil a aussi des raisons plus matérielles d'être soucieux. Les guerres ne sont jamais bonnes pour la Bourse. Il est commanditaire d'agents de change. Et il a une fille à marier...

Jeanne a 21 ans depuis le 21 avril, et, malgré tout son respect et son amour pour ses parents, elle a refusé jusque-là de se plier à la tradition du mariage arrangé, depuis si longtemps en vigueur chez les siens. Son grand-père maternel a uni l'une de ses filles à un marchand de draps de Flers, dans l'Orne, et l'autre à Moïse, le demi-frère de Nathé, architecte à Beauvais. Quant à Adèle, sa mère... Sont-elles heureuses ? La question ne se pose même pas. Vingt et un ans, c'est l'âge auquel on établit les filles dans la famille. Il ne se passe pas de mois sans qu'un marieur sollicite son père ou qu'une tante bien intentionnée joue les entremetteuses auprès de sa mère. On a eu beau faire miroiter à ses yeux les avantages des jeunes héritiers israélites, Jeanne ne veut pas épouser un banquier ni un agent de change, ni un avocat ni même un centralien comme ses cousins. Alors pourquoi accepterait-elle le prétendant que son père lui propose ? Parce que Nathé est ton père, murmure une petite voix en elle...

« C'est toi qui aurais dû être avocate ! » la taquine parfois son frère juriste. Oui, si Jeanne avait été un garçon, elle aurait fait des études. Elle sait le latin et parle couramment l'anglais et l'allemand. Comme sa mère, elle est une excellente pianiste. Elle partage avec ses parents et son frère la passion des livres. Elle aime comprendre et approfondir. Chez les Weil, on discute beaucoup. Et cela seul suffirait peut-être à les distinguer des familles de la bourgeoisie traditionnelle où les filles grandissent comme des oies engraissées en vue du seul mariage.

Mais qui peut rivaliser avec la carrière de ce M. Proust ? interroge Nathé. A 36 ans, il est chef de clinique et agrégé de médecine. On le considère comme l'un des espoirs de la médecine française, il fait déjà autorité dans sa spécialité. L'année dernière, l'État l'a chargé d'une mission officielle – la voix de Nathé s'enfle – en Russie, en Perse et en Turquie. Et il est bel homme, imposant avec sa barbe déjà un peu grise. « Un vrai patriarche *goy* », laisse tomber Georges. « Justement, ce n'est pas un *yid* », tranche Nathé, qui dans ces occasions retrouve les quelques mots de yiddish qu'il a gardés de sa jeunesse. Philomèle débarrasse les assiettes et la soupière. A l'entrée de la *meshore*[1], tout le monde se tait machinalement.

Non, Adrien n'est pas juif, reprend Nathé. Après tout, Jeanne ne sera pas la première de la famille à épouser un chrétien. La cousine de sa mère s'est bien mariée à l'église, n'est-ce pas ? Son père, le grand Adolphe Crémieux à qui les Juifs doivent tant, avait découvert un jour que sa femme s'était convertie en cachette avec ses deux enfants... Et du côté Weil, est-ce que Jenny, la fille de l'oncle Moïse, ne vient pas, le 3 janvier dernier, d'épouser un professeur de droit, François Bœuf, dont le patronyme indique assez clairement que... ?

Oui, mais l'oncle Crémieux est franc-maçon, et Moïse aussi ! coupe Georges. Nathé a beau jeu de remarquer que lui-même n'est guère plus pratiquant. Il va à la synagogue aux grandes fêtes, il dépose un caillou sur la tombe de son propre père, Baruch, à l'anniversaire de sa mort, il récite un *kaddish* sans en comprendre les paroles... mais ça ne l'empêche pas de suivre les prédications du carême à Notre-Dame. Les catholiques sont bien plus malins que nous, prétend-il. Ils nous sont supérieurs. Bien sûr, pendant des siècles, les Juifs n'ont pas eu d'autre choix que de rester fidèles à la foi de leurs ancêtres et de se marier entre eux. Mais aujourd'hui ? On n'est plus au Moyen Age, que diable !

Jeanne ne dit rien. Elle sait bien qu'au fond, pour ses parents, tout n'est pas aussi simple. Mieux, elle devine que, quand ils sont seuls, ils en discutent longuement.

Peut-on ainsi rompre avec la tradition ? s'interroge Nathé. Et que dira Godechaux, son demi-frère, une autorité dans la communauté israélite ? Et son frère Louis ? Après tout, Georges a, comme il se doit, été circoncis et il a fait sa *bar-mitzvah*. Adèle, pour sa part, ne désire qu'une chose : que sa fille soit heureuse. Un bon médecin veillera sur elle. Or, le docteur Proust est en passe de devenir un spécialiste de la lutte contre le choléra. Comment pourrait-elle oublier que Jeanne, sa fille chérie, est née quelques jours avant la terrible épidémie de 1849 et que pendant des semaines, elle a craint pour la vie du bébé... Dans cette rencontre, Mme Weil verrait presque un signe du destin, si elle n'était pas un esprit rationaliste, nourri des Lumières. Quant aux sentiments, du moment que cet homme ne lui déplaît pas... Le reste viendra en son temps !

Non, Adrien Proust ne lui déplaît pas, Jeanne en convient. Elle sent même qu'elle pourrait l'aimer, cet homme tranquille, aux façons douces. Il est sérieux, travailleur. Mais elle le connaît si peu... C'est Nathé qui a fait le premier sa connaissance il y a quelques mois, rue de Mogador, chez l'un de ses collègues de la Bourse, un agent de change dont le frère aîné est médecin, comme Adrien. Le docteur Proust habitait tout près, il était venu en voisin et en ami, M. Weil avait une fille, on les avait présentés... Son père ne mariera pas Jeanne contre son gré, elle le sait. Mais il a réfléchi depuis longtemps au contrat. Le mariage est une affaire sérieuse, et il aime sa fille.

Et Jeanne ? A-t-elle seulement déjà été amoureuse ? La passion telle qu'on la voit dans les livres est une chose, le mariage en est une autre. Comme l'héroïne de Jane Austen, entre « raison et sentiment », elle penche pour la raison. Elle sent qu'elle pourrait partager la vie de cet homme, et fonder une famille avec lui. Quelque chose lui dit même qu'elle serait heureuse, malgré ce qui les sépare. Mais elle devra quitter sa mère, être une épouse à son tour, avoir des enfants. Et justement, qu'adviendra-t-il des enfants ? Là est la vraie question, pour elle-même, et elle le devine, pour ses parents. On vit en France, dans un pays catholique, et dans les rares mariages mixtes qu'ils connaissent, c'est toujours la loi de la majorité qui l'a emporté. La famille Proust est très pieuse. Le grand-père d'Adrien fournissait même les cierges de la paroisse. Une Weil épouser le descendant d'un marchand de cierges ! Jeanne sait que ses parents ne supporteraient pas qu'elle se convertisse et se marie à l'église. Elle-même pourrait-elle le faire ? N'aurait-elle pas le sentiment de trahir ? Elle est la fidélité même et sa loyauté exclut toute dissimulation. Jamais elle ne se convertira, elle en est certaine.

Elle a baissé les yeux vers l'assiette à bords verts ornés de fleurs et de guirlandes dorées que Philomèle vient de poser devant elle. Un couple d'Andalous en décore le centre. Georges, lui, a toujours préféré le tableau d'Horace Vernet représentant le port du Havre. Le service du grand-père, le porcelainier Baruch Weil... Elle sourit. Petits, ils se disputaient ces assiettes, les jours de fête. Comme ses parents, elle est et restera une israélite française, parfaitement intégrée à la société qui, autrefois, accueillit ses ancêtres. Mais, sans doute le sait-elle déjà, Adrien a beau être libre-penseur, leurs enfants seront catholiques, de vrais Français, descendants d'une famille terrienne dont le nom apparaît sur les registres paroissiaux d'Illiers, la petite ville d'Eure-et-Loir d'où sont originaires les Proust. Bien sûr, ils ne sont pas fortunés. Sinon Virginie, la mère d'Adrien, aurait-elle accepté ce mariage ? Encore l'a-t-elle fait du bout des lèvres, et à la condition que les enfants... Jeanne est riche pour deux, elle aura une belle dot et Adrien Proust est promis à un avenir brillant. Elle n'a aucune inquiétude à ce sujet. Il ne lui déplaît pas de penser que leurs enfants appartiendront pleinement à cette culture qu'elle aime tant, qu'ils seront issus du même terreau que Racine, George Sand ou sa chère Mme de Sévigné. Enfin, presque. Le processus d'assimilation entamé par ses parents sera achevé. Les enfants du docteur Proust n'auront jamais à craindre d'être rejetés. Ils ne seront pas différents des autres.

La jeune fille jette un coup d'œil au tableau accroché en face d'elle. Du plus loin qu'elle s'en souvienne, elle l'a toujours connu. C'est une scène biblique, peinte par Franken le jeune, un petit maître flamand. Esther la Juive s'apprête à épouser Assuérus, le roi des Perses. Jeanne sourit. Elle a trouvé son Assuérus.

2

M. PROUST ET MLLE WEIL

C'est vrai qu'il est bel homme, le docteur Proust : la carrure avantageuse, le front haut, la chevelure un peu ondulée, les yeux bruns, la barbe déjà poivre et sel, les lèvres pleines, l'un de ces hommes qui inspirent confiance. Il se tient droit mais sans raideur, la tête légèrement en arrière ; le regard doux des myopes, un air bienveillant. Sans aucun doute, il a remarqué la jeune fille qui le fixe de ses yeux sombres. Le demi-sourire un peu moqueur ne le trompe pas. Il connaît les femmes.

Les mains dans les poches, adossé à la cheminée, il raconte, et Jeanne écoute. Parfois, elle regarde sa mère. Mais la physionomie d'Adèle est impénétrable. Elle est ailleurs... Nathé, lui, tient à la main un verre de cognac qu'il sirote en connaisseur. De temps à autre, il pose une question. « Et après Moscou ?

— Après Moscou, nous avons circulé en *kibitka*, d'exécrables voitures en bois et en osier... Quelle différence avec les trains de luxe qui nous avaient conduits jusque-là ! Il faut avoir le dos solide ! Ce fut un soulagement de retrouver le cheval pour traverser le Caucase et les hauts plateaux de l'Iran... Nous avons suivi le chemin des caravanes : lever 3 heures du matin, marche jusqu'à 10 heures, halte, et marche à nouveau jusqu'à 6 ou 7 heures du soir. Rude voyage !

— Et ensuite ?

— Ensuite, raconte Adrien, ce fut l'arrivée à Téhéran, et la réception du roi de Perse... »

Le roi de Perse ! Jeanne n'en croit pas ses oreilles ! « Le roi de Perse ? murmure-t-elle. Adèle sourit. Et... il... il vous a parlé ?

— Mais oui, bien sûr ! Le shah m'a même offert des tapis. »

La suite du voyage se perd dans les méandres de la géographie... Retour par la Turquie où le docteur Proust est reçu à Constantinople par le grand vizir Ali Pacha qui le nomme officier de l'ordre du Medjidiye. Mais Jeanne n'écoute plus. Qu'importe Ali Pacha ! Elle est restée en Perse, avec le Roi.

Né le 18 mars 1834, Adrien Proust, après un début de carrière fulgurant dans la pathologie, s'était tourné vers l'épidémiologie sous la direction du professeur Antoine Fauvel, inspecteur général des services sanitaires. En 1866, le choléra avait fait de nouveaux ravages. On compta, en quelques mois, plus de onze mille morts. Adrien avait acquis la certitude que des règles d'hygiène publique s'imposaient et qu'on ne pouvait se contenter de soigner au cas par cas. C'était une thèse révolutionnaire. En 1869, sur la recommandation du professeur Fauvel, le ministère de l'Agriculture et du Commerce envoya le docteur Proust en mission, avec la charge d'évaluer la qualité des installations sanitaires russes sur la frontière méridionale, de vérifier l'application de mesures prises lors de la dernière conférence de Constantinople et enfin, d'envisager avec les autorités de la Perse une politique sanitaire dans ce pays. Il revint avec une certitude : le choléra venait bien de l'Est mais suivait les voies de communication. Si l'on voulait lutter efficacement, il fallait organiser les systèmes de défense le plus près possible du lieu d'origine de l'épidémie, et surtout, il en était désormais certain, donner la priorité à l'hygiène.

L'ancien boursier du lycée de Chartres est un esprit curieux, à la fois sceptique et passionné par l'évolution de la science. La médecine moderne est en train de naître. La thèse en latin vient d'être officiellement abolie et Claude Bernard de publier son *Introduction à la médecine expérimentale*. Adrien Proust est aussi un homme ambitieux. Il aime écrire. Le danger ne lui fait pas peur et, à sa manière tranquille, il est courageux. Sa mission lui a permis de distinguer plus clairement sa voie : la médecine publique. Et elle a fait de lui, le temps d'un voyage, un personnage quasi officiel, reçu dans des milieux que le fils d'épicier n'aurait jamais songé à approcher. Il se sent des ailes.

Jeanne ne sait pas encore tout cela. Elle voit l'homme sûr de lui, carré, bombant un peu le torse mais sans fatuité. Il est rassurant. Quelque chose d'un peu naïf aussi, qui fait pétiller l'œil de la fine mouche. Et si différent, elle le devine, de son propre père ! Nathé est un tyran domestique, Adrien a l'autorité débonnaire ; Nathé est un homme à principes, ceux d'Adrien n'excluent pas la souplesse ; Nathé est économe jusqu'à l'avarice ; Adrien aime le confort, les mondanités ; Nathé ne supporte pas les voyages ; Adrien les adore. D'un côté la Loi, de l'autre la Raison. Bien sûr, Jeanne ne découvrira ces différences que peu à peu, mais elle est trop intuitive pour ne pas les avoir très vite pressenties. On peut aimer son père et épouser un homme qui ne lui ressemble pas.

Après avoir fait sa cour, Adrien enverra un ami, selon les règles, demander la main de Mlle Weil. Nathé aura pris ses renseignements et l'interrogera sur ses projets de carrière. Les affaires se négocient entre hommes.

Adrien Proust est à la jonction de deux époques. Sous la Troisième République, les grands médecins sont certes des notables, reçus dans les salons ; il n'empêche que, même alors, on n'aime guère en avoir un dans son immeuble[2] ! Et sous le Second Empire, les médecins sont encore loin d'avoir bonne presse. La plupart d'entre eux, comme Adrien, viennent de milieux modestes et provinciaux. Quel intérêt aurait un fils de nantis parisiens à s'engager dans des études aussi longues et difficiles, et un avenir aussi incertain ? Il vaut mieux choisir le droit, comme Georges, le frère de Jeanne. Adrien a connu la gêne, la bohème des étudiants du Quartier latin, les tables d'hôte, les bocks des estaminets, les nuits de travail. Et aussi, la salle de garde, les fumisteries de carabins, le bal Bullier, les amours faciles, les tenues artistes comme la veste de velours avec laquelle Nadar le photographie en 1870, l'année où Jeanne lui est présentée. Il est monté à Paris où il ne connaissait personne. Sa mère, veuve, a vécu avec lui au début de ses études, puis a regagné Illiers. Il a réussi tous ses concours, ajouté à ses gardes la rédaction d'articles, ouvert un cabinet privé en plus de son service à l'hôpital. C'est un travailleur, un laborieux poussé par la foi dans sa vocation et la volonté de réussir. Homme de talent, conscient de ses qualités et de leur prix. Assez souple aussi pour savoir se ménager des protections et un précieux réseau de relations. Médecin du Bureau central de l'Assistance publique à

22 ans, docteur en médecine à 28 ans, chef de clinique et agrégé à 32 ans, il est en passe de conquérir tous les honneurs. Cependant, s'il jouit de revenus confortables, il n'a pas de fortune personnelle[3].

Nathé a pris la mesure de son futur gendre. Le professeur Proust apportera respectabilité et sécurité à sa fille, le meilleur placement à long terme pour un israélite français de la deuxième génération. M. Weil sait aussi que pour mener la carrière à laquelle Adrien aspire, pour s'installer et avoir le train de vie qui correspond à sa position, il a besoin d'argent. Épouser une jeune fille richement dotée est sa seule solution.

Jeanne est un parti avantageux. Les prétendants ne manquent pas : elle est jeune, belle, cultivée, intelligente. Des manières parfaites, la compagne idéale pour un médecin qui veut réussir. Elle saura tenir une maison, recevoir, assister son mari. Et elle est riche, ce qui pour un homme de talent mais dépourvu de capital et d'espérances, est loin d'être négligeable. D'un côté, donc, la fortune et l'éducation ; de l'autre, la réussite et un avenir prometteur. Leur union leur ouvrira deux battants les portes de la grande bourgeoisie qui, sans cela, seraient restées fermées à l'*homo novus* et à l'héritière juive.

C'est dire si la dot de Mlle Weil est l'objet de soins méticuleux de la part de son père. Elle montre que Nathé a estimé son gendre à sa juste valeur et qu'il tient à ce mariage. Le docteur Proust n'est pas un débutant frais émoulu de sa province. Il a déjà une position sociale. Les plus hautes autorités de l'Empire reconnaissent ses mérites. Ses sympathies républicaines et laïques, sa profession sont une garantie pour l'avenir, en cas de changement de régime. Nathé a soigneusement pesé ces avantages. En 1870, être juif constitue un handicap. M. Weil offre à sa fille un passeport pour la bonne société.

Outre son trousseau évalué à 8 000 francs, Jeanne apporte 200 000 francs[4], une somme considérable, qui ne l'empêche pas de conserver ses droits à l'héritage de ses parents. Les biens d'Adrien, sans doute non négligeables[5], sont sans commune mesure avec ceux de sa fiancée. L'ancien agent de change a donc pris toutes les garanties pour protéger sa fille. Chacun des époux ne sera responsable que de ses propres dettes. Seuls les revenus des investissements, établis au nom de Jeanne Weil, future Mme Proust, appartiendront à la communauté. Une clause stipule que le montant de la dot devra être employé en placements sûrs, immeubles, rentes d'État ou actions de la Banque de France[6]. Ces divers emplois ne seront valables que formellement acceptés par la future épouse, sous l'autorisation de son mari. En cas de dissolution de la communauté, elle aura le droit de récupérer le montant de sa dot, ainsi que tout ce qui lui sera échu en legs ou donations[7]. Mais prévoyant, le futur époux a obtenu, lui, qu'en cas de décès, une rente annuelle de 6 000 francs lui soit versée à vie[8].

Le contrat est signé comme il se doit chez les parents de la fiancée devant maître Cottin, le notaire, et en présence des témoins : Georges, le frère de Jeanne, son oncle Louis Weil et sa tante, et deux de ses amies, Mme et Mlle Houette. Personne du côté d'Adrien Proust.

La religion a certainement posé problème d'un côté comme de l'autre. Pour les Weil, ce mariage rompt avec des siècles d'endogamie ; voilà pourquoi Jeanne ne se convertira jamais[9]. Les mariages mixtes sont encore rares. Un jeune homme peut avoir des liaisons avec toutes les chrétiennes qu'il veut mais, le jour venu, il se marie avec une jeune fille juive. Comme Georges, décidément exemplaire. Chez les femmes, les conversions et les mariages exogames sont encore plus exceptionnels. C'est donc un choix et un engagement. La forte volonté d'assimilation de Nathé Weil – et peut-être son inquiétude face à la situation politique – ne peut y être étrangère. La guerre menace. Le contrat est signé le 27 août 1870. Le mariage aura lieu le 3 septembre.

Du côté Proust... Imagine-t-on ce que représente une bru juive pour une veuve pieuse d'un bourg de la région de Chartres en 1870 ? La mère d'Adrien, Virginie Proust, née Torcheux a-t-elle seulement vu, de ses yeux vu, un seul Juif de sa vie ?

Mais Jeanne ne sort pas plus du ghetto qu'Adrien de son village. Ni l'un ni l'autre ne sont pratiquants ou même croyants. Elle n'a « de foi profonde que dans la raison », il est d'un « positivisme irraisonné ». Comme nombre de ses collègues, le docteur Proust est matérialiste et athée. En 1882, lors d'un procès, il refusera même de prêter serment sous un crucifix [10]. Ils ne se marieront donc pas à l'église. La jeune fille juive et le fils d'épicier beauceron se rencontrent au seuil d'une bourgeoisie laïque que la Troisième République va porter au pinacle. Chacun à leur façon, ils rêvent d'intégration. L'argent et la réussite sont deux atouts maîtres. Ce seuil, ils vont le franchir ensemble.

A défaut du « total de deux dots équivalentes », leur union apparaît bien comme « l'association de deux situations sociales qui s'attirent », à l'image des parents de Jean Santeuil, le personnage du roman de Marcel Proust [11]. Ne peut-on imaginer que les individus s'attirent aussi ? Après tout, rien n'oblige Mlle Weil à épouser M. Proust. Mariage de raison, donc, mais d'où les sentiments ne sont pas absents. Ils s'estiment et se plaisent. Quant à leurs émotions profondes, nous n'en saurons rien...

« Un mariage d'amour, c'est-à-dire fait par amour, y serait considéré comme une preuve de vice », écrira Marcel des années plus tard à propos du milieu où a grandi sa mère [12].

Il ajoute, il est vrai :

« Mais l'amour suit le mariage et dure toute la vie. Et on ne cesse pas plus d'aimer son mari qu'on ne cesse d'aimer sa mère [13]. »

3

DES ISRAÉLITES TRÈS FRANÇAIS

> « Il n'y a plus personne, pas même moi, puisque je ne puis me lever, qui aille visiter, le long de la rue du Repos, le petit cimetière juif où mon grand-père, suivant le rite qu'il n'avait jamais compris, allait tous les ans poser un caillou sur la tombe de ses parents. »
>
> Marcel PROUST

A la croisée de la chaussée de Strasbourg et du chemin d'Obernai, au milieu des vignes et des champs de lin, la petite ville de Niederenheim s'abritait derrière ses remparts. Un château fort, une tour de l'Horloge, un faubourg, une rue principale assez large pour laisser passer charrois et bestiaux : ses maisons à colombages, ses toits à bâtières, sa fontaine et son église au clocher pointu faisaient de Niederenheim – en français Niedernai – un village alsacien semblable à cent autres. Ou presque, car au cœur de ce village se trouvait une Judengasse, une rue des Juifs, avec sa synagogue et son logement de rabbin.

La famille de Landsberg règne depuis le Moyen Age sur Niedernai. Dès cette époque, écrasés par les charges, les paysans se révoltent contre le droit de corvée et la présence des Juifs dans leur village. Pendant des siècles, ces derniers seront à la merci des seigneurs qui les chassent à leur gré. Louis XIV leur accorde finalement sa royale protection, en échange d'un impôt. Mais ils doivent aussi s'acquitter à l'égard du seigneur de la *Judenschirmgeld*, ou taxe de manance. D'année en année, les registres sont soigneusement tenus à jour. Sur l'épais papier jauni, se déroule la litanie des noms et des sommes ; chaque nouveau nom correspond à une arrivée ou à un mariage ; ici et là, un trait de plume signale un décès dont la date est mentionnée en marge.

Sur cette liste figure le trisaïeul paternel de Jeanne Weil, Moïse Weyl, mort le 2 mai 1758 [14]. Son nom apparaît aussi sur plusieurs contrats de mariage de Niedernai et de la région. Moyse Weyl était rabbin, ou plus exactement commis rabbin, l'un de ceux qui devaient assister le rabbin en titre [15]. A Niedernai, sont aussi nés Lazare Weyl, l'arrière-grand-père paternel de Jeanne, et Baruch, son grand-père. Venus sans doute d'Allemagne, ses ancêtres se sont arrêtés dans cette petite ville du Bas-Rhin et y ont fait souche depuis le début du XVIIIe siècle, peut-être même plus tôt. Comme la plupart des Juifs d'Alsace, ils étaient pauvres et de tradition rurale. Attachés à leurs coutumes ancestrales et à leur foi, ils avaient derrière eux un long passé de persécutions, d'expulsions et de massacres.

En 1784, Louis XVI fait promulguer des *Lettres patentes* dont les 25 articles réglementeront la vie des Juifs alsaciens. Ils peuvent désormais louer des terres, les fabriques, les banques et les commerces leur sont ouverts. Des syndics ou *parnossim* sont chargés de les représenter auprès de la collectivité. Louis XVI ordonne en même temps le dénombrement des Juifs d'Alsace, la source la plus complète dont nous disposions aujourd'hui en l'absence de tout état civil pour les Juifs avant 1792[16].

Le fils du rabbin Moïse Weyl, Lazare Weyl, y figure comme « chef de la neuvième famille de Niedernai », en compagnie de son épouse Reichel et de leurs trois enfants : Baruch, âgé de cinq ans, Bluemel et Delté. Homme de village, l'arrière-grand-père de Jeanne parle le judéo-alsacien, un yiddish fortement imprégné d'allemand et n'écrit que l'hébreu. Il porte la barbe et le chapeau pointu des Juifs d'Alsace. Il s'est marié dix ans plus tôt, à l'âge de 32 ans, comme l'atteste le contrat :

> « Lazarus Weyl fils de feu Moyse Weyl avec Reichel Bloch fille de Goetschel Bloch et de feu Bluemel de Niedernai.
>
> Dot 350 florins ketouba 550 florins[17]. »

C'est le *chadchen*, le marieur, qui a présenté les deux jeunes gens : aucune union ne se conclut sans lui. Les conditions ont été soigneusement débattues et consignées par écrit. La dot de Reichel est faible, mais Lazare n'est guère plus riche[18].

Baruch, leur fils aîné, naît en 1780. Lazare et Reichel Weyl mènent la vie de tous les Juifs du village[19]. Si certains habitent la Judengasse, d'autres se sont installés au gré de leur activité. Dans la rue principale figure en bonne place l'auberge juive où se retrouvent les frères Nathan, Abraham Jacob et Barach Hertz, les bouchers, Joseph Franck, le maquignon, Jacques Heim, le tailleur, et parfois Abraham Bloch, un marchand de bestiaux de Rosheim. C'est Jacob Nathan qui d'une main sûre signe tous les registres d'état civil en sa qualité de syndic[20]. La plupart des Juifs de Niedernai sont de pauvres colporteurs ou des revendeurs qui vont de village en village, leur marchandise sur le dos[21]. Chez Leiser Lévy, le cabaretier juif, on boit un peu, on parle beaucoup. Dans la fumée des longues pipes, on discute, on conclut des marchés, on raconte des blagues, on rit, on jure, on élève la voix, on se querelle. Les nouvelles circulent. L'ambiance est presque aussi bruyante qu'à la synagogue où chacun prie pour soi à voix haute, se déplace et s'interpelle d'un bout à l'autre de la *chulle*[22].

La journée est rythmée par les prières, l'année par les fêtes qu'on célèbre à la synagogue et à la maison. Tous les vendredis soir, Lazare se rend à l'office pendant que Reichel prépare le dîner. Après la bénédiction du *kiddouch*[23], on s'attable autour de la nappe blanche. Le *milchtig*[24] est séparé du *fleischtig*[25] : pas de viande et de produits lactés dans le même repas. « Tu ne mangeras pas le chevreau dans le lait de sa mère », dit la Loi. Pas de porc, ni de poisson sans écailles ou nageoires, ni de gibier. Les bêtes doivent être abattues rituellement et vidées de leur sang. Ces règles ne pèsent pas : elles ont toujours été, et c'est les enfreindre qui soulèverait le cœur de dégoût. Mais les *knepfle*[26] de Reichel sont légers comme des flocons de neige... A Pourim, les enfants se déguisent en Esther et en Assuérus et se régalent de beignets, à Shavouot – la Pentecôte des Gentils – on mange la tarte au fromage blanc. Le shabbat précédent, à la synagogue, on aura rappelé la mémoire des martyrs des Croisades et de la Peste noire. Le parfum éphémère de la paix ne doit jamais faire oublier l'arrière-goût amer des persécutions.

Nous ne connaissons pas la profession de Lazare Weyl. Tout ce que nous savons, c'est que vers la fin du siècle il a quitté Niedernai et son Alsace natale avec sa famille.

Depuis plusieurs années, la question juive intéresse les philosophes. La Société royale des Sciences et des Arts de Metz a proposé en 1787 de disserter sur « les moyens de rendre les Juifs plus utiles et plus heureux en France ». La plupart des mémoires proposent d'améliorer leur condition en leur reconnaissant l'égalité civile et politique. L'abbé Grégoire intitule le sien *Essai sur la Régénération physique, morale et politique des Juifs*. Régénérer l'humanité : ce sera l'un des grands idéaux de la Révolution.

Mais dès juillet 1789, des émeutes très violentes éclatent en Alsace, prenant une nouvelle fois les Juifs pour cible. Ils fuient par centaines vers Mulhouse et Bâle. Les Juifs parisiens, eux, demandent la citoyenneté, suivis par ceux de l'Est.

Il faudra attendre les dernières heures de l'Assemblée constituante pour que, le 27 septembre 1791, à la suite d'un vote massif, les Juifs de France obtiennent la citoyenneté. Désormais, ils peuvent aller et venir, s'installer où ils veulent, exercer les métiers qu'ils désirent. Ils sont des citoyens comme les autres, sans aucune restriction.

Une page est définitivement tournée. Les Juifs entrent dans l'histoire de leur pays. Reste qu'on n'efface pas d'un trait des siècles d'asservissement, d'humiliation et de persécution. La « régénération » va prendre des années.

Mais à cette date, Lazare et Reichel Weyl ont déjà quitté la France. En 1788, leur deuxième fils, Cerf, est né à Bürgel, dans la principauté d'Isembourg, au sud de

Francfort[27]. Les Juifs y jouissent d'un statut privilégié et peuvent s'y établir librement. Ils formeront jusqu'à un quart de la population[28]. Non loin de ce village, à Höchst am Main, se trouve de 1750 à 1796 une fabrique de porcelaine blanche. C'est peut-être là que Baruch apprend son métier. En France aussi, les manufactures se sont multipliées depuis la découverte de gisements de kaolin à Saint-Yriex et l'on s'arrache les artisans venus d'Allemagne, détenteurs d'un savoir encore rare : le secret de la porcelaine de Chine. Parmi eux, beaucoup de Juifs.

Nous retrouvons la trace des Weil en 1799, à Fontainebleau où une communauté s'est formée depuis une quinzaine d'années[29]. Les premiers à s'installer sont de petits colporteurs, attirés par la situation géographique de la ville. Mais le gros de la communauté se constitue lorsque les Juifs d'Alsace, poussés par la Terreur et l'effondrement du cours de l'assignat, fuient le climat d'insécurité de l'Est.

Baruch, le fils aîné de Lazare, a 19 ans. Un personnage, ce Baruch ! Durant deux décennies, il va forger sa destinée, au cours d'une ascension continue. Le voici qui acquiert d'abord la manufacture de porcelaine fondée quatre ans plus tôt par Jacob Benjamin[30]. La même année, il lui rachète une partie de l'hôtel de Pompadour, pour y installer sa propre manufacture. Il nomme son père directeur[31]. Le 27 octobre 1800, âgé de 20 ans, il se marie. Sa fiancée, Hélène, a 13 ans et demi. Le beau-père est Moïse Schoubach, un notable, négociant et président de la Société philanthropique du Dernier Devoir, l'une des confréries chargées de veiller les morts et de s'occuper des enterrements[32]. Le jeune homme quitte Fontainebleau pour Paris.

En quelques années, Baruch Weil devient un homme

riche et puissant. Il règne sur sa famille : deux épouses, onze enfants. Dès l'âge de 18 ans, Hélène avait pleinement rempli son rôle. Cinq enfants étaient nés : Merline, Mayer, Godechaux, Benjamin et Moïse[33]. Deux ans après la naissance de son dernier enfant, Hélène mourut, à l'âge de 24 ans. La famille paternelle de la nouvelle épouse de Baruch Weil, Marguerite (Sarah) Nathan, est originaire de Trèves, mais la jeune femme est née à Lunéville. Parmi ses ancêtres maternels, elle compte le célèbre Lion Goudchaux, un marchand de chevaux qui assura avec son frère Lazare la remonte du duc de Lorraine. L'un des descendants de son trisaïeul deviendra célèbre : il s'appelle Karl Marx[34]. Ainsi Marcel Proust et Karl Marx sont-ils cousins. Né à Trèves (comme Nathan Berncastel), Marx, dont le père s'était converti au luthéranisme, est un autre exemple de l'assimilation juive au XIXe siècle.

C'est donc à Marguerite qu'il est revenu, à 27 ans, d'élever les enfants du premier lit de son mari, auxquels s'ajoutent ceux qu'elle lui donne. Dans les années qui suivent, de 1814 à 1823, elle met au monde Nathé, le père de Jeanne, Lazare qu'on appellera Louis, Adélaïde (Adèle), Salomon, Abraham (Alphonse) et Flora. Pas de doute ! Baruch a respecté à la lettre le précepte biblique : « Croissez et multipliez »....

Cet homme âpre au travail ne se ménage pas. En 1802, il a ouvert son premier magasin à Paris, *Au vase d'or*, 101 rue du Temple. Il possède un autre dépôt, tout près, rue Chapon. Le magasin sera transféré en 1809, 23 rue Boucherat où toute la famille habite déjà. Puis il est déplacé rue de Bondy, l'actuelle rue René-Boulanger, dans le quartier occupé sous l'Empire par les industriels et les financiers juifs. Baruch s'associe ensuite à son jeune frère Cerf pour ouvrir un nouveau magasin, galerie de l'Horloge, l'actuel boulevard des Italiens, un quartier à la mode ; il possède aussi une boutique de luxe passage de l'Opéra.

Baruch Weil fabrique surtout pour les décorateurs et l'exportation. Il a su profiter de la mode de la porcelaine : les 86 tasses qu'il fournit au marchand Flandin en 1802 sont un véritable catalogue des décors alors en vogue. Industriel, négociant avisé, il est aussi homme de progrès. Sa manufacture occupe 84 personnes. En 1822, il fait construire un four à gaz à la pointe de la technologie, alors que les fours à houille commencent tout juste à remplacer le bois[35].

L'Alsacien se flatte d'avoir parmi sa clientèle la duchesse de Berry, la dauphine et la duchesse d'Angoulême. En 1820, il obtient un brevet de Louis XVIII pour un nouvel émail, et sept ans plus tard, suprême distinction, très rare alors pour un Juif, il est décoré de la Légion d'honneur par Charles X lors de l'exposition des Arts et Manufactures[36]. Le musée de la manufacture de Sèvres acquiert alors plusieurs pièces en porcelaine de Fontainebleau, issues de la fabrique de Baruch Weil : une assiette, une grande cafetière, une tasse à chocolat et une jatte à lait. La jatte sera détruite lors du bombardement de mars 1942, la tasse mise en dépôt au musée de Vierzon. Quant à la cafetière et à l'assiette blanches, elles dorment dans les réserves parmi les milliers de pièces entassées dans les vitrines du sous-sol du musée....

Nul n'avait idée jusqu'à présent des pièces signées Baruch Weil. Certes, nous connaissions sa marque, tracée au pochoir rouge, mais rien de plus.

En retrouvant pour la première fois deux des pièces de porcelaine blanche conservées au musée de Sèvres, et sur un catalogue, la reproduction de deux assiettes à bords verts ornées de fleurs dorées[37] nous pouvons donner un aperçu du travail du grand-père de Jeanne Weil. A travers elles, le porcelainier s'adresse à nous, comme un lointain écho de *A la recherche du temps perdu*.

Ces assiettes décorées de personnages et de scènes de genres, en effet comment ne pas les rapprocher des assiettes à petits fours dont parle le narrateur, « des *Mille et Une Nuits*, qui distrayaient tant de leurs "sujets" ma tante Léonie quand Françoise lui apportait, un jour, *Aladin ou la Lampe merveilleuse*, un autre, *Ali Baba*, *le Dormeur éveillé* ou *Sinbad le marin embarquant à Bassora avec toutes ses richesses* » ?

Et Marcel Proust d'ajouter :

> « J'aurais bien voulu les revoir, mais ma grand-mère ne savait pas ce qu'elles étaient devenues et croyait d'ailleurs que c'étaient de vulgaires assiettes achetées dans le pays[38]. »

Nul ne sait s'il existait de telles assiettes à Illiers. Mais je suis bien certaine que chez l'oncle Louis, ou bien chez le grand-père Nathé, il restait quelques-unes de ces assiettes décorées, provenant de la manufacture familiale...

Infatigable, Baruch Weil devient aussi un personnage dans la communauté juive de Paris.

Le passage de Napoléon à Strasbourg, au retour d'Austerlitz, l'a convaincu de s'attaquer au problème juif. L'Empereur réclame la réunion d'états généraux et la convocation d'une « synagogue générale des Juifs » à Paris.

Ainsi se tient en juillet 1806 une Assemblée de 111 notables venus de toutes les provinces, auxquels sera proposé un questionnaire permettant d'évaluer l'attachement des Juifs à l'Empire[39]. Napoléon décide aussi la tenue d'un Grand Sanhédrin. Ses travaux déboucheront sur trois décrets, le 17 mars 1808. Les deux premiers instaurent des consistoires départementaux chapeautés par un Consistoire central. Pour la première fois de leur histoire, les Juifs de France se trouvent réunis par une organisation unique et reconnue par l'État[40]. Les mêmes élites seront reconduites, constituant une véritable oligarchie[41]. Baruch Weil en fait partie. Il participe activement à la création du premier Consistoire de Paris et entrera au Consistoire central en octobre 1819. Il y restera jusqu'à sa mort[42]. Il pratique par ailleurs la circoncision et cumule les responsabilités au sein de divers organismes religieux[43].

Parallèlement, il a fait nommer son père par le gouvernement à la tête de la communauté de Fontainebleau comme commissaire surveillant. Quant à Marguerite, elle n'est pas en reste et participe à la fondation de l'école des filles. Elle y retrouve les dames du Comité, elles aussi issues de ces familles de notables, sœurs, mères ou épouses d'hommes d'affaires impliqués dans les institutions israélites, les Worms de Romilly, les Rodrigues, les Halphen, les Cerfbeer ou, bien sûr, les Rothschild.

Actif, ambitieux, d'une honnêteté scrupuleuse mais un peu fruste et rigide, Baruch Weil n'est pas sympathique à tous. Selon Michel Beer, « il a assurément la morgue d'un parvenu, sans éducation, mais il est entièrement irréprochable comme négociant et comme homme privé, et si sa piété est très peu éclairée, elle est du moins sincère ». Jugement sévère, cependant, si l'on prend en compte une *Lettre*[44], écrite et imprimée en 1827. A-t-il utilisé les services d'un rédacteur ? C'est probable. Mais ses idées, influencées par le saint-simonisme, reflètent son esprit d'entreprise. Plaidant pour la libre concurrence, il se fait le défenseur ardent de la fierté nationale[45].

Baruch Weil n'est devenu français qu'à l'âge de 10 ans et son père n'a jamais su signer qu'en hébreu. Sa foi religieuse n'a d'égale que son désir d'intégration et sa reconnaissance à l'égard du pays qui lui a accordé les mêmes droits qu'aux autres citoyens. « Tout oblige l'israélite à s'affliger des revers de la patrie et s'applaudir de la prospérité », stipulait un article du Grand Sanhédrin. La « régénération » est bien en marche.

Qui sait à quel avenir était promis Baruch Weil ? Il meurt à 48 ans, le 8 avril 1828. Il est enterré au cimetière du Père-Lachaise, où Hélène fut, dit-on, la première inscrite sur les registres des tombes juives. Ce même cimetière de la rue du Repos où son arrière-petit-fils, Marcel Proust regrettera tant de ne plus pouvoir se rendre. Le nom de Baruch et ceux de sa descendance y figurent toujours, à demi effacés...

Sans doute sa mort est-elle survenue brutalement car il laisse une succession très embrouillée. Le 1er mai, Marguerite, tutrice légale de ses six enfants, convoque ses parents et amis devant le juge de paix afin de composer un conseil de famille[46] chargé de nommer un tuteur subrogé, et de l'autoriser à accepter la succession pour ses enfants : Nathé, 14 ans, Lazare (Louis), 11 ans, Adélaïde (Adèle), 10 ans, Salomon, 7 ans, Abraham (Alphonse), 5 ans et demi et Flora, 4 ans. Les proches choisis par Marguerite Weil pour cette mission de confiance forment un véritable clan. Michel Goudchaux est nommé tuteur subrogé. Intérêts familiaux, amicaux, communautaires et financiers sont étroitement imbriqués[47].

La fabrique de Baruch Weil disparaîtra mais cet aïeul à la forte personnalité aura marqué sa famille. Le grand-père de Jeanne fut le premier des Weil à avoir grandi en homme libre, le premier à creuser le sillon de la fortune, le premier à s'imposer dans la société. Il est le type même du notable juif en ce début du XIXe siècle : un pionnier et un fondateur de dynastie au service d'une communauté et d'une patrie, la France.

Nathaniel Berncastel, le grand-père maternel de Jeanne, était, lui, originaire de Trèves, où son père, Mayer Nathan, était négociant. Mayer avait représenté la Sarre à l'Assemblée des notables convoquée par Napoléon quelques années auparavant. Son fils avait commencé sa carrière dans les bureaux de la Préfecture du département de la Sarre.

Nathaniel Berncastel, âgé de 22 ans[48], débarque à Paris un jour de 1813, en pleine guerre contre les Prussiens. Le jeune homme ouvre un commerce de quincaillerie, de porcelaine et d'horlogerie dans le quartier du Temple. Ses frères et sœurs, dont certains le rejoindront plus tard, sont restés à Trèves[49]. Les affaires de Nathaniel, devenu Nathan, sont vite florissantes. Sept ans après son arrivée en France, il épouse Rose (Rachel), la fille d'un fabricant de broderies de Metz, Marx Silny. Nathan et Rose s'installent 31, rue Vieille-du-Temple.

Avec la chute de l'Empire, la Sarre est redevenue prussienne. Nathan veut être français. En janvier 1826, il dépose une demande de naturalisation à la mairie de son arrondissement. Il lui faudra deux ans pour l'obtenir. Le 19 décembre 1827, une ordonnance royale confère enfin la nationalité française au grand-père maternel de Jeanne[50].

Sa femme Rose, elle, appartient à une vieille famille de Metz dont on retrouve la trace au XVIIe siècle[51]... Les Silny font partie de cette bourgeoisie juive lorraine qui, depuis Louis XIV, est jugée indispensable à l'économie – le commerce des grains et des chevaux fait d'eux les principaux fournisseurs de l'armée. Mais Marx Cahen est de fortune modeste et n'écrit que l'hébreu. Sa femme, Gutché Kanstadt, née à Mayence, beaucoup plus cultivée, doit travailler avec lui et des difficultés financières obligeront plus tard sa famille à l'aider. Ils ont cinq enfants. Amélie (Fradché), la sœur cadette de Rose, a épousé en 1824 un jeune avocat plein d'avenir : Adolphe Crémieux, l'une des figures les plus prestigieuses de la vie politique et communautaire de son temps.

Isaac Crémieux, dont le nom a été francisé en Adolphe, est le fils d'un négociant en soie de Nîmes. Reçu brillamment au barreau à l'âge de 21 ans, il devient très vite célèbre pour avoir refusé de prêter le serment *more judaico*[52]. Le jeune homme obtient que le tribunal de Nîmes et d'Aix renonce à cet usage, et il propose ses services à tout rabbin qui refuserait de collaborer à cette cérémonie infamante. Les refus se multiplient, et Crémieux plaide à travers toute la France.

Cet épisode illustre bien le personnage d'Adolphe Crémieux : générosité, courage, habileté, popularité. Devenu avocat à la Cour de cassation en 1830, il se fait le défenseur de la presse d'opposition, tout en gardant de bons rapports avec Louis-Philippe. En 1840, éclate l'affaire de Damas. Des Juifs sont arrêtés[53]. Une délégation composée du philanthrope anglais Sir Moses Montefiore, de l'orientaliste Salomon Munk, et d'Adolphe Crémieux obtient la libération des prisonniers et de la part du sultan ottoman, un démenti officiel de l'accusation de crime rituel. Le retour de la mission est triomphal. En 1842, Adolphe Crémieux, élu à Chinon, devient l'un des premiers députés juifs de France. En 1843, il est président du Consistoire : « Nous avons l'honneur d'appartenir au culte israélite, nous sommes des Juifs citoyens français », proclame-t-il fièrement à la Chambre des députés[54].

L'actualité va placer le grand-oncle de Jeanne au tout premier plan. Il participe à la révolution de 1848, et devient ministre de la Justice dans le Gouvernement provisoire. Il abolit la peine de mort en matière politique, la prison pour dettes et l'exposition au pilori.

Adolphe Crémieux a pour collègue au gouvernement un autre proche de la famille Weil : Michel Goudchaux, l'ancien tuteur des enfants, devenu ministre des Finances. Le banquier, fervent républicain, plaide pour la nationalisation des chemins de fer et la création de coopératives ouvrières. Il propose l'impôt proportionnel sur les successions et les revenus, ainsi que l'instruction gratuite et obligatoire pour les ouvriers et leur participation au crédit et aux bénéfices. Après le 2 décembre 1851, Michel Goudchaux (1797-1862) consacrera tout son temps et sa fortune aux exilés de Londres et de Bruxelles. Il demandera à être enterré dans la fosse commune. Ainsi, les deux premiers Juifs accédant à des fonctions officielles dans un gouvernement français appartiennent-ils à la parentèle de Jeanne.

Mais que serait l'oncle Adolphe sans son Amélie, que les méchantes langues surnomment la « mère rouge » ? Elle est de tous ses combats, sa confidente, son égérie et sa compagne. Leur rencontre est narrée par le menu dans une lettre d'Amélie. Rose, déjà mariée à Nathan Berncastel, habite Paris, et c'est elle qui va contacter en secret un *chadchen* pour sa cadette. Celui-ci, pour vanter sa clientèle, lui parle d'un jeune avocat. Un bien trop beau parti pour Amélie... mais Rose fait d'elle un portrait si enthousiaste que le marieur consent à en parler au jeune homme qui part sur-le-champ pour Metz où il tombe éperdument amoureux d'Amélie ! De son côté, elle avoue à sa sœur : « Je n'ai jamais rencontré d'homme plus aimable même parmi les catholiques. » C'est dire ! Quarante-cinq ans plus tard, Adolphe Crémieux écrit à sa femme : « Tu sais comme les Juifs doivent aimer leur bon dieu. Bonjour, mon bon dieu chéri [55]. » Leur correspondance est le reflet de cette entente exceptionnelle. La laideur du petit homme est légendaire mais tous ceux qui le rencontrent sont sous le charme, même s'ils ne partagent pas l'avis d'Amélie qui le trouve... beau !

Sans doute est-ce cette passion pour sa femme qui lui a fermé les yeux sur un acte lourd de conséquences pour ce défenseur infatigable de la cause juive : la conversion secrète d'Amélie et de ses enfants. Celle-ci est d'autant plus choquante que Crémieux, président du Consistoire, vient de s'élever contre l'une d'entre elles. Il démissionne de son poste dès qu'il l'apprend.

Quand Amélie et ses enfants, Gustave et Mathilde, furent-ils baptisés ?

Dans le fond d'un dossier d'archives, un papier jauni et déchiré en quatre, pour la première fois, répond à cette question. Il s'agit du certificat de baptême de leur fille. Il est rédigé par le prêtre de Mortefontaine, un village près de Senlis, et la marraine n'est autre que la baronne de Feuchères, cette même baronne que le poète Gérard de Nerval voyait apparaître, montée en amazone sur les pelouses du château de Mortefontaine[56]... Pourquoi Amélie prit-elle cette décision dont elle savait à quel point elle ferait souffrir l'homme qu'elle aimait ? En 1853, lors du mariage de sa fille Mathilde avec Alfred Peigné à la paroisse Saint-Roch, Adolphe Crémieux apposera avec tristesse sa signature au bas de l'acte religieux.

Dans le salon d'Amélie Crémieux, se rencontre l'élite libérale et romantique : Lamartine, Victor Hugo, Lamennais, Odilon Barrot, George Sand, mais aussi des saint-simoniens comme Rodrigues ou des francs-maçons comme Gambetta, Carnot, Arago, Jules Simon ou Charles Floquet. Grand Maître du Rite écossais, Adolphe Crémieux ne fait pas mystère de son appartenance à la franc-maçonnerie[57]. On peut également croiser dans le grand appartement de la rue Bonaparte, meublé à la mode troubadour, Alexandre Dumas ou Eugène Sue ainsi que la Princesse Mathilde, à qui le jeune narrateur de *La Recherche* sera présenté par Swann[58]. Les Crémieux sont surtout passionnés de musique et de théâtre. Rossini, Meyerbeer, Chopin, la cantatrice Pauline Viardot sont leurs hôtes. L'avocat fait répéter ses rôles à la comédienne Rachel, qui l'appelle Papa ! Amélie et sa sœur Rose, la grand-mère de Jeanne, sont d'excellentes pianistes. L'un des premiers cadeaux d'Adolphe Crémieux à sa fiancée chérie est l'intégrale des partitions de Mozart. Un piano de chez Erard suivra...

Nathan et Rose Berncastel, les grands-parents de Jeanne, auront trois filles : Amélie, Adèle et Ernestine[59]. Adèle, sa mère – la grand-mère de *A la recherche du temps perdu* – est très attachée à son oncle et à sa tante Crémieux. Son père, Nathan, a fait d'assez bonnes affaires pour être électeur censitaire dès 1842 au moins[60]. Mais il est de caractère rude et autoritaire. On le voit par exemple interdire à sa femme Rose de se rendre à Nîmes pour le mariage de sa sœur chérie. Elle le craint. A-t-il été « un si mauvais père », comme l'avance Marcel Proust[61] ? Les deux sœurs Silny se voient souvent. Un peu plus âgée que sa cousine Mathilde, Adèle fréquentera le salon de son oncle et sa tante durant toute sa jeunesse. Elle héritera de leurs goûts littéraires et artistiques, et les transmettra à sa propre fille, Jeanne.

Le milieu dont est issue Adèle est donc plus évolué que celui des Weil qui, à côté des Berncastel et des Silny, font un peu figure de nouveaux riches. La rudesse des Weil, leur piété, leur caractère entier vont s'allier à la fortune plus ancienne, aux mœurs plus policées d'une famille liée aux cercles du pouvoir, dans laquelle culture et politique jouent un rôle important.

Baruch Weil et Nathan Berncastel par les affaires, Marguerite et Rose par le Comité des écoles, Michel Goudchaux et Adolphe Crémieux par la politique, les frères Weil et Crémieux par la franc-maçonnerie : de nombreux liens existaient donc déjà entre les Weil et les Berncastel. Un premier mariage avait uni les familles, celui de Moïse, le demi-frère de Nathé, avec la sœur aînée d'Adèle, Amélie. On n'eut sans doute pas besoin de marieur pour décider de celui de Nathé et d'Adèle...

Le contrat de mariage signé le 6 décembre 1845, jour même de la cérémonie à la mairie du Xe arrondissement, témoigne en tout cas de l'équilibre des fortunes[62]. La troisième sœur Berncastel, Ernestine, sera elle-même mariée le 17 mai 1851, à 21 ans comme ses aînées, à Samuel Mayer, un marchand de coton installé à Flers, dans l'Orne[63].

Quant aux sentiments d'Adèle en ce « temps lointain où ses parents lui avaient choisi un époux[64]... », à qui importent-ils ? Entre Nathé Weil, le boursier à l'esprit caustique et Adèle Berncastel, la jeune fille romantique, une longue vie conjugale va pourtant débuter.

4

LE 40 *BIS*

Mai 1849 : les cadavres s'entassent dans la puanteur et l'horreur. 20 000 morts à Paris, plus de 110 000 en France, l'épidémie de choléra s'est étendue à toute l'Europe, et on dit qu'elle gagne l'Amérique. Les uns affirment qu'il faut se méfier de l'eau, les autres qu'il faut se laver les mains le plus souvent possible. Alors, que faire ? Au foyer de Nathé et Adèle Weil, une petite fille, Jeanne, vient de naître[65]. La rue du Faubourg-Poissonnière où ils ont emménagé, ce quartier si vivant, est devenu une zone mortifère ; on murmure que les arrondissements populaires sont les plus exposés, et certains bourgeois quittent même Paris pour se mettre à l'abri. Et pour aller où ? s'est contenté de répondre Nathé en haussant les épaules. Pour rien au monde il ne coucherait loin de chez lui.

Drôle d'homme que ce Nathé Weil... Autoritaire, prompt à s'emporter, ironique et généreux, jusqu'à sa mort, le père de Jeanne occupera la place du patriarche. Comme tous les patriarches, il sera respecté, écouté, obéi. C'est un rôle de composition auquel les hommes de cette époque – et osons le dire, surtout juifs – adhèrent sans état d'âme. On écoute donc ses avis, on craint ses colères, on rit à ses plaisanteries, on lui demande de l'argent, on le sert en premier à table – et tout cela n'empêche pas de penser ce qu'on veut.

Son visage paraît sévère, peut-être à cause des plis de la bouche et du regard perçant. Les lèvres, pourtant, sont pleines. La chevelure est épaisse, les boucles se rebellent sous le peigne. La barbe aussi, en collier au bas des joues rasées, s'étalerait sans vergogne si on ne la taillait pas. Tenue impeccable, col dur, plastron blanc, veste noire à larges revers. De l'assurance, de la prestance malgré la taille qu'on devine petite, de la robustesse même, un air plus Troisième République que Second Empire. Pourtant, il est né en 1814[66]. Il a vécu des monarchies, des révolutions, la fin d'un empire et le cours d'un autre.

A côté de lui, sa femme Adèle, aux traits fins, presque aigus, l'esprit libre. Elle laisse passer les orages, elle a eu l'habitude avec son père. Une petite bonne femme sensible et discrètement tenace que le tempérament irascible de son époux n'impressionne pas.

Le caractère tranchant de Nathé Weil transparaît bien dans ce simple échange avec le maire du IXe arrondissement, alors qu'il tente de reconstituer ses papiers d'état civil ainsi que ceux de sa femme et de sa fille : comme des milliers de Parisiens, il lui faut fournir des preuves de son identité après les incendies des mairies par les Communards.

> Mercredi, 10 septembre 1873
>
> « Monsieur,
>
> J'ai le regret de ne pas vous trouver à votre mairie, ainsi je me permets de vous laisser les pièces que vous avez

bien voulu m'autoriser à vous remettre afin de rétablir un état civil, quant aux actes pour lesquels je suis entièrement démuni et pour lesquels ma simple déclaration doit être reçue – A la Bourse, on m'a fait des difficultés sans nombre, aussi suis-je parti, me permettant d'exploiter votre bienveillante intervention.

Je le répète, je n'ai rien à fournir à l'appui – ainsi on avait la prétention de me demander un certificat du Grd Rabbin se fondant sur ce qu'à tout rite d'initiation religieuse il y avait trace dont lui seul pouvait fournir attestation – or cette initiation religieuse pour la fille est une innovation qui remonte à peine à 15 ans !!! Mr le Grand Rabbin n'a rien et ne peut rien avoir affaire [*sic*] là –

Permettez-moi de compter sur votre efficace protection pour que j'évite de nouvelles courses et démarches et croyez, monsieur, en l'expression de ma gratitude aux sentiments distingués et dévoués de

Votre empressé serviteur

Nathé Weil[67] »

Pour tous les lecteurs de Marcel Proust, Nathé est le grand-père de *La Recherche*, et le monsieur Sandré de *Jean Santeuil*. Ce M. Sandré, « à la tête énergique », qui fume la pipe en arpentant la pièce avec « une lenteur précipitée », et dont l'âge lutte encore avec « la violence de son tempérament » semble bien proche de Nathé Weil. Et cette lettre écrite par Marcel à 7 ans et demi en dit long sur la figure tutélaire incarnée par M. Weil :

« Mon cher grand-père

Pardonne-moi de mon péché car j'ai moins mangé qu'a l'ordinaire j'ai pleuré pendant un cardeur apré cela j'était en sanglot

Je te demande Pardon

Pardon père qui doit être honoré et respecter de tout le monde

Robert t'embrasse de tout son cœur
Ton Petit fils Marcel
Adieu mon grand-père[68] »

Entre parents et enfants, entre frère et sœur, l'amour ne fera jamais défaut.

Georges, l'aîné de Jeanne, est le premier petit-fils des Berncastel comme des Weil. Nathan, son grand-père maternel et Louis son oncle paternel sont allés le déclarer solennellement à la mairie[69]. Selon la coutume juive, il porte le prénom de Baruch, son grand-père décédé. Jeanne et son frère grandiront ensemble, habiteront à proximité l'un de l'autre et mourront à quelques mois d'intervalle, de la même maladie que leur mère. Georges, comme son neveu Marcel, vivra avec sa mère jusqu'à la mort de celle-ci, et ne se mariera qu'ensuite, à 44 ans. Entre Adèle et ses enfants, l'attachement est étroit, fusionnel. Avec sa fille, elle ne fait qu'un.

« Je connais une autre mère qui ne se compte guère, qui est tout entière *transmise* à ses enfants », écrira un jour Jeanne à son fils Marcel, comparant Adèle à Mme de Sévigné. Elle aurait pu dire la chose d'elle-même.

Jeanne est assise sur une petite chaise aux pieds de sa mère. Le jour tombe, mais il fait encore assez clair pour lire. Elle aime cette pénombre qui les rapproche encore. Bientôt, pourtant, il faudra allumer. On entend le va-et-vient de la pendule, et parfois, une porte se fermer au fond du couloir. La petite fille porte une robe sombre, presque austère. Seul, un double feston blanc éclaire l'empiècement et le bas de sa jupe d'où dépasse le pantalon brodé. Ses cheveux nattés en couronne encadrent son visage mince et sérieux, presque recueilli. Mme Weil tient sur ses genoux un livre qu'aime tout particulièrement la fillette. Elle sait déjà lire, mais nulle musique ne pourra jamais remplacer la voix de sa mère. Adèle lit, la tête appuyée sur sa main gauche. Les cheveux bruns nattés autour du visage ovale, les pommettes hautes, le buste menu et la taille fine, les plis de la robe noire fermée par un camée, les perles à ses oreilles, tout indique une simplicité qui tient autant à son goût du naturel qu'à son sens de la beauté. Les coudes sur les genoux, le menton dans sa main comme sa mère, la tête levée vers elle, Jeanne la regarde avec adoration.

Elle vit dans l'orbite maternelle. Son père habite une autre planète, celle des hommes. Il sort de la maison, et on ne sait pas ce qu'il devient. Il va travailler, dit Maman. C'est un endroit où les femmes n'ont pas le droit d'entrer. Même Georges ne sait pas exactement de quoi il s'agit. Le monde des pères est mystérieux.

Et celui de Nathé tout particulièrement. Sur sa carrière professionnelle règne un certain flou. Il a d'abord été, semble-t-il, coulissier, l'un de ces courtiers qui opéraient dans la *coulisse*, le marché libre des valeurs non inscrites à la Bourse. Les agents de change avaient alors le monopole de la corbeille. Les coulissiers se tenaient à l'écart, sous la colonnade du palais, et ils traitaient avec les agents par l'intermédiaire d'une foule de commis et de courtiers qui faisaient la navette entre eux. Ils étaient à la fois des concurrents pour les agents de change, et des clients, parfois des associés.

L'univers de Nathé Weil, c'est celui de *L'Argent*, le roman de Zola dont la description s'inspire en partie des souvenirs de l'un des contemporains du père de Jeanne, Ernest Feydeau[70] : le grouillement autour de la corbeille, le grondement continu de la foule, les aboiements des agents, l'agitation infernale de 1 heure à 3 heures, le va-et-vient des commis, la fumée bleue des cigares, le noir des redingotes, les ordres brefs, les clameurs et le silence qui s'installe peu à peu jusqu'au lendemain. Sans doute Nathé fut-il assez habile pour gagner beaucoup d'argent et assez économe pour le garder – au rebours des boursiers décrits par Zola qui note : « Tout ce monde de la Bourse est jouisseur, mangeur, noceur, joue aux courses[71]. »

En 1845, il se déclare rentier. Mais rentier ne signifie pas oisif. Dans le recensement des israélites de Paris de 1850, il figure comme « négociant ». Il aurait été ensuite commanditaire des agents Ramel puis Blin, au 18, boulevard Montmartre[72]. Nathé Weil a fait carrière sous la Monarchie de Juillet, en période de pleine expansion industrielle et financière, à une époque où certains se sont enrichis très vite. Un James de Rothschild peut écrire en 1840 : « Je me rends chez le roi que je vois quand je veux... il a toute confiance en moi, m'écoute et tient compte de ce que je lui dis. » Même si la modernisation de l'activité bancaire n'en est qu'à ses débuts et les moyens pour mobiliser l'épargne encore traditionnels, la Bourse de Paris voit le nombre des valeurs cotées passer de 38 en 1830 à 260 en 1841 pour s'accroître encore dans les années suivantes. Bien sûr, ces chiffres nous semblent dérisoires. Mais dans *A la recherche du temps perdu*, le père de Charles Swann, agent de change dont le grand-père du narrateur est l'un des meilleurs amis, « avait dû laisser à ses enfants quatre ou cinq millions[73] ». Nathé Weil a pu lui aussi édifier une fortune et la faire fructifier.

Antoine Haas, justement, le père de l'élégant Charles Haas qui a en partie inspiré le personnage de Swann, était en réalité caissier de James de Rothschild – autrement dit une sorte de fondé de pouvoir et en 1828, l'un des cinquante israélites les plus imposés de Paris[74].

Gustave Neuburger, le mari de Laure Lazarus, la cousine de Jeanne, sera lui aussi directeur de la banque Rothschild. Son frère Léon qui a épousé une autre cousine, Claire Weil, travaille dans la même banque[75]. Mais Nathé est le seul homme de la famille Weil à appartenir au monde de la finance. Dans cette fratrie où chacun a choisi une voie différente, il est le seul à s'être engagé dans une profession stigmatisée comme typiquement juive.

Même Zola, pourtant peu suspect d'antisémitisme, affirme dans ses notes : « Peut-être la moitié des boursiers était-elle juive. [...] Fasquelle, Busnach et les autres me donnent l'impression que les cervelles françaises répugnent au côté abstrait des opérations ». Et il ajoute : « C'est un métier de Juif, il y faut une construction particulière de la cervelle, des aptitudes de race[76]. » Comme le père de Charles Swann, Nathé Weil exerce donc « un métier de Juif ».

En faisant de l'ami intime du grand-père de *A la recherche du temps perdu* « un associé d'agent de change d'une assez grande fortune » et dont « en somme sa qualité de Juif passait à peu près inaperçue parce qu'il ne fréquentait guère que des catholiques et donnait tout au plus aux personnes curieuses l'envie de lui demander si c'était vrai que les Juifs étaient forcés de manger un enfant vivant à certains jours[77] », Proust nous fournit avec humour une indication précieuse. On peut donc, en ce milieu du XIXe siècle, être juif, exercer un métier de Juif et gommer cette appartenance en ne fréquentant que des catholiques ? C'est à quoi aspira Nathé Weil, qui fut moins impliqué dans la vie de la communauté que son père et ses frères aînés. Mais, qu'il le voulût ou non, par mille traits, il lui appartenait encore.

Et d'abord, par les quartiers où il vécut ! Nathé Weil est né et a grandi rue Boucherat, l'actuelle rue de Turenne. Il s'installe ensuite rue d'Hauteville, dans le Xe arrondissement. Cette rue longue et étroite qui va de l'église Saint-Vincent-de-Paul au boulevard Bonne-Nouvelle deviendra, avec son mariage, un véritable fief familial. Qu'on en juge plutôt : au 18 habiteront ses futurs beaux-parents, Nathaniel et Rose Berncastel qui en 1845 demeurent déjà au 57, tandis que lui-même et sa femme Adèle se sont installés à quelques numéros de là, au 43. Quant à son frère Louis, il loge un peu plus bas dans la rue, au 33 ! Rue de Paradis, rue des Petites-Écuries, rue Richer, rue du Faubourg-Poissonnière où les Weil emménagent juste avant la naissance de Jeanne, rue de la Boule-Rouge où sa grand-mère maternelle finit ses jours, rue de Trévise où sa mère a grandi : nous sommes en plein quartier juif où aujourd'hui encore les magasins *cascher*, les synagogues, les commerces de peaux et de fourrures, les magasins de verrerie, les librairies, témoignent d'une implantation aussi vivante qu'ancienne. Les séfarades d'Afrique du Nord ont remplacé les ashkénazes d'Europe de l'Est qui eux-mêmes avaient pris la place laissée par les Juifs de l'Est, Alsaciens, Lorrains ou Allemands.

Le même mouvement de poussée vers l'ouest de Paris se poursuit, parallèle à l'ascension sociale : Baruch s'est installé près de la République, Nathé, faubourg Poissonnière, et Jeanne habitera avec son mari et ses enfants boulevard Malesherbes puis rue de Courcelles. Quant à Louis Weil, l'oncle de Jeanne, fortune faite, il achètera un immeuble au 102, boulevard Haussmann, à l'autre bout des Grands Boulevards et une propriété à Auteuil. La réussite se signe de l'appartenance à un quartier. La grand-tante de *A la recherche du temps perdu*, « la seule personne un peu vulgaire » de la famille, s'offusque de ce que Swann, qui pourrait avec sa fortune habiter boulevard Haussmann ou avenue de l'Opéra, demeure quai d'Orléans, une adresse qu'elle trouve infamante ! « Eh bien ! Monsieur Swann, vous habitez toujours près de l'Entrepôt des vins, pour être sûr de ne pas manquer le train quand vous prenez le chemin de Lyon ? » glisse-t-elle à chaque 1er janvier quand ce parfait homme du monde vient lui apporter son sac de marrons glacés [78] !

Les Weil habitent donc « ces arrondissements sordides [79] » si étrangers au narrateur de *A la recherche du temps perdu* mais qui ne devaient pas l'être à leur auteur, puisque sa chère maman y avait vécu et que lui-même allait y rendre visite à ses grands-parents... Le 40 *bis*, dont Proust fera le domicile de l'oncle Adolphe tout en le situant boulevard Malesherbes (où habiteront ses propres parents), sera jusqu'à la mort des parents de Jeanne leur domicile. Dans la famille, on dit « le 40 *bis* » sans préciser la rue. Métonymie d'un groupe et d'un mode de vie, le 40 *bis* désigne les Weil comme dans *La Recherche*, il désigne le grand-oncle [80].

> « Des cousines de maman lui disaient le plus naturellement du monde : "Ah ! dimanche, on ne peut pas vous avoir, vous dînez au 40 *bis*." Si j'allais voir une parente, on me recommandait d'aller d'abord au "40 *bis*", afin que mon oncle ne pût être froissé qu'on n'eût commencé par lui [81]. »

Mais le 40 *bis* appartient aussi à un ancien quartier résidentiel devenu industrieux, vivant de ses artisans, à deux pas des Grands Boulevards et des théâtres. Les magasins de nouveautés, comme *Au Petit Saint-Antoine* ou le *Comptoir général du vêtement* y côtoient le *Bazar des Comestibles* qui s'étend jusqu'à la rue d'Hauteville, ou plus tard, *L'Alcazar d'hiver*, très en vogue sous le Second Empire. Une fonderie, des entreprises de petite métallurgie, une cristallerie font pendant aux petites industries de la rue du Faubourg-Saint-Denis, fabrique de calorifères, de « boutons de métal imitant l'Anglais » ou filature de coton.

C'est dans cet environnement que va grandir Jeanne – et l'on est frappé du contraste entre la fortune des Weil et la relative modestie de leur train de vie. A l'évidence, on est loin des fastes du salon Crémieux ou des ors dont sont censés jouir les boursiers juifs. Le décor est simple. De solides habitudes d'économie règlent les dépenses. Une cuisinière, un valet de chambre et une femme de chambre. Rien d'ostentatoire ni même de dispendieux. Nathé Weil préfère épargner pour assurer l'avenir de ses enfants : bonnes études pour le fils, belle dot pour la fille.

Un architecte, un agent de change, un industriel, un militaire, un huissier, un banquier : Moïse, Nathé, Lazare, Abraham Weil, Benoît Cohen et Joseph Lazarus, les fils et les gendres de Baruch Weil ont tous réussi, chacun à leur manière. Des Alsaciens, un Hollandais. Ces hommes n'ont pas la légèreté des oisifs fortunés de l'aristocratie, ils ne savent pas jouir sans arrière-pensée de leur fortune. Ils ont gravi les échelons de la société française à force de travail, d'opiniâtreté et d'ambition. Ils nous donnent l'image fidèle de la première génération née avec la citoyenneté. Ils parlent et écrivent le français, ils ont perdu l'accent de leurs pères qui amusait tant Balzac. Ils sont parisiens. Oui, mais ils sont juifs, et c'est à cette aune que se mesurent leurs conquêtes : Godechaux Weil, premier Juif à devenir huissier ; Moïse Weil, architecte de la ville de Beauvais [82] ; Alphonse Weil – de son vrai prénom Abraham – officier décoré de la médaille du Pape et de la Croix de la Légion d'honneur... Ce célibataire bien noté par ses supérieurs a fait toute sa carrière comme comptable à l'armée. Bien que ne sachant pas monter à cheval, il a fait campagne en Afrique et à Rome pour défendre l'État pontifical [83]. Les Weil sont des israélites français ; pas encore des Français israélites. Encore moins des Français comme les autres.

Tous ne s'impliquent pas de la même façon dans la communauté. Ce qui est en train de changer aussi, c'est l'attitude face à la religion. Baruch Weil trouve un continuateur en la personne de Godechaux, son fils aîné, l'oncle de Jeanne. Il a 22 ans à la mort de son père et joue déjà un rôle dans les institutions juives.

Les libéraux, à l'inverse des conservateurs, sont favorables à l'adaptation de la religion à la société moderne. Reste à savoir dans quelle mesure. Faut-il se fondre complètement dans la société française ? Faut-il conserver les traits majeurs du judaïsme et les adapter à la société moderne ? Le libéralisme tel que le conçoit Godechaux Weil propose une voie médiane entre assimilation et refuge crispé dans la tradition.

Ce débat prend de l'ampleur au cours du XIXe siècle, parce que pour la première fois s'offre une chance réelle d'intégration dans la société française. Pour la première fois en effet, de jeunes Juifs peuvent fréquenter les mêmes écoles, viser les mêmes postes – au moins théoriquement – que leurs camarades non juifs. La tentation de se libérer définitivement des entraves de la religion, de tout signe distinctif est grande. On préfère l'appellation « israélite », jugée plus neutre, moins marquée par les siècles d'antisémitisme. De là à renier leurs origines et tenter d'effacer toute marque de leur identité, il n'y a qu'un pas que certains franchiront : un mouvement de conversions se produit, sous la conduite de Nicolas de Ratisbonne et de Benjamin Drach, gendre du Grand Rabbin Emmanuel Deutsch[84].

Or, ce Benjamin Drach avait été le précepteur des fils aînés de Baruch Weil, et en particulier de Godechaux. Son engagement comme précepteur (bien avant sa conversion) est la preuve que Baruch Weil tenait à assurer à ses enfants la meilleure éducation possible. Érudit, futur orientaliste de renom, Drach, arrivé d'Alsace où il avait été précepteur, se convertit en 1823, créant un véritable scandale dans la communauté juive[85].

Godechaux Weil rédigera, sous le pseudonyme de Ben Lévy, un ouvrage intitulé *Les Matinées du Samedi* qui deviendra un best-seller dans le monde juif francophone. Il sera rédacteur en chef de l'organe par excellence de l'intégration, les *Archives israélites*, une revue libérale créée en 1840 qui a pour but de saluer la réussite de ses membres dans la société française. Il propose aussi de fonder une société mondiale pour la défense des droits des Juifs. Il a quinze ans d'avance. L'Alliance israélite universelle ne verra le jour qu'en 1860 grâce à Adolphe Crémieux.

La réussite professionnelle de Godechaux Weil n'est pas moindre, puisqu'il abandonne la porcelaine pour devenir huissier près du tribunal de première instance de la Seine. Enfin, ce sera lui qui incitera les Rothschild, dont il est proche, à jouer un rôle majeur dans l'action sociale, une nécessité dans cette communauté encore pauvre. L'image des Rothschild reposera en grande partie sur cette action philanthropique[86].

L'oncle Godechaux, presque aussi célèbre dans la

communauté qu'Adolphe Crémieux, a été témoin au mariage des parents de Jeanne. Il meurt en 1878. Quant à son épouse, Frédérique Zunz, née à Francfort, elle vivra au 36, rue d'Enghien jusqu'en 1897. La visite à la tante Friedel est l'une de ces corvées du jour de l'an qu'imposera Jeanne à ses fils[87]...

Autre personnage de premier plan dans les institutions juives, Benoît Cohen. Cet oncle par alliance de Jeanne est venu tout jeune d'Amsterdam où il est né et a épousé Merline, la fille aînée de Baruch Weil. Après avoir travaillé dans la porcelaine avec son beau-père, il occupe des responsabilités financières au sein d'une compagnie d'assurances. Mais c'est surtout aux administrations israélites de bienfaisance qu'il va se consacrer. Son sort se trouvera lié également à celui des Rothschild, puisqu'il devient le premier directeur de l'hôpital des pauvres de la rue Picpus, le futur hôpital Rothschild[88].

Ainsi, de Baruch à ses fils et à ses gendres, s'édifie une dynastie occupant une place de choix dans les institutions juives et unie à ces dernières par de multiples liens familiaux, communautaires, professionnels. Parallèlement, s'effectue l'intégration des Weil dans la société française. Intégration et affaiblissement de la pratique religieuse vont aller de pair pour de nombreux israélites français. C'est moins un calcul qu'une nécessité sociale dont la famille Weil est la parfaite illustration. Mais l'attachement à certains rites ou traditions n'en est que plus fort. C'est à cette fidélité que se mesure l'appartenance, dont l'un des seuls remparts demeure le mariage entre Juifs. Nathé Weil – comme Moïse, son demi-frère, dont deux des filles seront mariées à des non-Juifs[89] – fait un autre choix, celui de l'assimilation. Avec le mariage de Jeanne, le processus trouve son accomplissement. Il aura fallu trois générations.

5

MÈRE ET FILLE

En ce soir de juillet 1864, la foule se presse à l'entrée du Théâtre-Français. L'événement fait grand bruit. La reprise d'*Esther*, la pièce de Racine, dans une nouvelle mise en scène, partage la critique. Mais tous en saluent la somptuosité et l'audace. Quant à Maria Favart, elle charme les plus réticents : sa simplicité en fait une Esther bien plus touchante que Rachel, la protégée de l'oncle Adolphe, traitée vingt-cinq ans plutôt de « houri asiatique » ! A 8 heures et quart précises, le rideau se lève sur un décor qui arrache un murmure d'admiration au public. Des arcades, des tentures, des voiles, des divans bas, d'immenses éventails de plumes, des plantes exotiques dans des vasques richement ornées, des étoffes précieuses évoquent avec un luxe digne des *Mille et Une Nuits* les appartements d'Esther. Dans le fond de la scène, se profilent les portes du palais d'Assuérus.

Les costumes sont à l'image du décor et transportent le public dans un royaume de Perse qui tient de l'Assyrie et de l'Egypte. Barbes noires, tuniques rouges et bleues, tiares or et argent, les personnages masculins se déplacent avec lenteur, hiératiques comme des héros de bas-reliefs. Au deuxième acte, le palais d'Assuérus dresse d'immenses colonnades torsadées au pied desquelles veillent des monstres ailés et des dieux à tête d'oiseaux. C'est tout l'Orient barbare qui déroule ses fastes, composant un écrin baroque au texte classique de Racine. La jeune femme agenouillée aux pieds du monarque qui lui tend son sceptre d'or semble surgie d'un tableau du Gustave Moreau. Et quand après l'entracte, le rideau se lève sur les jardins d'Esther, c'est l'émerveillement général. Il faut être grincheux comme le critique Francisque Sarcey pour bouder son plaisir. De gigantesques cèdres courbent leur feuillage sur des sphinx accroupis, laissant deviner au loin les tours de la ville de Suse. Le public enthousiaste bisse le chœur final : « Il s'apaise, il pardonne. »

Quinze représentations seront données en soirée, auxquelles s'ajoute la matinée gratuite du 15 août[90]. Cette Esther « qu'elle préfère à tout », comment Jeanne, âgée de 15 ans, en manquerait-elle l'interprétation la plus fameuse de son siècle[91] ?

Pour sauver les siens, Esther doit cacher sa véritable origine sans jamais la renier – elle deviendra l'une des grandes figures du marranisme[92]. Elle n'a rien d'une héroïne intrépide. Ce n'est que poussée par Mardochée qu'elle finit par agir. Elle est doublement soumise à l'autorité, celle de son oncle et celle de son époux et roi. Femme de harem, elle a pour seules armes sa beauté et son intelligence. Bien loin de s'opposer au roi ou d'enfreindre sa loi, elle sait l'utiliser habilement pour arriver à ses fins. « Juive devenue sultane en Perse », elle est capable à la fois de faire illusion et de garder son identité. Son rôle d'intercesseur repose sur un pouvoir occulte qu'elle exerce sur le roi. D'amour de sa part, il n'en est pas question. Elle est auprès de lui en service commandé. Elle accomplit son devoir.

Tel est le personnage qui fascinera jusqu'au bout Jeanne Weil.

La tragédie de Racine, écrite à la demande de Mme de Maintenon pour les demoiselles de Saint-Cyr, fait partie des connaissances de toute jeune fille cultivée. « Vous supposerez qu'après la première représentation d'*Esther*, Mme de Sévigné écrit à Mme de La Fayette pour lui dire combien elle a regretté son absence », tel est le sujet que l'une des jeunes filles en fleurs, Gisèle, aura à traiter au certificat d'études de fin de troisième.

Adèle a certainement lu à Jeanne la lettre de Mme de Sévigné, son auteur préféré, qui assista en effet à la cinquième représentation d'*Esther* à Saint-Cyr. La correspondance de la marquise circule entre elles comme une langue secrète. A travers leur goût commun des citations, l'amour de Mme de Sévigné pour sa fille, sa curiosité, sa lucidité, son humour et son sens de la dérision servent de révélateurs à leurs propres sentiments. Car, comme pour la marquise, leur tendresse ne va pas sans pudeur : « On formerait, ma chère enfant, une autre amitié de tous les sentiments que je vous cache. »

Quant à Maria Favart, l'interprète d'*Esther*, elle n'est pas une inconnue pour Jeanne non plus. Durant six mois elle a joué au théâtre des Variétés une pièce inspirée de *La Petite Fadette* de George Sand, puis Musset, poète favori des dames Weil, au Théâtre-Français[93].

Racine, Mme de Sévigné, George Sand, Musset, les auteurs fétiches de Jeanne et de sa mère, se trouvent ainsi convoqués autour de cette représentation d'*Esther*. Deux classiques, deux romantiques. Ils nous donnent une idée de la culture de la jeune fille et de la formation de son goût. Le rôle d'Adèle Weil dans ce domaine est déterminant.

Pour Mme Nathé comme pour la « Mme Amédée » de *La Recherche*, à qui Proust a donné le prénom rare de Bathilde inspiré du théâtre de Dumas, ce qui compte par-dessus tout, ce sont les valeurs intellectuelles et artistiques jointes à une irréductible passion pour le naturel. Adèle se moque des conventions, fait fi des préjugés et du jugement social. On a dit que Proust avait mêlé des traits de sa mère et de sa grand-mère dans le personnage de Mme Amédée. La nature fougueuse, émotive, à la fois fine et presque naïve à force de pureté de la grand-mère est bien celle d'Adèle et non celle de sa fille. Son rationalisme, contrebalancé par son idéalisme, provient en droite ligne de sa fréquentation d'un milieu aux idées avancées. La grand-mère du narrateur a même des sympathies socialistes, puisqu'elle offre à Saint-Loup, adepte de l'Université populaire, des lettres autographes de Proudhon qu'elle a achetées, ce même Proudhon qu'Adèle Berncastel avait rencontré chez son oncle Crémieux.

Liberté de pensée et goût de l'art, refus des mondanités et amour de la nature : rien de futile chez elle. Ces différents traits font de la mère de Jeanne un être un peu à part, une originale, pas toujours comprise des siens si l'on en croit le portrait qu'en fait Proust et les quelques notations de la correspondance[94].

« Mme Amédée c'est toujours l'extrême des autres », commente non sans une pointe d'aigreur Françoise, la cuisinière de tante Léonie, dans *Du côté de chez Swann*. Il y a fort à penser que Mme Nathé, de la même manière, ne ressemble à personne. Passionnée de théâtre – c'est la grand-mère qui emmène le jeune Marcel de *La Recherche* voir la Berma dans *Phèdre* pour la première fois – cultivée, abonnée à plusieurs cabinets de lecture, latiniste et germaniste, elle n'en est pas moins éprise de grand air et de vie saine.

Son originalité et ses principes hygiénistes sont même une source d'embarras pour le narrateur, quand à Balbec, ne pouvant supporter que la baie vitrée du Grand-Hôtel intercepte l'air et en prive son petit-fils, elle « ouvr[e] subrepticement un carreau et f[a]it s'envoler du même coup, avec les menus, les journaux, voiles et casquettes de toutes les personnes qui étaient en train de déjeuner[95] ».

Cette grand-mère fantaisiste n'est pas sans inquiéter aussi le père du narrateur « qui savait, quand elle organisait un déplacement en vue de lui faire rendre tout le profit intellectuel qu'il pouvait comporter, combien on pouvait pronostiquer de trains manqués, de bagages perdus, de maux de gorge et de contraventions[96] ».

N'a-t-elle pas pour théorie que plus le quotient artistique est élevé, plus grand est l'intérêt d'un site, qu'il s'agisse d'une vue de Florence ou d'un voyage sur les traces de Mme de Sévigné ? Le réel et l'aspect pratique semblent peu compter pour elle : qu'importe si Florence ne ressemble plus aux tableaux de la Renaissance, ou si aller à Balbec en suivant un itinéraire du XVIIe siècle manque de commodité ?

Oui, si l'on en croit *La Recherche*, Mme Amédée se distingue par son absence de conformisme. Au grand scandale de son gendre, n'a-t-elle pas envisagé d'offrir à son petit-fils de 7 ans les *Poésies* de Musset, les *Confessions* de Rousseau et le roman féministe de George Sand, *Indiana* ? Elle devra les rendre au libraire et les échanger pour les romans champêtres de la dame de Nohant... Même si cette anecdote n'est pas à prendre à la lettre, on peut imaginer que la nièce d'Adolphe Crémieux a ouvert sa fille à d'autres lectures que les domaines réservés aux demoiselles et qu'elle a cherché à nourrir la vive intelligence qu'elle ne pouvait qu'avoir remarquée chez elle.

La personnalité d'Adèle Weil va influencer profondément sa fille. La petite Jeanne, en effet, est élevée par sa mère, comme il est de règle. Elle est très proche d'elle. Elle le restera toute sa vie. Sur deux photos sans doute prises le même jour, le photographe leur a fait tenir la même pose, les mains sur le dossier d'une chaise où repose un rideau. Adèle a toujours son sourire énigmatique, Jeanne fixe l'objectif d'un air concentré. Elle est sérieuse. On a dû lui dire de bien regarder et de ne pas bouger. Elle est un peu crispée, et paraît tenir le rideau comme une enfant s'accroche à la jupe de sa mère.

Quelle éducation Jeanne a-t-elle reçue ? En l'absence de tout document, on ne peut formuler que des hypothèses.

Il est probable que Jeanne a suivi « un petit cours », c'est-à-dire un cours privé dans lequel les jeunes filles de bonne famille apprenaient quelques rudiments de culture générale[97]. Or, tout près de chez les Weil, cité de Trévise, se trouve un cours pour jeunes filles qui pourrait bien avoir été fréquenté par Jeanne, et qui sait ?, peut-être par Adèle dans sa jeunesse. Il s'agit du « cours méthodique d'éducation maternelle » ouvert par David Levi Alvarès en 1820 et qui, durant un siècle, va connaître une fortune extraordinaire à Paris et en province. Sa méthode consiste à partager l'enseignement entre le maître et la mère. Certains de ses cours réuniront jusqu'à quatre cents mères de famille ! Les élèves ne voient le maître qu'une fois par semaine, durant six mois (à la belle saison, ces demoiselles, comme les petites filles modèles de la comtesse de Ségur, suivent leurs parents à la campagne...). Leur mère assiste au cours et sert ensuite de répétitrice. C'est sur elle que repose cet enseignement. Le grand principe de Lévi est l'usage de la raison. Son enseignement, très novateur, a pour but de rendre l'enfant actif.

La clientèle se recrute dans le faubourg Saint-Germain et la Chaussée d'Antin, dans le milieu de « l'aristocratie d'argent, de la finance et du haut commerce ». Grammaire, « art de bien dire et d'écrire », cosmographie, géographie physique, politique et commerciale, histoire, histoire naturelle et physique élémentaire, en sont les principales matières. Les élèves, note un inspecteur, sont particulièrement informées sur leur époque, et connaissent aussi bien Jules Favre qui vient d'entrer à l'Académie française que Taine et son *Essai sur les Fables de La Fontaine*. « Nous avons horreur d'en faire des bas-bleus », affirme le directeur, et pas davantage « des poupées de salon ». Bien qu'israélite, précise aussi le rapport, M. Levi Alvarès reçoit une majorité d'élèves catholiques. Garantie de tolérance[98]...

Ni les langues anciennes ni les langues vivantes ne sont enseignées. Le latin, réservé aux garçons, est formellement proscrit pour les filles dans toutes les instructions officielles. Jeanne ne peut l'avoir appris qu'avec un professeur particulier ou avec sa mère, Adèle ne reculant pas devant ce qui apparaît alors comme le comble du pédantisme pour une femme[99]. On se souvient que le petit Marcel tentera d'écrire une lettre en latin à sa grand-mère. Il s'exerce aussi à l'allemand avec elle.

Les enfants Weil ont dû bénéficier des soins d'une miss pour apprendre l'anglais qu'ils connaissent bien tous les deux. Pour l'allemand, rien de très étonnant : ses grands-parents maternels et sa mère le parlent encore. La pratique courante de deux langues vivantes est assez rare à l'époque. Il y a là une démarche éducative originale, qui tient autant au contexte familial qu'à la personnalité de l'éducatrice.

Une note de Proust dans *Jean Santeuil* ouvre une piste complémentaire : « Mme Santeuil universitaire. Les distributions des prix. *A placer ailleurs*[100]. »

On sait les ressemblances entre Mme Santeuil et Jeanne Proust, et de manière plus générale entre *Jean Santeuil*, et la vie de son auteur.

Si les lycées ont été ouverts aux jeunes filles en 1880, les universités, à quelques exceptions près, ne leur sont accessibles qu'après 1918. Or, quand le ministre Victor Duruy met en œuvre son projet d'enseignement secondaire pour jeunes filles, à Paris, ces cours sont pris en charge par une Association qui a pour siège la Sorbonne. C'est à la Sorbonne qu'ils auront lieu, de 1867 à 1870. Devoirs et examens sont facultatifs, mais pour celles qui s'y soumettent, des médailles sont remises lors d'une distribution des prix solennelle. L'Impératrice elle-même, malgré les accusations d'anticléricalisme et de saint-simonisme lancées contre le ministre (et qui mettront fin à l'expérience), y inscrira ses nièces. Les cours de la Sorbonne réuniront environ deux cents élèves, accompagnées de leurs mères, bien plus dissipées que leurs filles[101]...

Parmi les enseignants, se trouve une seule femme : Marie Pape-Carpantier, la fondatrice de l'école maternelle. Son programme repose sur les « devoirs dévolus aux femmes par la nature et la raison ». La première partie du cours a tout pour plaire à Adèle Weil et à la future épouse du docteur Proust : il s'agit d'hygiène. La nutrition, la propreté, la respiration (et en particulier les dangers du corset, des ceintures, des chaussures trop étroites), la gymnastique, l'hygiène de l'habitation sont abordées. Un cours de morale – le premier droit des femmes est « le droit au respect » – et d'organisation du ménage ainsi que des notions d'éducation civique complètent cet enseignement. Hasard ou estime pour une éducatrice qu'elle connaissait ? Lorsqu'elle enverra son fils Marcel dans une école maternelle, le choix de Jeanne Proust se portera justement sur l'école Pape-Carpantier[102]...

« Ni bas-bleu ni poupée de salon », Jeanne Weil, comme Adèle et avant elle Rose, Amélie et Ernestine, est donc élevée à la fois en jeune personne cultivée et en héritière à marier. Elle reçoit une nourriture intellectuelle plus consistante qu'il n'est d'usage alors ; elle en prend l'habitude et le goût grâce au dialogue incessant avec sa mère, et en transmettra le besoin à son fils. Née une quinzaine d'années plus tard, elle aurait suivi des études supérieures. On se contenta de la marier, au même âge que sa mère et ses tantes[103]. Comme Esther, elle allait épouser « l'étranger » qu'on lui avait choisi...

Deuxième partie

6

CHANGEMENT DE RÉGIME

Le mariage eut lieu le samedi 3 septembre 1870, le lendemain de la défaite de Sedan. La famille Weil fut présente au grand complet, mais aucun des Proust, ni Virginie, la mère d'Adrien, ni Jules et Elisabeth Amiot, sa sœur et son beau-frère, ni aucun des cousins Proust ne vint. Illiers est pourtant à moins d'une centaine de kilomètres. Il est vrai que la situation politique ne se prêtait guère aux déplacements. Un faire-part avait cependant été envoyé par les Weil[104] aux connaissances d'Illiers. En revanche, des collègues du Professeur avaient tenu à honorer la cérémonie de leur présence. Le docteur Dieulafoy, célèbre pour ses conférences théâtrales ? Le professeur Fauvel, aussi sans doute ? Jeanne était entrée au bras de son père dans la grande salle de la mairie du Xe arrondissement. Après l'échange des anneaux, peut-être songea-t-elle au rite juif du verre cassé en signe d'union indestructible.

Ce mariage civil sans cérémonie religieuse avait quelque chose d'inachevé. Il lui manquait le lyrisme des vœux éternels. Simple illusion, car en l'absence de divorce, le mariage était indissoluble... Jeanne passait de la tutelle de son père à celle de son mari et s'engageait à lui obéir. Le maire appela les témoins. Le docteur Gustave Cabanellas, 62 ans, signa le premier, suivi de Georges, le frère de Jeanne. Puis ce fut Adolphe Crémieux, leur grand-oncle, et enfin Charles Cabanellas, un agent de change de 55 ans. La place de témoins de ces frères, d'âge respectable, que rien ne désigne comme des intimes, s'explique par leur rôle probable dans la rencontre des jeunes mariés, à leur domicile du 5, rue de Mogador, non loin de chez les Weil et tout près de la rue Joubert où habitait alors Adrien Proust. L'un médecin et l'autre agent de change, ils étaient les bonnes fées du mariage[105] !

Jeanne sortit de la mairie au bras de son époux, entourée par la petite foule des invités.

Mais les hostilités, les rumeurs de capitulation, l'instabilité du régime, la situation politique, la menace d'occupation, tout cela pesait sur les esprits. Le 19 juillet, en effet, Napoléon III avait déclaré la guerre à la Prusse. Le résultat ne s'était pas fait attendre : dès le mois d'août, les troupes prussiennes entraient en France et l'état de siège était proclamé. Le docteur Adrien Proust avait été envoyé début août en tournée d'inspection des postes de frontière. Il était revenu bien informé et sans illusions sur la tournure des événements. On avait signé le contrat de mariage dès son retour, le 27 août. Qui sait ce qui pouvait advenir ?

Tous les hommes de 30 à 40 ans étaient incorporés à la Garde nationale. L'oncle Alphonse était au front. La levée en masse, la nomination de Bazaine au grade de généralissime, celle de Trochu à celui de gouverneur militaire de Paris n'avaient pas empêché l'accumulation d'erreurs et la déroute finale. Après une bataille acharnée, l'Empereur s'était constitué prisonnier. 83 000 soldats français étaient tombés aux mains de l'ennemi.

Dès le soir de la cérémonie, la nouvelle de la défaite de Mac-Mahon et de la captivité de l'Empereur était confirmée et circulait dans Paris. Les kiosques étaient pris d'assaut. La foule se regroupait au coin des rues. Sur les boulevards, de grandes bandes désorganisées brandissaient des drapeaux aux cris de « Vive la déchéance ! Vive Trochu ! ». A 10 h 30, une foule de plusieurs milliers de personnes se rassembla sur le boulevard des Italiens et sur le boulevard Poissonnière, à deux pas de chez les Weil. Le quartier était en ébullition. A la hauteur du théâtre du Gymnase, les sergents de ville dégainèrent. Il y eut des arrestations. La foule se dispersa.

Jeanne refusa d'y voir un signe néfaste, elle n'était pas superstitieuse. Mais Adrien était un haut fonctionnaire, médecin du Bureau central, on l'envoyait en mission officielle, il venait d'être décoré de la Légion d'honneur par l'Impératrice Eugénie en personne, nommée régente au début de la guerre.

Adolphe Crémieux, le grand-oncle de Jeanne, avait quitté précipitamment le mariage avec sa femme Amélie, après avoir tendrement embrassé sa petite-nièce. Le lendemain, l'avocat était nommé ministre de la Justice dans le gouvernement de Défense nationale. Après avoir fréquenté les Bonaparte et même participé à la rédaction du programme de Louis Napoléon lors de l'élection à la présidence, il s'était rallié très vite à l'opposition. Lors du coup d'État, il avait été emprisonné. A son grand désespoir, il avait donc couché le 2 décembre 1851 en prison, loin de sa chère Amélie. C'était le jour de leur anniversaire de mariage : il ne le pardonna jamais à Napoléon III et célébra désormais l'événement le 10 octobre, date de ses fiançailles !

A sa sortie, il décida d'abandonner toute activité politique. Il s'engagea dans un nouveau combat, celui de l'Alliance israélite universelle. Malgré l'insistance de l'opposition, il refusa de se présenter à la députation en 1863, fut tout de même élu à Paris en 1869 mais laissa sa place à son ancien secrétaire, le jeune Gambetta.

Et voici que l'histoire le rattrapait... Il avait 75 ans ! Un mois plus tard, replié à Tours avec une délégation du gouvernement, il se voyait confier le ministère de la Guerre. Il faut avouer que ce ne fut pas une réussite. Bonté, faiblesse ou opportunisme, le brave oncle disait oui à tout le monde ; en pleine débâcle, ce n'était pas un atout. Il séjournait avec sa femme et sa petite-fille au Palais de l'Archevêché de Tours. Amélie put se livrer à ses penchants charitables en visitant les blessés. L'Archevêque fut ravi et l'en remercia avec chaleur.

Mais le 24 août 1870, Adolphe Crémieux prit le décret historique qui allait rester attaché à son nom : il fit de l'Algérie des départements dont les ressortissants pouvaient élire leurs députés. Et il donna la possibilité aux Juifs algériens de devenir citoyens français par naturalisation.

Jeanne se retrouva enceinte un mois après son mariage, dans un Paris assiégé et de plus en plus affamé. Les troupes prussiennes tenaient la ville. De leur domicile, rue Roy, près de l'église Saint-Augustin – Adrien avait voulu s'installer dans ce quartier riche et neuf, bien différent du Xe arrondissement où Jeanne avait grandi – on entendait la canonnade qui tonnait vers Saint-Cloud et Auteuil. Le pire avait été la faim. Malgré leurs relations, ils avaient souffert comme tous les Parisiens. Le cheval avait d'abord remplacé le bœuf et sa viande sanguinolente soulevait l'estomac de Jeanne. Mais bientôt, faute de cheval, on se jeta sur tout ce qui bougeait : on mangea de l'âne, des côtelettes de chien, du chat, et pour les plus fortunés, du buffle, de l'antilope, du kangourou venus du Jardin des Plantes. Au restaurant Voisin, on servait du boudin d'éléphant. Une fois épuisés les tickets de rationnement qui fournissaient des portions d'une viande salée et immangeable, une fois liquidées les dernières conserves de Boiled Mutton et de Boiled Beef achetées à grands frais chez Corcelet en septembre, il fallut se rendre à l'évidence : on manquait de tout. Un seul boulanger, Hédé, vendait encore à Paris du pain blanc et des croissants, rue Montmartre, non loin de chez les parents de Jeanne. Le prix des denrées était faramineux, les queues interminables. Huit sous pour un petit navet, sept pour quelques oignons ; pas de beurre, pas de lait, pas de fromage ; quant aux pommes de terre, il fallait jouir de solides protections pour s'en procurer, à 20 francs le boisseau. Piètre régime pour une femme enceinte. Pas de nourriture, pas de lumière – on ne trouvait plus de chandelles –, pas de chauffage. La faim, le froid (décembre 1870 avait été glacial, avec des bourrasques de neige et du gel), la peur. Le lot commun des guerres. Les premiers mois, Jeanne maigrissait au lieu de grossir. L'angoisse la tenaillait en permanence.

Elle avait peur. Peur pour ses parents, jusqu'à ce que son père qui détestait voyager et ne quittait jamais Paris, se décidât enfin à abandonner la rue du Faubourg-Poissonnière pour gagner Étampes afin de mettre sa femme à l'abri. Adèle était terrorisée mais voulait rester avec sa fille. Elle se rappelait sa propre grossesse pendant la révolution de 1848. Le parallèle était saisissant. Qui sait s'il n'allait pas y avoir aussi des émeutes ? Mais Nathé insista. Ils partirent et Adèle quitta Jeanne enceinte, le cœur déchiré. C'était la première fois qu'elles se séparaient. Il était temps. Le 27 novembre 1870, les portes de Paris se refermèrent. Jeanne eut peur aussi pour Georges, son frère, quand la Commune en mars réquisitionna tous les hommes de 18 à 40 ans. Et peur surtout pour Adrien, qui continuait à se rendre à l'hôpital de la Charité où il exerçait. Un jour, il avait manqué d'être tué en pleine rue par la balle d'un insurgé. Jeanne était enceinte de six mois. Quel terrible début de vie conjugale... Mais il n'était pas question pour elle de quitter son mari. Adrien craignait une recrudescence de choléra, cette plaie qui suit les désastres. Lui aussi était inquiet pour les siens. Il était impossible d'avoir des nouvelles des proches qui habitaient en dehors de la capitale. Grâce à un ballon poste, Adrien put envoyer un billet à un ami de Tours, pour s'enquérir de sa mère. Les Prussiens avaient pris Châteaudun. Était-elle restée à Illiers ? Était-elle réfugiée à Tours ? Il suppliait son ami de lui répondre par pigeon, quel qu'en soit le prix.

Depuis la capitulation, fin janvier 1871, Paris était à nouveau ravitaillé. Guillaume avait été sacré empereur d'Allemagne dans la Galerie des glaces devant le buste de Louis XIV, et ses troupes avaient défilé sur les Champs-Élysées déserts, devant les volets fermés des Parisiens. La confusion était totale, les mesures de la Commune qui avait pris le pouvoir en mars menaçantes. On attendait l'affrontement avec le gouvernement replié à Versailles. Cette fois le danger était à leur porte. On parlait de s'installer comme chaque année à Auteuil, dans la propriété de l'oncle Louis Weil qui avait perdu sa femme Émilie au mois de novembre, au début de la grossesse de Jeanne. Mais il fallait attendre. Pauvre Auteuil ! Affamé, bombardé, coupé de Paris pendant le siège, saccagé, occupé même durant quelques jours par les Prussiens, le village, havre de verdure et de tranquillité, avait bien souffert. Du boulevard Murat, il ne restait que des décombres. En janvier, les obus allemands avaient commencé à tomber sur la rue Boileau et la rue La Fontaine, où se trouvait, au 96, la propriété de Louis Weil. En avril, les Versaillais avaient tiré à leur tour des obus du mont Valérien : de certaines maisons, il ne restait rien.

Mais à Paris même, on n'était guère plus tranquille. Le 21 avril 1871, Jeanne fêta ses 22 ans dans une ambiance de fin du monde. La canonnade ne cessait pas. Des corbillards parcouraient les boulevards, drapeaux au vent. A tous les coins de rue, on rencontrait des hommes et des femmes, un sac de voyage à la main, tentant de s'enfuir le plus discrètement possible de Paris. Un obus avait touché l'Arc de Triomphe. La menace se rapprochait. Que faire ? Des trous béants s'ouvraient avenue de la Grande Armée et dans tout le quartier. Tous ceux qui le pouvaient quittaient la ville. Mais où aller ? Début mai, Auteuil fut encore bombardé. La maison d'Edmond de Goncourt, boulevard de Montmorency, fut touchée. Des arbres brisés jonchaient la chaussée, des tronçons de rails, de plaques d'égout tordues par le souffle des explosions. La grande rue d'Auteuil n'était que décombres fumants.

Quand le 21 mai 1871 éclata la Semaine sanglante, marquée par des combats d'une violence inouïe entre Versaillais et Communards, Jeanne, malgré son courage, crut ne pas survivre. Paris était un brasier. Les flammes de l'incendie se voyaient à des kilomètres. Des obus éclataient sous les pas, des Tuileries au faubourg Saint-Honoré. La rue Royale était en feu. Du ciel, comme une pluie de suie, tombaient des millions de bouts de papier calcinés : les comptes et l'état civil de la France brûlés par les insurgés dans les mairies. Elle suppliait Adrien de ne pas sortir. Il la rassurait mais ne la quittait pas moins. Jamais on n'avait eu autant besoin de médecins. Depuis des mois, les ambulances sillonnaient la ville, ramenant les soldats en déroute. Et maintenant, c'étaient des milliers de cadavres, de blessés, d'agonisants, Communards contre Versaillais, sauvagerie contre sauvagerie. A sa façon tranquille, Adrien méprisait le danger. Jeanne tremblait. Le connaissait-elle seulement, ce mari plus âgé avec qui elle n'avait pas encore eu le temps de partager la paix ?

La répression de la Commune fut atroce. Arrestations et exécutions sommaires semaient la terreur dans le peuple de Paris. « Je serai impitoyable », avait promis Thiers. Il tenait sa parole. Mais dès juin, les bourgeois parisiens respirèrent. La voie était enfin libre. Adrien conduisit Jeanne à Auteuil. Les rues commençaient à être déblayées. Le parc de la propriété avait été saccagé, mais la maison elle-même n'avait pas souffert. Il était temps. Marcel naquit le 10 juillet 1871.

7

MÈRE ET FILS

Marcel avait failli mourir à la naissance. Jeanne avait accouché à Auteuil, dans la grande maison de l'oncle Louis. Dieu merci, sa mère était revenue d'Étampes et avait pu être à ses côtés. Les bonnes s'affairaient, on avait fait bouillir de grandes bassines d'eau, le docteur Proust avait exigé des draps et des linges propres, et appliquant les toutes nouvelles règles de l'asepsie, il avait tenu à ce que la sage-femme se lavât les mains avant de toucher Jeanne. Elle l'avait regardé avec stupéfaction et obéi en maugréant. Depuis le temps qu'elle mettait des enfants au monde, il allait lui apprendre son métier, peut-être ?

Ainsi, dès sa naissance, dit-on, Marcel a inspiré de l'inquiétude à sa mère. Il a fallu un surcroît de soins, de vigilance pour le maintenir en vie, pour le nourrir. La relation de Jeanne et de son fils est marquée par cette anxiété originelle. Les angoisses de la guerre, les privations, la violence des affrontements, les destructions, les bruits d'obus, ont-ils rendu Jeanne elle-même plus nerveuse ? C'est possible. L'accouchement fut-il long, difficile, comme c'est souvent le cas pour un premier enfant ? On a craint le pire et, de ce pire évité, le petit Marcel tirera une prébende qui sera aussi une charge.

Le 13 juillet, Adrien, Nathé et Louis Weil se rendirent à la mairie du XVIe arrondissement pour signer l'acte de naissance de Valentin, Louis, Georges, Eugène, Marcel. Au moins, il ne manquait pas de prénoms : selon la règle, on avait fait plaisir à tout le monde, le père défunt d'Adrien, la marraine, l'oncle maternel et le futur parrain.

L'usage religieux voulait que le baptême eût lieu dans les trois jours. Le 5 août 1871, soit un peu plus de trois semaines après sa naissance, l'enfant fut baptisé en l'église de Saint-Louis-d'Antin. On ne sait si la famille Weil assista à la cérémonie. Les Proust, une fois de plus, brillèrent par leur absence, bien que la guerre fût finie et les routes dégagées. Quels sentiments traversèrent Jeanne durant cet acte symbolique qui faisait entrer son fils dans le giron de l'Église ? Fut-elle soulagée de lui épargner la circoncision, toujours une épreuve pour les mères ? Peut-être vit-elle en cet acte moins un sacrement religieux qu'une simple formalité, la clef qui donnait au petit-fils de Nathé Weil plein accès à la société française, un brevet de normalité. Si la pratique de leur religion isole les Juifs, à l'inverse, elle est une quasi-nécessité pour les catholiques dans une France où la séparation de l'Église et de l'État n'a pas encore eu lieu. Le baptême, le catéchisme, la communion solennelle, la messe, le vendredi maigre, autant de rites aussi sociaux que religieux.

Jeanne et Adrien Proust, athées tous les deux, sacrifiaient aux exigences de la bourgeoisie sans que cela marquât pour eux un quelconque engagement spirituel. Le baptême était la première étape d'un avenir qu'on espérait brillant. Il y aurait ensuite la communion, l'école, le bon lycée, les études supérieures, le beau mariage : une voie toute tracée vers la réussite sociale... On avait choisi pour parrain un certain Eugène Mutiaux, une relation peut-être des Weil, car il habitait rue d'Hauteville comme une partie de la famille. La marraine, Hélène Louise Houette, une amie de Jeanne, venait, elle, de leur nouveau quartier, boulevard Malesherbes. Ainsi le certificat de baptême que Marcel Proust retrouva un soir de 1916 dans le tiroir d'un petit salon résume-t-il une partie de l'histoire de Jeanne, passée du faubourg Poissonnière aux nouveaux quartiers de la bourgeoisie...

C'est en effet un quartier différent qu'a découvert la jeune femme depuis son mariage. La rue Roy où son mari s'est installé le 1er septembre 1870 relie la rue La Boétie à la rue Laborde, elle est à deux pas de la place Saint-Augustin. Quartier neuf, aéré, où le long de larges avenues bordées d'arbres, de places rayonnantes, les immeubles haussmanniens dressent leurs façades bourgeoises. Le docteur Proust a foi dans l'hygiène, et mettant en accord sa vie et ses paroles ; il affirme : « Les maisons neuves versent à flots l'air et la lumière qui sont les deux plus puissants toniques et antiseptiques connus. » A deux pas, le parc Monceau, grouillant d'enfants jouant au cerceau, déploie ses pelouses, ses plantes rares, ses grandes allées où les bonnes en tenue poussent des landaus élégants.

Jeanne veille nuit et jour sur cet enfant fragile. On le dit « nerveux ». Tout petit déjà, Marcel est sensible, émotif. Il aime se blottir sur les genoux de sa maman, enfouir sa tête dans son corsage. Elle le berce, le câline, le rassure de sa voix douce. Elle crée pour lui un monde douillet, un nid qu'il évoquera avec nostalgie dans *Jean*

Santeuil. Quand il a froid, elle lui frotte les pieds avec ses mains, pas trop doucement car il est chatouilleux ! Son oncle le sait bien, lui qui prendra plus tard un malin plaisir à chatouiller le petit garçon qui ressent cela comme une torture... Parfois, elle lui enveloppe les pieds dans un petit châle en tricot à elle, et c'est une douceur à nulle autre pareille.

Adrien travaille toute la journée. Médecin chef à l'hospice Sainte-Périne d'Auteuil, il est nommé chef de service à l'hôpital Saint-Antoine fin 1873. Quand il est à la maison, enfermé dans son cabinet, il écrit. Il a des rendez-vous au ministère. Il sort le soir et sera bientôt médecin suppléant à l'Opéra-Comique. Les pères d'alors ne s'intéressent pas encore aux bébés. Les bébés appartiennent à leur mère. Mais Adrien Proust est médecin, et ses conseils de bon sens ont porté leurs fruits. Marcel n'est plus ce petit être efflanqué, mais un bel enfant blond et bouclé, aux grands yeux noirs comme elle. Lui causent-elles des soucis, ces boucles ! L'oncle Louis, décidément joueur, ne peut s'empêcher de venir à pas de loup derrière lui pour les lui tirer. L'enfant, terrorisé, se met à hurler. Jeanne a beau savoir que c'est une taquinerie gentille de la part de l'oncle veuf qui n'a pas eu d'enfants, elle ne supporte pas la peur du petit. Un jour, il faudra couper ces boucles. Mais il est trop tôt. Comme il est trop tôt pour lui enlever sa robe de bébé...

En août 1872, la cousine de Jeanne, Hélène, se maria. Nuna, comme on l'appelait, était la fille de Moïse Weil, le demi-frère de Nathé, et de la sœur d'Adèle, Amélie Berncastel dite la Mère Weil. Une cousine germaine au carré, en quelque sorte ! Hélène avait deux sœurs, Jenny et Claire et les trois jeunes filles étaient si belles qu'à Beauvais où elles habitaient, on les surnommait *Les*

Trois Grâces. Jeanne l'aimait beaucoup. Ce mariage les rapprocha encore, car comme sa sœur Jenny, Hélène épousa un non-Juif. Camille Bessières était assureur, petit-neveu d'un maréchal d'Empire mais sans fortune.

Quelques semaines après ce mariage, Jeanne sut qu'elle était à nouveau enceinte. Elle avait un fils, peut-être souhaita-t-elle une fille. A quelques mois près, il y aurait le même écart entre ses deux enfants qu'entre Georges et elle... Oui, elle aimait trop sa mère pour ne pas désirer une fille. Mais le samedi 24 mai 1873, elle mit au monde un beau garçon, robuste, à la bouche ronde comme une cerise. On le nomma Robert, Émile, Sigismond, Léon. Et à son tour, il fut baptisé.

Autant Marcel est fragile et nerveux, autant Robert pousse tout seul, comme disent les mères. Les deux frères se ressemblent physiquement, pourtant. Et pour accentuer encore ce trait, on les habille de la même façon, comme il est d'usage dans les familles bourgeoises. A l'image de ce siècle où l'on invente l'enfant roi, les deux petits Proust font la joie de tous. « L'enfant n'est plus, avec la femme, relégué dans le gynécée des autres siècles. On le montre tout bambin. On est fier de la nourrice qu'on affiche. C'est comme un spectacle qu'on donne de soi et une ostentation de production », ironise Goncourt dans son *Journal*. On habille Marcel et Robert coquettement, on les mène chez le photographe, vêtus comme des petits princes, pour immortaliser leur croissance... et leur indéfectible union. Ainsi, Jeanne a-t-elle conduit à quatre reprises au moins ses deux bambins chez un photographe. De 1876 à 1887, ces clichés permettent de suivre l'évolution de ce couple fraternel.

Marcel a 5 ans, Robert 3. On les a juchés sur un fauteuil. Le plus jeune porte une robe blanche sans manches, sur un jupon en broderie anglaise. Des socquettes blanches, des bottines à lacets. Il est plus brun et bouclé que son grand frère dont les cheveux lissés et la frange coupée court renvoient la lumière. Robert est un peu penché vers Marcel, celui-ci l'entoure de son bras droit et tient sa main dans la sienne. Il est vêtu d'une robe de couleur pastel à col blanc et manches de dentelles. Tout est en ordre. Les deux frères s'aiment d'amour tendre, le grand protège le petit comme le montre la pose, aussi classique que celle des bébés sur le ventre, fesses en l'air.

Sur la deuxième photographie, la différence de taille a diminué. Robert grandit vite ! Ils sont toujours côte à côte, le cadet légèrement appuyé sur l'aîné, en costumes d'Écossais, veste longue à basques, cols et pochettes blanches, boutons dorés. Robert a la moue boudeuse des garnements qu'on force à se tenir tranquille. Les deux garçons n'ont pas quitté la jupe : celle du petit est blanche, celle du grand assortie à la veste. Or, il a 9 ans, donc l'âge d'être en culotte. Tout se passe comme si Jeanne avait voulu accentuer la ressemblance, la quasi-gémellité entre les deux enfants. Rien de féminin dans la mentalité de l'époque : le passage de la robe à la culotte marque une étape dans l'évolution du garçon qui accède alors à l'âge de raison (7 ans). Ne plus porter de jupe, c'est être un grand, un vrai petit homme. L'aîné, chaque fois qu'il porte ce costume d'Écossais, est remis à égalité avec son frère. Pour cette photo qui fixe une étape et va circuler de main en main dans la famille, Marcel est rétrogradé à l'âge de la jupe, il est habillé comme un petit. A son attitude un peu raide, correspond une curieuse position de la main repliée, préciosité ou crispation.

A présent, les garçons ont une douzaine d'années. (Si Marcel en a 14 comme l'indique la date supposée de la photo, il fait vraiment très jeune.) Ils se ressemblent tant qu'il faut consulter la légende pour savoir qui est qui. Les cheveux de Marcel ont foncé, mais une raie sage le distingue de la crinière bouclée de Robert. Et cette fois, c'est Marcel qui est debout à la droite de son frère et Robert juché sur un socle. De ce fait, ils paraissent de la même taille, avec un léger avantage pour le second.

Sur la dernière photo, la métamorphose est accomplie. Deux adolescents au physique un peu ingrat, aux longues bottines lacées, aux cheveux coupés ras pour le collège. Robert se tient debout, son chapeau à la main, un peu cambré, d'un air viril comme son père. Marcel est assis sur un banc, jambes croisées, le menton appuyé sur ses doigts repliés – une version maniérée de la pose de sa grand-mère. La différence entre les deux frères est éclatante. Ils sont en train de devenir eux-mêmes.

Ce qui se lit d'abord sur ces photos, c'est bien sûr l'élégance de ces jeunes bourgeois, mais, encore une fois, le soin qu'a mis leur mère à effacer entre eux toute différence. Un soin maniaque, qui révèle sa volonté d'afficher une égalité de traitement entre ses deux fils. C'est le souci de toutes les bonnes mères. Elles savent qu'elles sont surveillées de près par leurs enfants.

Or, quand on est l'aîné, être traité comme le plus jeune, ou que le plus jeune soit traité comme soi, c'est perdre ses privilèges. L'égalité est la pire des choses. Quand l'aîné en question est un enfant aussi sensible et « nerveux » que Marcel, il faut à la mère beaucoup de subtilité, de tendresse et d'équité pour le rassurer sans toujours céder, le câliner sans léser le plus jeune, les aimer tous deux sans susciter la jalousie – et faire qu'ils s'aiment.

Jeanne n'aura pas trop de toute sa vie pour mettre en œuvre ce vaste programme. Mais elle y parviendra. Les deux frères s'aimeront.

8

LES BEAUX JOURS D'AUTEUIL

C'est plus qu'une habitude : un mode de vie [106]. Dès le mois de mai et en général jusqu'en août, saison des cures et des villégiatures, la famille Weil s'installe à Auteuil. L'oncle Louis a acheté cette maison de campagne en 1857, au 96, rue La Fontaine. Son entreprise de boutons est florissante, la première de Paris [107]. Boutons de fantaisie, d'uniformes, boutons de soie, de porcelaine, d'agate, de métal à l'anglaise (les véritables boutons Sanders and sons en exclusivité !), boutons de manchettes dont Céleste Albaret admirera un exemplaire au poignet de son cher Monsieur Proust et médailles de religion, ont fait de lui un homme riche. Membre honoraire de la commission des douanes, membre du Comptoir d'escompte, chevalier de la Légion d'honneur, Louis Weil a vu sa fortune s'accroître encore avec son mariage. Émilie Oppenheim qu'il épouse à Hambourg en 1844 est fille de banquier. Cette union n'empêche pas l'oncle Louis de se livrer à ses fredaines. Amateur de jolies femmes, il les reçoit dans son pied-à-terre parisien. Il servira de modèle à l'oncle Adolphe de *A la recherche du temps perdu*, et c'est chez lui que le narrateur rencontrera pour la première fois « la dame en rose ». Mais nous reparlerons de ces dames en rose dont sont friands certains messieurs de la famille... Pour l'heure, l'oncle Louis, devenu veuf, ouvre toutes grandes les grilles de sa propriété d'Auteuil. Jeanne, qui y vient depuis l'enfance avec ses parents, ne manquerait pour rien au monde ce séjour estival. Elle y retrouve Nathé et Adèle, ses oncles et ses tantes, ses cousins et ses cousines.

Imaginons... Un jour de mai 1878. On a recouvert de housses blanches les fauteuils du boulevard Malesherbes. Auguste, le cocher d'oncle Louis, est venu chercher Jeanne à Paris dans la voiture attelée. Impeccable dans sa livrée, le fouet croisé devant lui, il les a attendus au garde-à-vous devant la calèche. Les malles sont déjà parties avec la femme de chambre. Quant à Adrien, il a pris comme tous les jours l'omnibus qui l'emmène à l'hôpital ; il rejoindra sa femme ce soir. Jeanne voyage avec ses deux garçons. Marcel est assis à côté d'elle, un peu enrhumé ; Robert, lui, a tenu à siéger à côté d'Auguste qui, avec un peu de chance, lui laissera peut-être toucher les rênes... Il aura 5 ans dans quelques jours, et exceptionnellement, Maman l'a permis. On a pris l'avenue du Bois. Les marronniers sont en fleurs.

Auteuil, en cette journée de printemps, a tout d'un village. Fermées durant l'hiver, les résidences de campagne ouvrent leurs volets les unes après les autres. Ici, l'on repeint la grille à la hâte, là une femme de chambre fait briller le cuivre d'une cloche. Jalousies vertes, portes à claire-voie, rosiers grimpants, tilleuls et carrés de gazon en font un décor d'opérette. Avocats, hommes d'affaires, riches commerçants et rentiers ont ici leur résidence secondaire, leur « campagne », comme on dit alors. Campagne coquette à deux pas de Paris, où, déjà,

Boileau, Racine et Molière aimaient à se retirer. On peut s'y rendre par le train de ceinture qui s'arrête porte d'Auteuil, par l'omnibus ou par le tramway Auteuil-Saint-Sulpice. On peut même emprunter, comme s'y plaît parfois Jeanne, un bateau-mouche qui glisse sans bruit le long de la Seine et accoste quai d'Auteuil... Les lilas embaument. Le lierre et la vigne vierge grimpent le long des murs. C'est l'image que Jeanne se fait de la campagne – ou qu'elle se faisait avant de connaître Illiers, le village natal de son mari. Une campagne pour Parisiens, sans mauvaises odeurs, sans ennui, sans pauvreté et sans rudesse. Auteuil pour Jeanne, c'est la maison du bonheur, celui d'avoir tout son monde autour d'elle, celui des grandes tablées, des conversations sous les arbres quand la nuit tombe... Déchargée du poids de son propre ménage, même si de plus en plus elle tient à Auteuil le rôle de maîtresse de maison, elle a du temps pour lire – le cabinet de lecture de la rue de Passy fournit toute la famille – et pour s'occuper, plus encore qu'à l'ordinaire, de ses enfants.

Louis Weil a acheté cette maison à une actrice, Eugénie Doche qui eut son heure de gloire en créant le rôle de Marguerite Gautier dans *La Dame aux camélias*. On murmure qu'ils ont été intimes... La demeure est vaste, avec ses vingt-neuf fenêtres, ses deux étages, auxquels s'ajoute un troisième mansardé. Elle est bâtie au milieu d'un terrain tout en longueur de 1 500 m^2 qui relie la rue La Fontaine à la rue de la Source. Une écurie pour deux chevaux et une remise pour deux voitures ont été ajoutées près de l'entrée. En 1876, l'oncle Louis a fait construire une aile supplémentaire destinée à la famille Proust : deux chambres au premier étage et deux au deuxième. Quant à la pièce mansardée du troisième, Jeanne envisage d'en faire une salle d'études pour les enfants. On y mettra des gravures et des reproductions d'œuvres d'art, à l'image de ces allégories de Giotto, la Charité, l'Envie, la Justice offertes par Swann au petit Marcel. Avec ses cabinets de toilette, ses salles de bains, sa vaste cuisine, ses chambres, sa salle de billard au rez-de-chaussée, la maison peut accueillir toute la nichée Weil ! Si tous ne résident pas en permanence durant l'été, les dimanches rassemblent cousins et cousines dans une version israélite des *Vacances* de la comtesse de Ségur...

Ce dimanche-là, ou un autre, les cousines de Jeanne, Jenny, Hélène et Claire sont venues avec leurs maris, François Bœuf, Camille Bessières et Léon Neuburger, banquier chez Rothschild comme son frère Gustave, le mari de Laure, sa cousine préférée. Les parents de Laure, Adélaïde et Joseph Lazarus sont invités aussi. Et bien sûr, Nathé et Adèle sont de la fête.

On a fait déjeuner les enfants avec leurs bonnes. Au dessert, ils ont eu du fromage à la crème avec des fraises. Marcel adore écraser les fraises et les mélanger jusqu'à obtenir une bouillie du même rose que ses biscuits préférés. Les petits sont nombreux : Marie, Henri, Jacques, Noémie, Pauline, Louise, Mathilde... Sans compter Marcel, et Robert qui court partout en faisant le fou. La plus âgée a 8 ans ! Les bébés, Jeanne, Amélie et André font leur sieste. Quelques années encore, et s'y ajouteront Albert, Pierre et Georges[108]... Autant de cousins dont les rires, les pleurs, les disputes, les cavalcades font résonner la maison d'Auteuil.

Trois ou quatre ans plus tard, ce seront les parties de pêche et les promenades : les cousins monteront bruyamment pour changer de chaussures. Marcel, réfugié dans sa chambre pour lire, tentera de leur échapper. Il a alors une dizaine d'années, il est plongé dans

Le Capitaine Fracasse, son livre favori. Jeanne sait combien sa solitude est précieuse. Elle le protège, prétend qu'il est souffrant, qu'il a besoin de se reposer. Assuérus ne veut voir personne... Mensonge complice d'une mère qui sait depuis toujours que son fils est différent. Il aime aller vers les autres, mais à son heure, quand il le désire. Et, avec cela, des accès de sauvagerie dès la petite enfance. Marcel sent qu'on va venir le déloger de sa chambre. Il file dans le cabinet de son oncle, tout en haut, il s'enferme. On frappe à toutes les portes. Mais où est Marcel ? Son oncle envoie son petit cousin Pierre : « Cherche-le bien, dis-lui qu'il descende. » L'enfant s'exécute. Mais quand il frappe à la bonne porte, Marcel va au-devant de lui en faisant « chut » avec le doigt sur ses lèvres. Docile, Pierre redescend et annonce : « Je l'ai pas trouvé. Il est sorti. »

Même sans en avoir l'air, Jeanne quitte rarement de vue son fils aîné. Il y a en elle un fond permanent d'inquiétude comme si, à tout moment, il pouvait disparaître ou mourir. Elle a eu peur de le perdre à la naissance, peut-être même durant sa grossesse, et il semble avoir ingéré cette peur maternelle jusqu'au plus profond de lui-même. Elle a beau faire, le souvenir de cette peur-là est indélébile, imprimé en elle comme une matrice qui donnerait naissance à mille craintes dérisoires et quotidiennes. C'est la face maudite de son amour pour lui. Une menace qu'elle combat de toute la force de sa rationalité. Comment savoir si ce sentiment tient à son instinct de mère ou à la personnalité de son fils ? Leurs angoisses se nourrissent mutuellement, formant un nœud inextricable. Il en joue, il en souffre. Ce qui laisse les autres enfants indifférents l'atteint d'emblée. Le moindre geste de dureté, un mot un peu vif, et le voilà les larmes aux yeux. Mais à d'autres moments, il descend en trombe l'escalier et fait le tour du jardin en courant à perdre haleine, secouant la tête comme s'il était un cheval ou les bras tendus, une mouette qui plane au ras des flots. Jeanne s'affole : s'il allait tomber dans le bassin ? Et s'il avait gardé un noyau dans la bouche et qu'il l'avale ? Oui, on dirait que quelque chose gonfle sa joue. Elle se précipite : « Qu'est-ce que tu as encore dans la bouche ? » Il s'arrête en nage, essoufflé, des pétales de lilas mouillés sur son paletot. « Mais rien, Maman ! » Elle doit lui éponger la figure et l'aider à reprendre son souffle. Elle lui donne de l'eau fraîche en lui recommandant : « Ne bois pas trop vite. » « Moi aussi je veux de l'eau ! Avec du coco ! » claironne Robert qui a toujours soif et arrive au galop. Et le petit boit à grosses gorgées en jetant un coup d'œil à son frère par-dessus son verre. Jeanne, pensive, les regarde rejoindre ensemble leurs cousins qui jouent aux cartes sous les arbres.

Toute fraîche dans sa robe de mousseline bleue à laquelle pendent des cordons de paille tressée, la jeune femme traverse le petit salon dont les volets sont clos pour protéger contre la chaleur, puis l'office où l'on a mis le cidre à rafraîchir. Le décor de la maison est Second Empire. Il est, selon Marcel Proust, « aussi dénué de goût que possible ». L'oncle Louis a acquis toute meublée cette demeure cossue. « C'était une drôle de maison démodée, avec un jardin démodé », renchérira Valentine Thomson, une petite cousine. Des meubles en acajou massifs et sombres, de grands rideaux en satin bleu glacé, des cheminées en marbre de Sienne, des armoires à glace aux odeurs de savon, des lits à baldaquins aux courtines en reps, nids à poussière dans lesquels le petit Marcel étouffe. A chaque printemps, l'enfant souffre de rhume des foins. La campagne ne lui vaut rien. Dans sa chambre, Jeanne a fait disposer un petit lit de fer supplémentaire pour qu'il puisse y dormir quand il fait trop chaud. Une « veilleuse en verre de Bohême, en forme d'urne, suspendue au plafond par des chaînettes » évoque un objet de culte hébraïque transformé en accessoire du quotidien.

Dans la salle à manger qui sent le gruyère et les abricots, les murs sont tapissés d'assiettes. On s'amuse en attendant le déjeuner à lire les devises qui les ornent, hommage narquois au grand-père Baruch.

« Je ne sais pas si vous êtes comme moi, mais j'ai rudement faim », déclare l'oncle Louis. Gustave Neuburger, dont le seul vice connu est la gourmandise – ce dont témoigne son ventre rebondi – opine. On entend le bruit des assiettes chaudes dans l'office. La nouvelle cuisinière s'active. Fera-t-elle, elle aussi, long feu ? Auguste est à la fois le cocher, le maître d'hôtel et le valet de chambre d'oncle Louis. Sa femme est lingère et leur fille aide aussi au ménage. Mais jaloux de ses prérogatives, le très dévoué serviteur ne supporte pas d'autres domestiques dans la maison. Il faut pourtant une cuisinière... Auguste fait en sorte qu'aucune ne reste bien longtemps. L'oncle Louis est dupe... mais pas Jeanne ! Elle a fini par découvrir le mystère de ces cuisinières qui servent le gigot tiède et les sauces figées ou trop salées. C'est Auguste, qui traîne exprès avec les plats ou les sale en cachette. Que faire ? Se priver d'un serviteur parfait, ou changer une nouvelle fois de cuisinière ? Cette « tragédie d'arrière-cuisine » est l'envers du décor de bien des demeures bourgeoises et un sujet inépuisable d'anecdotes pour la famille Weil[109].

Les grandes personnes prennent place autour de la table. L'oncle Louis préside. La vaisselle étincelle. Serviettes blanches, porcelaine de Saxe, verres en cristal un peu épais. Les couteaux « selon la mode la plus vulgairement bourgeoise » sont posés sur « de petits prismes de cristal » qui projettent sur les murs « des ocellures de paon aussi merveilleuses que les vitraux de la cathédrale de Rouen », ajoutera Marcel l'esthète, non sans exagération. C'est un déjeuner classique du dimanche, un menu de Parisiens à la campagne, avec ses œufs cocotte, son filet de bœuf à la béarnaise aux pommes de terre frites, sa mousse aux fraises. « Ces fraises sont exquises », lance Jeanne avec conviction. « Oui, ce sont de vraies fraises des bois », constate l'oncle « avec l'air impartial de la personne qui rend justice à ses enfants quand ils ont eu un succès ou à sa cuisinière si elle a réussi un plat[110]... » Et il ajoute avec optimisme : « Cette fois, nous tenons une perle. » Les conversations vont bon train, les rires fusent. Le ton monte parfois, Nathé et Louis ne sont jamais d'accord, et chacun d'eux a le caractère bien trempé. Quant à Gustave, malgré sa très grosse fortune (il est l'homme de confiance d'Alphonse de Rothschild), il hait les mondanités et ne supporte pas la moindre vanité. C'est un homme calme et introverti qui a coutume de dire :

> « Quand on part en vacances, il y a généralement deux trains, puisqu'on les dédouble : le premier, celui des imbéciles, le second, celui des gens raisonnables qui sont à leur aise, quand les autres sont serrés ; et tous deux arrivent à la même heure[111]... »

Les Weil ont de l'humour, et une tournure d'esprit parfois malicieuse ou ironique. Ce sont souvent les femmes qui en font les frais – à part Jeanne dont l'esprit de repartie fait mouche à tout coup – et plus particulièrement Adèle.

« Elle avait apporté dans la famille de mon grand-père un esprit si différent que tout le monde la plaisantait et la tourmentait », écrira son petit-fils. Les taquineries ne sont pas bien méchantes et Adèle les subit en souriant avec une douceur un peu triste. Qui sait si ces piqûres d'épingle ne blessent pas sa sensibilité ? Elles bouleversent Marcel qui adore sa grand-mère. Comme dans toutes les familles, chacun est tenu de jouer son rôle. Mme Nathé est l'adepte de l'hygiène et de la santé. Elle ne croit que dans les bienfaits de la nature, et par tous les temps, elle parcourt les allées du jardin, se désolant du manque de goût de Gaillard, le nouveau jardinier, féru de symétrie et dépourvu selon elle d'un vrai sentiment de la nature. Cette passion a quelque chose de ridicule pour les citadins que sont les Weil. Jeanne, elle-même, si proche de sa mère, n'admire les fleurs que dans un vase. Quand l'oncle Louis fait couper de grandes bottes d'aubépines et de boules-de-neige pour qu'elle les emporte à Paris, elle les jette dès qu'il a le dos tourné, au grand désespoir de Marcel qui la trouve méchante.

Mais Nathé lui aussi prête le flanc aux plaisanteries. Il refuse, dit-on, de quitter Paris une seule nuit ! Le soir, il part plus tôt que les autres, et rentre coucher faubourg Poissonnière. En regardant les trains passer sur le viaduc avec « un mélange d'étonnement, de pitié et d'effroi », il se demande comment les gens peuvent être assez fous pour aimer voyager. Parisien jusqu'à la moelle, ou phobique ? N'a-t-il pas un jour poussé la manie jusqu'à rentrer de Dieppe le jour même pour ne pas dormir ailleurs que chez lui ? Les voyages de Nathé font partie de la légende familiale...

Le repas fini, Eugénie vient servir le café au jardin, sur la table de fer à l'ombre du marronnier. Adrien, harrassé par sa semaine de travail, s'éclipse pour une sieste. Nathé se verse un petit verre de cognac sous l'œil désolé de sa femme. Jeanne a laissé son livre et rêve en s'éventant dans son fauteuil en osier, Laure brode. Gustave et Léon se sont installés à l'écart sur le banc vert pour fumer. Les conversations se sont tues. Seule une remarque lancée à la cantonade, moins pour les autres que pour soi-même, rompt de temps à autre le silence engourdi qui suit les repas d'été. Les pois de senteur près de la porte pâlissent dans la lumière de midi. Autour de la pièce d'eau, les aubépines penchent un peu leurs pompons rosés. Chez le voisin, le peintre Cot, les pommiers commencent à semer leurs fleurs. Les *Vergiss mein nicht*[112] prennent des teintes mauves sous les lilas blancs.

Les Weil forment un clan, solidaire et fusionnel. On n'imagine pas se passer les uns des autres. Chacun participe aux joies, aux peines de tous. Les contrats de mariage, les pièces d'état civil, les testaments en sont autant de preuves, comme si, littéralement, les membres du clan étaient en permanence témoins les uns des autres. La cohésion du groupe vient de ce temps où, à l'écart de la société et de ses institutions, les Juifs n'avaient d'autres ressources que celles du groupe familial. Plus ce groupe était puissant, plus l'individu était protégé. Plus les mariages internes sont nombreux, moins on disperse les biens. Le système a atteint sa perfection dans les familles les plus riches : chez les Rothschild, on se marie entre cousins. Les alliances se concluent entre clans. Les Weil sont alliés aux Neuburger, les Berncastel aux Anspach. Tout nouvel arrivant est absorbé par le clan. La maigre famille provinciale d'Adrien ne pèse pas lourd à côté de la parentèle innombrable, soudée, remuante et chaleureuse du côté

Weil. Il est assimilé. Il est un gendre. Il a trouvé sa place dans le groupe, entretient de bons rapports avec son beau-père. En épousant Jeanne, il a conclu un accord tacite qui convient à la fois à son ambition et à sa tranquillité : être « une pièce rapportée » dans la famille Weil sans laquelle sa femme ne peut vivre. Elle voit tous les jours son père, sa mère et son frère. Elle ne les a pas quittés. Elle ne les quittera jamais. Avec sa dot, elle pouvait prétendre à l'une des plus puissantes dynasties israélites, mais elle serait passée d'un clan à l'autre. Grâce à son mariage, elle est moins entrée dans celle de son mari qu'il ne s'est intégré à la sienne. Le processus habituel a été inversé. Avec Adrien, elle va fonder à son tour une famille, mais celle-ci se développera dans le giron de la sienne. Auteuil où sont nés ses deux fils en est le berceau.

Un jour de 1897, les héritiers de Louis Weil ont vendu la maison, elle a disparu sous les coups de pioche de l'entrepreneur de travaux publics qui l'avait achetée. La percée de l'avenue Mozart allait éventrer le jardin. Il fallait être bien naïf pour imaginer qu'on n'allait pas construire à la place des immeubles de rapport. Puis ce fut une banque, comme au 102, boulevard Haussmann, le domicile parisien de l'oncle Louis qu'allait un jour habiter son petit-neveu Marcel. Une rue George-Sand longea l'ancien jardin et déboucha rue La Fontaine, en face de la rue des Perchamps. Georges et Jeanne avaient sacrifié leurs souvenirs de jeunesse. Adèle, Nathé, et Louis morts, le frère et la sœur désespérés renvoyaient les beaux jours d'Auteuil au néant...

Mais on retrouve l'écho de ces jours d'été dans *Jean Santeuil*, le roman inachevé du jeune Proust, à travers des pages dont certaines donneront naissance aux plus célèbres de *A la recherche du temps perdu*. Combray s'y appelait encore Illiers et parfois Éteuilles... D'Auteuil à Éteuilles, de Jeanne à Jean, de sans Auteuil à Santeuil, il n'y a qu'un pas, et des années de maturation et de cristallisation, et des pages d'écriture. On sait désormais que « le petit pavillon donnant sur le jardin qu'on avait construit pour mes parents sur ses derrières », « le bruit vif du jet d'eau », les aubépines, les lilas et les marronniers roses, Marcel les a pris à Auteuil et que, portés par la mémoire involontaire, ils sont sortis de la madeleine trempée dans le tilleul pour se mêler aux images des séjours à Illiers. D'autres détails sont moins nets : les spécialistes hésitent. Illiers ? Auteuil ? Chaque lieu a ses partisans. L'oie rôtie ? Plutôt Auteuil, tradition alsacienne. Le gigot et les petits pois ? Je penche pour Illiers. Oui, mais le poulet qu'égorge la cuisinière ? hum... bien *cascher*, ce poulet dont on fend le cou derrière l'oreille au lieu de le tordre. Et ne parlons pas des aubépines, sujet sensible entre tous... En faisant des souvenirs d'Auteuil une partie de la matière de Combray, en les fondant à ceux d'Illiers, Marcel les a rendus à jamais indissociables et vivants.

Plutôt que de ressusciter un lieu qui avait disparu, il préféra réinventer une maison qui existait encore : celle d'Illiers. Mais une partie de la magie de Combray venait d'Auteuil : le parfum des jours à jamais enfuis, le souvenir de Maman rayonnante dans sa toilette d'été, les bandes de cousins, les charmilles, le peuplier de la rue des Perchamps, les marronniers roses, les aubépines en cercle autour de la pièce d'eau et à jamais, les soirs d'orage, « l'odeur d'invisibles et persistants lilas. »

Et surtout, la tristesse infinie d'un baiser du soir...

9

LE BAISER DU SOIR

Pour la jeune mère qu'est Jeanne, les étapes de l'éducation de ses fils sont toutes tracées. Les enfants ont leur place dans la vie de la famille bourgeoise, mais cette place obéit à des règles et à des convenances qu'on ne saurait remettre en question. De même, leur évolution se mesure à des repères codifiés. Langes serrés pour les bébés, puis robe qui permet de changer facilement les couches ; biberon, bouillies ; c'est vers 7 ans, on l'a vu, que le petit garçon porte ses premières culottes, comme si on le différenciait à la fois des filles et des bébés. Auparavant, on aura coupé ses boucles, autre signe fort. Le garçon s'individualise en se distinguant du féminin. Jeanne voit dans ces étapes des progrès. Mais il s'y mêle parfois le sentiment diffus, plus ou moins conscient, qu'elle perd ses bébés, qu'en grandissant ses fils s'éloignent d'elle. Or, si Robert franchit les premières étapes avec brio, pressé comme bien des cadets de grandir pour égaler son aîné, il n'en va pas de même pour Marcel.

Certaines terreurs continuent à le persécuter alors même qu'elles n'ont plus de raisons d'être. Ainsi, la peur qu'on lui tire ses boucles survit-elle à leur disparition. Des cauchemars récurrents le poursuivent. Il lui arrive encore de se réveiller la nuit et d'enfouir sa tête sous ses couvertures pour se protéger Ce qui pour les autres enfants est un simple passage chez le coiffeur deviendra sous sa plume une révolution aussi considérable que « la chute du Chaos » ou « la chute de Chronos ». On lui a coupé les cheveux ras, mais le rêve est toujours susceptible de le ramener « dans ce monde aboli où [il vivait] opprimé dans la terreur d'être tiré par [s]es boucles [113] ». Cette peur est liée à la terreur du noir, de la solitude, de l'abandon, sentiments nocturnes qui font du coucher l'instant le plus pénible de sa journée. La nuit replonge Marcel dans une angoisse archaïque et insupportable. « Son enfance s'agita misérablement au fond d'un puits de tristesse dont rien ne pouvait encore l'aider à sortir », écrira-t-il de son personnage Jean Santeuil, ajoutant que les chagrins d'enfant sont les plus terribles parce qu'on n'en comprend pas les causes. Cette tristesse « inséparable de lui-même » ne l'empêche pas d'être par moments un petit garçon joyeux. Mais elle explique le besoin constant qu'il a de sa mère, seule capable de l'aider à affronter ces angoisses.

Jeanne a d'abord essayé de rassurer cet enfant émotif, en le comblant de caresses, de baisers, de paroles réconfortantes. Quand il est malade, elle reste à son chevet et lui fait la lecture pendant de longues heures. Sa voix le calme, le berce. Il peut s'endormir apaisé en sa présence. Mais on n'est pas toujours malade ; mais il y a un petit frère, qui lui aussi réclame sa maman ; mais on grandit et il faut être « raisonnable ».

« Quand j'étais tout enfant, le sort d'aucun personnage de l'histoire sainte ne me semblait aussi misérable que celui de Noé, à cause du déluge qui le tint enfermé dans l'arche pendant quarante jours. Plus tard, je fus souvent malade, et pendant de longs jours, je dus rester dans "l'arche". Je compris alors que jamais Noé ne put si bien voir le monde que de l'arche, malgré qu'elle fût close et qu'il fît nuit sur la terre. Quand commença ma convalescence, ma mère, qui ne m'avait pas quitté et la nuit même restait auprès de moi, "ouvrit la porte de l'arche" et sortit. Puis je fus tout à fait guéri, et comme la colombe, "elle ne revint plus". Il fallut recommencer à vivre, à se détourner de soi, à entendre des paroles plus dures que celles de ma mère ; bien plus, les siennes, si perpétuellement douces jusque-là, n'étaient plus les mêmes. »

Si ce texte, extrait du premier livre de Marcel Proust, *Les Plaisirs et les Jours* [114], fait probablement allusion à des périodes un peu plus tardives de son enfance, il permet de saisir le principe général de la relation entre Jeanne et son fils, avec ses tentatives de séparation et ses périodes de régression, de retour dans l'arche aux flancs rebondis, monde clos, maternel, fusionnel et magique qui vogue dans la nuit perpétuelle du subconscient.

Jeanne se rend compte que les exigences de son fils aîné sont de plus en plus difficiles à satisfaire. Ce n'est pas lui rendre service que d'y céder. Ses crises de larmes, ses baisers fervents, sa façon de rester collé à elle ont quelque chose d'excessif, elle le voit bien. Nathé, qui a des principes stricts, lui reproche sa faiblesse. Adrien, d'en faire une fille. C'est un garçon, que diable ! « Nous ne voulons pas qu'il garde ces habitudes de petite fille. [...] Nous voulons, mon mari et moi, l'élever virilement », dit Mme Santeuil [115]. Quelque chose dans ce « nous », sonne faux... Du reste, dès la page suivante, elle va renier ses principes.

Il faut être plus sévère, plus strict sur les horaires, cesser de lui passer ses caprices, estime le docteur Proust. Mais l'éducation des jeunes enfants est affaire de femmes. Adrien Proust veut la paix quand il rentre. Il intervient par à-coups, dans les situations de crise ou quand sa tranquillité est menacée. Sans doute aussi, comme beaucoup de pères, ne voit-il qu'une petite partie des choses parce que la plupart du temps il n'est pas à la maison et qu'à son retour sa femme évite de le fatiguer avec des détails domestiques.

C'est donc à Jeanne qu'il appartient d'éduquer Marcel, au sens littéral, le « conduire hors de », hors de ce puits de tristesse, hors de cette dépendance frénétique. Comment ne serait-elle pas elle-même partagée entre son amour pour son enfant et la nécessité de l'aider à grandir, à franchir ces sacro-saintes étapes qui en feront un homme ? Elle croit en la volonté, qui seule lui permettra de lutter contre son tempérament nerveux. Il faut éduquer sa volonté. Haut les cœurs, petit loup, courage ! Mais elle aussi a besoin de toute sa force pour ne pas lui céder, pour résister à ses crises de sanglots qui lui déchirent le cœur et ne pas se laisser enfermer dans la prison de l'amour passion. Où mettre les limites, quand il lui réclame pour la quatrième, la cinquième, la dixième fois un baiser qu'elle lui a déjà donné ? Quand il s'agrippe à elle au moment où elle sort de la chambre ? Quand il hurle en se tordant sur son lit au risque de réveiller son petit frère qui dort dans la chambre à côté ? Quand il la fixe de ses grands yeux noirs, si semblables aux siens ? Une partie d'elle-même veut le détacher d'elle, sait qu'elle le doit ; une autre répond de toutes ses forces à cet engloutissement, se noie avec lui dans cet amour fusionnel, continue à le nourrir aux pulsations de ce cordon qui la fait vivre au même rythme que lui, veiller sur lui, le guider, le diriger.

On ne comprend pas Jeanne si on ne fait pas la part de cette ambivalence dont elle n'aura jamais la totale maîtrise. Ils sont unis par ce lien complexe que les années ne vont que resserrer, rendant impossible toute séparation. La vie de Jeanne sera une longue lutte pour mettre un peu de distance entre elle et son fils, le rendre capable de vivre sans elle – mais sans pouvoir elle-même se détacher, tant l'anxiété est la matière même de son amour pour lui. Quelques mois après la mort de Jeanne, Marcel Proust écrira ces mots, si révélateurs, à Maurice Barrès :

> « Toute notre vie n'avait été qu'un entraînement, elle à me passer d'elle pour le jour où elle me quitterait, et cela depuis mon enfance quand elle refusait de revenir dix fois me dire bonsoir avant d'aller en soirée, quand je voyais le train l'emporter quand elle allait à la campagne, quand plus tard à Fontainebleau et cet été même, je lui téléphonais à chaque heure. Ces anxiétés qui finissaient par quelques mots dits au téléphone, ou sa visite à Paris, ou un baiser, avec quelle force je les éprouve maintenant que je sais que rien ne pourra plus les calmer. Et moi, de mon côté, je lui persuadais que je pouvais très bien vivre sans elle[116]. »

« Toute notre vie », écrit Proust. Comment mieux dire ? Cet « entraînement » commence dès l'enfance de Marcel et ne s'arrêtera qu'à la mort de Jeanne. Elle mourra avec cette inquiétude, le croyant encore plus désarmé, plus impropre à la vie qu'il ne l'était. Dans la même lettre, Proust, répondant à un mot de Barrès nie avoir été le préféré de sa mère :

« C'était mon père, bien qu'elle m'aimât tout de même infiniment. »

On aurait tort de ne pas prendre ces paroles à la lettre. Elles reflètent la conviction intime de Marcel – nuancée par la phrase suivante – et posent admirablement les termes du dilemme qui aura été celui de sa mère (et le sien bien sûr) :

> « Mais si je n'ai pas été au sens strict ce qu'elle préférait, et encore l'idée de *préférer entre ses devoirs* lui eût semblé coupable, et peut-être je lui ferais de la peine en mettant des nuances là où elle n'en voulait pas, elle m'a cent fois trop aimé [...] [117] »

Tous les éléments de ce qui fut peut-être le drame de Jeanne sont là : une femme partagée entre ses devoirs d'épouse et de mère. Mais le mot « devoirs » est-il vraiment juste ? Ne faudrait-il pas dire tout simplement « amours » ?

Jeanne Proust : otage de l'amour, entre un fils qui lui en demande trop et un mari qui en demande trop peu.

Le coucher est le moment où se joue avec le plus d'intensité l'impossible séparation. A cinq reprises, Marcel Proust va mettre en mots « le baiser du soir [118] ». Plus il avance dans le temps, plus la scène s'élabore, s'enrichit de notations, de parenthèses, de métaphores, de personnages. Plus elle gagne en romanesque, plus elle se leste de la vérité profonde que le romancier va puiser à la source même du souvenir. Cette vérité ne réside pas dans les détails biographiques, mais dans l'essence du vécu qu'il parvient de mieux en mieux à capter. En juxtaposant ces textes, en les combinant, en les entremêlant, en repérant leurs différences et leurs similitudes, il me semble qu'on peut, à travers la transposition romanesque du fils, deviner ce que furent la perception et le comportement de la mère, sans jamais perdre de vue que ces textes reflètent la vision, réfractée par la création, de Marcel. Mais cette vision est centrale et d'une exceptionnelle pertinence. Elle nous livre la trame d'un conflit qui est autant celui de la mère que du fils. Et nous verrons que dans cette histoire, le personnage le plus intéressant, le plus intrigant, le plus important, n'est peut-être pas celui qu'on pense...

Lorsque ses fils sont petits, comme tant de mères, Jeanne va les embrasser dans leur lit. C'est le baiser du soir, les couvertures qu'on borde, la bougie qu'on souffle. Ce rituel est celui de millions d'enfants dans le monde, qui comme bébé Robert s'endorment paisiblement dès qu'ils ont fermé les yeux. Pour Marcel, ce baiser est bien plus qu'un geste d'amour ou d'apaisement. Il est le « viatique » qui lui permet d'affronter les puissances malfaisantes de la nuit et l'angoisse de mort, « la douce offrande de gâteaux que les Grecs attachaient au cou de l'épouse ou de l'ami défunt en le couchant dans sa tombe, pour qu'il accomplît sans terreur le voyage souterrain, traversât rassasié les royaumes sombres[119] ». Il compare ce baiser à l'hostie, comme s'il portait en lui la substance sacrée du corps maternel. Son attente est à la mesure de son angoisse : incommensurable. Ce puits sans fond, rien ne peut le combler si ce n'est la présence de sa mère, entière, totale. Certains soirs, il suffit que Jeanne se penche vers lui et l'embrasse pour qu'il s'apaise et s'endorme. Elle s'éclipse alors sans bruit et rejoint son mari. Mais parfois, elle ne peut quitter son fils qu'en s'arrachant à lui, tant elle subit la violence de son besoin d'elle. Le quitter, c'est l'abandonner. Elle essaye de le raisonner, de lui faire honte. En vain. Il n'y a pas de limites. Et parce qu'elle sait combien il souffre de la laisser partir, elle cède parfois, et donne encore un baiser avant de sortir comme on s'enfuit.

Il est des soirs plus terribles encore. Ce sont ceux où l'on reçoit des invités. Les enfants dînent plus tôt, et viennent dire bonsoir à table avant de monter se coucher à 8 heures. Jeanne sait combien ce baiser est important pour son fils aîné. Il arrive que, pour profiter encore de sa présence, Marcel lui réclame un tour de jardin avant l'arrivée des invités. Ils suivent l'allée, se dirigent vers l'araucaria. Parfois, sa robe de jardin s'accroche un peu. Il pèse à son bras, traîne les pieds, se laisse presque tirer pour retarder encore le moment fatidique où il va la quitter. Il embrasse avec adoration sa main au parfum de savonnette.

Mais d'autres fois, avec une « férocité inconsciente », au moment où la cloche du portail retentit, Nathé, le grand-père, bougonne : « Ces enfants ont l'air fatigué, ils devraient monter se coucher. » Marcel s'apprête à embrasser sa mère, mais Adrien renchérit : « Mais non, voyons, laisse ta mère, vous vous êtes assez dit bonsoir comme cela, ces manifestations sont ridicules. Allons, monte ! » Jeanne ne dit rien. Elle laisse partir les enfants, et va au-devant de l'invité – un médecin, le docteur Surlande, dans *Jean Santeuil*, Swann dans *La Recherche*. Elle remplit son rôle de maîtresse de maison.

C'est un soir de juillet 1878 à Auteuil, on dîne autour de la table de fer dans l'odeur des rosiers... une langouste, une salade, une glace au café et à la pistache, des biscuits au chocolat... Le maître d'hôtel fait passer les rince-bouche, puis le café. Les enfants sont montés.

De temps à autre, Jeanne lève les yeux vers la fenêtre de Marcel. Il a éteint sa bougie, il doit dormir. Elle n'ose y croire. Elle a raison. La fenêtre ne tarde pas à s'éclairer. Et là, deux versions : d'abord, celle de *Jean Santeuil*, la plus simple, celle qui constitue la trame du récit. Puis celle de *Swann*.

L'enfant a essayé de convaincre Augustin de porter un mot à sa mère. Celui-ci refuse de la déranger. Mme Santeuil est justement en train d'exposer au docteur Surlande ses théories éducatives et ses projets d'avenir pour son fils – qu'il soit tout, sauf un génie – quand une petite tête blonde apparaît : « Ma petite maman, j'ai besoin de toi une seconde. » Une seconde ! Mme Santeuil se lève, s'excuse, et malgré les protestations de son père, monte rejoindre son fils, appuyée par son mari : « Si sa mère n'y va pas, il ne s'endormira pas. Et nous serons bien plus dérangés dans une heure... » Elle embrasse Jean qui se calme mais au moment où elle va redescendre pour rejoindre les convives, saisi de désespoir, il éclate en sanglots. Contrariée, mais résignée, elle s'installe à son chevet, renonçant à ses principes et à l'espoir de le voir dominer son émotivité. « M. Jean ne sait pas lui-même ce qu'il veut, ce qu'il a. Il souffre de ses nerfs », explique-t-elle à Augustin. En lui retirant la responsabilité de son état, elle le rend incapable de dominer cette nervosité. Il est devenu un enfant malade. Elle a perdu. Elle le sait.

Dans la version beaucoup plus élaborée de *Du côté de chez Swann*, d'autres éléments vont entrer en jeu. Françoise, la domestique, a fait passer un petit mot à Maman, mais elle refuse de céder. « Il n'y a pas de réponse », fait-elle dire. Le dîner s'achève, on prend le café au clair de lune... Swann s'en va, les parents échangent quelques propos sur le dîner. Elle n'a pas sommeil, son mari va se déshabiller dans le cabinet de toilette. Elle reste en bas, traîne un peu, pousse la porte de treillis vert qui ouvre le vestibule, demande à Françoise de l'aider à dégrafer son corsage. Puis elle monte, sa bougie à la main. L'escalier vernis est obscur, seule la flamme de la bougie éclaire le mur sur lequel se dessine son ombre. Elle monte donc, elle va rejoindre la chambre conjugale. Mais à peine est-elle dans le couloir qu'une forme s'élance sur elle, un petit bonhomme qui aura 7 ans dans deux jours, presque l'âge de raison mais pas tout à fait. L'étonnement laisse place à la colère. « Va te coucher. » Tension dramatique au paroxysme quand le père fait à son tour son apparition dans l'escalier, figure mi-prudhommesque, mi-biblique avec sa chemise de nuit et le cachemire d'Inde violet et rose qu'il noue autour de sa tête pour éviter les névralgies. Affolement. Tentative de manipulation : Marcel use « de son approche comme d'un moyen de chantage » pour que sa mère le suive dans sa chambre. Mais elle est vraiment contrariée : « Sauve-toi, sauve-toi. »

Le retournement de situation vient du père, puisque c'est lui, présumé sévère, qui propose à la mère de rejoindre son fils. Elle proteste timidement au nom de ses principes. On ne peut pas l'habituer... Mais il va plus loin :

> « Puisqu'il y a deux lits dans sa chambre, dis donc à Françoise de te préparer le grand lit et couche pour cette nuit auprès de lui. »

Et superbe, d'ajouter :

> « Allons, bonsoir, moi qui ne suis pas si nerveux que vous, je vais me coucher. »

Tout y est, même le « vous » qui fait de la mère et du fils deux êtres fragiles de la même espèce.

En introduisant le père dans le récit, en lui donnant un rôle majeur, Marcel Proust le réinvestit de son rôle dans la relation qui l'unit à sa mère. Si cette scène représente l'échec du rite de passage qui aurait dû lui permettre de se coucher comme un grand – comme un homme ? – c'est parce que son père ne l'a pas accompagné dans cette épreuve, ne l'a pas forcé à la surmonter. Sa soudaine indulgence est un abandon ou un signe d'indifférence. Ma mère et ma grand-mère, écrit-il « m'aimaient assez pour ne pas consentir à m'épargner de la souffrance, elles voulaient m'apprendre à la dominer afin de diminuer ma sensibilité nerveuse et fortifier ma volonté ».

On est frappé par la passivité de la mère, sa docilité. Partagée entre sa volonté d'aguerrir son fils – rôle qui devrait revenir au père – et sa soumission à celle de son mari, elle obéit. Proust compare son père à « Abraham disant à Sarah qu'elle a à se départir du côté d'Isaac ». Il fait là une confusion pleine de sens et peut-être volontaire entre Sarah, l'épouse en titre, et Agar, la servante dont le patriarche a eu un fils, Ismaël. Ce glissement lui permet de dire l'essentiel : son père renvoie sa femme « du côté de » son fils, comme Abraham a renvoyé dans le désert Agar avec Ismaël. En lui ouvrant la chambre de Marcel, il lui ferme la sienne : « Allons, bonsoir, je vais me coucher. »

Voilà pourquoi cette scène me semble révéler la complexité de ce qui se joue entre Jeanne, Adrien et leur fils, au-delà du roman. Serait-ce parce qu'ils ne sont plus tout à fait mari et femme qu'elle est si mère ? La question mérite d'être posée.

La mère de Marcel – appelons-la Jeanne – en

essayant d'arrêter les larmes de son fils cède elle aussi à l'émotion :

> « Voilà mon petit jaunet, mon petit serin qui va rendre sa maman aussi bêtasse que lui, pour peu que cela continue. Voyons, mon loup, tu n'as pas sommeil toi non plus, ne restons pas à nous énerver, faisons quelque chose [120]. »

Vêtue de sa belle robe de chambre à ramages bleus, elle s'installe à son chevet dans le fauteuil de cretonne, un livre à couverture cerise à la main. Ce livre, c'est le roman de George Sand, *François le Champi* : l'histoire – ô génie de Proust ! – d'un amour incestueux entre un enfant et sa mère adoptive...

> « J'ai quelquefois – bien rarement – dans mon enfance connu le sentiment du repos sans tristesse, du calme parfait. Je ne l'ai jamais connu comme cette nuit-là. J'étais si heureux que je n'osais pas m'endormir », écrira Marcel des années plus tard [121].

Il finira par s'endormir.

Quand il se réveille, le lit de Maman est vide. Jeanne s'est levée sans bruit, et elle a laissé un petit mot sur la table :

> « Quand mon loup s'éveillera, qu'il s'habille vite, sa Maman l'attend au jardin. »

Le soleil est déjà haut dans le ciel quand les volets s'ouvrent. Jeanne lève les yeux et sourit. Les rosiers et les capucines grimpent le long de la maison jusqu'à la fenêtre de sa chambre. Le jardinier arrose les plates-bandes d'héliotropes. C'est un beau jour d'été [122].

Le baiser du soir

Tout le monde s'accorde à dire que la « scène du baiser » cristallise des épisodes qui durent se répéter dans des lieux et à des moments différents. De façon significative, Proust l'a située l'avant-veille de ses 7 ans. Il n'atteindra jamais l'âge de raison. Jeanne fit souvent la lecture la nuit à son fils. De défaite en défaite, elle finit par admettre que cette nervosité, Marcel n'en était pas responsable. Mais elle ne renonça jamais à lutter contre ce qu'elle appelait son « manque de volonté ». Elle ne renonça jamais à l'éduquer. Elle savait qu'un jour, il lui faudrait s'endormir sans elle...

Et Robert ?

Robert dormait comme un ange.

10

UN SI PETIT MONDE

Le train ralentit, il va bientôt entrer en gare. On aperçoit déjà, au milieu des champs, le clocher de l'église et « les dos laineux et gris des maisons[123] ». « Allons, prenez les couvertures, on est arrivé ! » lance Adrien Proust, tout ragaillardi par l'air du pays. Déjà ! s'étonne Jeanne pour qui les distances sont toujours un mystère. Elle est prête en un clin d'œil. Les bagages à main sont rassemblés, les couvertures pliées, les enfants habillés. Illiers... Illiers... deux minutes d'arrêt... nasille la voix du chef de gare. La porte du compartiment s'ouvre directement sur le quai. Empoignant ses jupes, Jeanne descend le marchepied, Robert à la main. Marcel suit, Adrien qui a tranquillement replié son journal ferme la marche. Les malles ont été descendues. « Oncle Jules est là, je le vois ! » s'écrie Robert. Il souffle un vent glacial. Jeanne vérifie que la douillette de Marcel est bien fermée. Pâques tombe tôt cette année, et en ce jeudi de fin mars, les voyageurs se hâtent vers la carriole qui les attend de l'autre côté des rails. Il n'y a pas loin de la gare toute neuve à la rue du Saint-Esprit où habitent l'oncle Jules et son épouse Élisabeth, mais en cette fin de journée ils sont bien aise de ne pas avoir à marcher. Jusqu'en 1876, il fallait descendre à Chartres et faire les 25 kilomètres restants en carriole. Maintenant, on attrape la correspondance de la ligne Paris-Bordeaux. La calèche s'engage dans l'avenue de la Gare, puis suit la rue de Chartres avant de traverser la place du Marché. La fenêtre étroite de Mme Proust mère donne sur la place. Mais il est trop tard pour la visiter aujourd'hui. Les enfants sont fatigués, décide Jeanne. Adrien opine.

C'est ici, juste au coin de la rue, au numéro 4 : une maison grisâtre précédée de trois marches. Dans l'entrée, la cuisinière Ernestine Gallou attend les Parisiens, le tuyau de sa coiffe blanche bien d'aplomb sur la tête. Un grand feu dans la cheminée du salon les accueille. Jeanne aide le petit à retirer son manteau. Marcel regarde autour de lui, ravi. Dans la salle à manger aux meubles sombres et aux vitraux de couleur, la table ronde en acajou est déjà mise. Sur le vaisselier, l'oncle Jules a préparé une carafe de vin vieux. On dîne tôt en province. En l'honneur des Parisiens, Ernestine a préparé un repas de fête, celui qu'on réserve au dimanche soir : omelette, pommes de terre, poulet aux petits pois et crème au chocolat bien coulante, le dessert préféré d'Adrien. Il est allé saluer tante Élisabeth avec Jeanne, les enfants monteront demain matin. Il ne faut pas la fatiguer.

Est-ce le repas trop copieux ou le voyage ? Les petits se frottent les yeux et Jeanne elle-même tombe de sommeil. Elle va trouver Ernestine à la cuisine :

> « Pour M. Jean, Ernestine, vous savez, une boule, pas chaude, mais bouillante, de l'eau de laquelle il serait impossible d'approcher les doigts. Et la tête du lit très

haute, vous savez, presque gênante, qu'il soit impossible de s'étendre si on voulait, quatre oreillers, si vous en avez quatre, ce ne sera jamais trop haut[124]. »

Ernestine sait. Elle est la seule, affirme Jeanne, à savoir, justement, préparer une boule vraiment bouillante ou un café brûlant. Son caractère revêche n'est que l'envers de son perfectionnisme. Et pour la famille parisienne de Madame, il s'adoucit en mille soins qui prouvent son attachement[125].

Robert a tout juste la force de monter, ses yeux se ferment déjà. Les chambres ont ce charme indéfinissable de la province, pour Jeanne d'un exotisme radical : lits profonds surchargés de couvre-pieds et de courtepointes, aux draps et aux taies en baptiste ajourée ; étoles au crochet sur l'appui-tête des fauteuils en velours frappé ; triples rideaux aux fenêtres qui rendent presque impossible leur ouverture... Mais le plus étrange à ses yeux est la profusion d'objets pieux, banals pour la plupart des gens, mais qui, pour elle, appartiennent à un autre univers : le crucifix et son buis bénit aux Rameaux, l'image du Sauveur au-dessus de la commode où trônent entre les deux vases une pendule sous sa cloche de verre et des coquillages, et le prie-Dieu qu'elle considère avec méfiance et respect. Jusqu'à l'adresse : rue du Saint-Esprit ! Nulle part elle ne se sent aussi étrangère qu'à Illiers et surtout le premier soir, quand elle doit s'endormir sous le crucifix, dans l'odeur « médiane, poisseuse, fade, indigeste et fruitée du couvre-lit à fleurs[126] », les yeux grands ouverts sur le papier à ramages.

Après avoir débarbouillé les enfants de la suie du voyage avec l'eau bien chaude qu'Ernestine a versée dans le pot à toilette, Jeanne leur passe les chemises de nuit tiédies devant le grand feu allumé dans la cheminée. Robert est couché le premier et s'endort déjà. Elle embrasse la joue rebondie. Marcel vient à peine de se déshabiller frileusement quand on frappe : c'est Ernestine qui apporte la boule – à Illiers, on appelle ça un moine – et la glisse dans le lit en cuivre à courtines blanches. « Tire bien ta chemise pour ne pas sentir le froid sur tes jambes, petit loup », recommande Jeanne avant de se pencher vers lui pour l'embrasser. Un dernier geste pour remonter la courtepointe. « Je suis à côté, dors bien mon loup », dit-elle une dernière fois en emportant la bougie avant de refermer la porte sans bruit. On entend les échos de la voix sonore de Jules qui bavarde en bas avec son beau-frère, le rire d'Adrien. Jeanne passe dans le cabinet de toilette et enfile sa chemise en frissonnant. Demain, c'est Vendredi saint. Sa bougie à la main, elle rejoint son lit, sous le crucifix.

La plupart du temps, les Proust viennent à Illiers pour Pâques. Sans doute leur est-il arrivé de s'y rendre en juillet – quand les enfants ne vont pas encore à l'école car les vacances commencent alors le 1er août – ou en septembre, la rentrée n'ayant lieu que le 1er octobre. Quant aux célèbres aubépines, il est douteux que Marcel en ait jamais vu la floraison à Illiers. Juste revanche de l'œuvre sur la biographie, se consolent les proustiens qui aiment à s'y rendre en pèlerinage au mois de mai. Il règne un assez grand flou sur la période et la durée de ces séjours. Marcel Proust, à une exception près – lors du règlement de la succession de sa tante à l'automne 1886 – aurait cessé de s'y rendre vers 12 ou 13 ans selon Céleste Albaret, vers 9 ans selon certains biographes. Cette imprécision, jointe aux pages inoubliables de *Du côté de chez Swann*, a contribué à faire d'Illiers un mythe : Combray. C'est ainsi qu'on visite aujourd'hui la maison de tante Léonie – qui n'a jamais existé.

Illiers, c'est le domaine d'Adrien Proust. Sa famille est originaire du Perche, installée à Illiers depuis deux générations seulement [127]. La plupart de ses ancêtres ont été cultivateurs ou marchands. C'est le cas du père d'Adrien, François Valentin Proust qui tient une épicerie place du Marché, face à l'église. On y vend des épices, du fil, du sucre, des sabots, du papier et des chandelles : tout le nécessaire d'un bourg de campagne. François Proust approvisionne aussi la paroisse en cierges qu'il fabrique. Adrien a grandi dans cette atmosphère où se mêlent odeurs exotiques, familières et religieuses. Qui sait si, dans l'étroite boutique, ses rêves d'enfant ne l'ont pas conduit vers les routes d'où provenaient ces denrées lointaines dans leurs sacs de jute ? Sa première vocation n'est pas non plus étrangère à l'activité familiale, puisqu'il envisage d'abord, dit-on, la prêtrise. Vocation ? Ou voie logique de promotion sociale pour un jeune garçon doué, élevé dans un milieu catholique et modeste ? Il est pensionnaire et boursier à Chartres, et ne rentre que pour les vacances. Son enfance s'ancre dans ce milieu provincial, dans le concret des choses de la vie.

Nulle part Jeanne ne mesure la différence de leurs origines comme à Illiers. C'est un monde qui sépare sa belle-mère, Virginie Proust née Torcheux, de sa propre mère. Notre époque a en partie masqué les différences sociales. Au XIXe siècle, elles sont criantes et s'ajoutent au décalage entre Paris et la province. Les deux femmes n'ont rien en commun. D'un côté, une intellectuelle israélite qui a grandi dans les cercles les plus avancés de la société de son temps, a côtoyé des artistes, des penseurs et vit en famille au sein de son clan ; de l'autre, une veuve qui à la mort de son mari, en 1855, a repris courageusement son commerce et élevé seule ses deux enfants, Adrien et sa sœur Elisabeth. Une paysanne née dans un village, dont le seul horizon est le portail de l'église, juste en face de sa boutique, les seules distractions, la messe et confesse. Une photo nous la montre, entourée de Robert et Marcel dans leur costume d'Écossais. Elle a 70 ans et les cheveux encore bruns. Elle fixe l'objectif d'un air buté, sans doute mal à l'aise, le ventre en avant, un bonnet sur la tête, formant un étrange contraste avec les petits princes qu'elle tient par la main : une domestique plutôt qu'une grand-mère.

Quelle mère a-t-elle été ? Entre sa fille toujours malade et son fils médecin, se sent-elle isolée ? Pour Jeanne si proche de sa mère et qui lui écrit tous les jours quand elle est séparée d'elle, la relation d'Adrien avec la sienne est incompréhensible. Même les hommes, chez les Weil, à commencer par son frère Georges, ont un véritable culte pour leur mère. Dans la tradition juive, l'amour filial est élevé à la hauteur d'un sacrement. Or, Adrien se comporte comme un fils qui remplit simplement son devoir. Rien de plus. Certes, Virginie a pu fermer sa boutique dès que son fils a été en mesure de subvenir à ses besoins, mais elle habite seule dans deux chambres au-dessus d'un porche.Peut-être a-t-elle tenu à ce modeste logement pour retrouver la place du Marché, ce poste d'observation sans pareil que doit lui envier sa fille Elisabeth. Elle a désormais vue sur la porte latérale de l'église. Elle n'a pas à marcher pour aller à la messe, avantage sans prix. C'est son monde, et elle n'a pas voulu en changer. Adrien fait pour sa mère ce qu'il faut, le strict nécessaire. Entre l'ancien pensionnaire et la commerçante, le médecin libre-penseur et la veuve pieuse, la communication n'est probablement pas aisée et la tendresse moins démonstrative qu'entre sa femme et ses fils. Il voit assez rarement sa mère, elle n'est venue ni à son mariage ni au baptême de ses enfants. Pas plus que nous ne savons quelle fut la réaction de cette catholique pratiquante en apprenant que son fils épousait une Juive, nous ne connaissons les relations qu'elle entretient avec son fils et sa belle-fille. Comme Mme Sureau, la belle-mère de Mme Santeuil, elle ne se remet sans doute pas de l'élection d'un maire radical qui ne salue pas le curé :

> « "Dans les temps où nous vivons, il ne faut s'étonner de rien", disait-elle. Et elle rendait les écoles laïques indistinctement responsables du ralentissement du commerce et de l'humidité de la saison[128]. »

Le docteur Proust passera sa vie à voyager. Mais il ne verra guère sa mère plus d'une fois par an. Illiers n'est pourtant qu'à 125 kilomètres de Paris...

Ce médecin célèbre, cet homme que l'ambition conduit vers les plus hautes fonctions, qui fréquentera sommités et chefs d'Etat, quel regard porte-t-il sur sa ville natale ? Sans doute éprouve-t-il un mélange d'attendrissement et d'éloignement. Ses anciens camarades de classe, quand il les croise dans la rue, voient-ils en lui le fils de l'ancienne épicière ou un grand bourgeois parisien ? Autant Jeanne, malgré son mariage, est restée fidèle à son milieu d'origine, autant la distance s'est creusée pour Adrien. Il éprouve une légitime fierté devant le chemin parcouru grâce à son travail. Et ce n'est pas sans contentement qu'il rappelle que son nom a figuré au tableau d'honneur dans le parloir du collège.

Heureux de retrouver les paysages, les rues de son enfance, il est conscient que sa vie s'est transformée, qu'il est devenu un autre. Chaque année, il est enchanté d'y venir, et soulagé d'en repartir. Fidèle à Illiers, à sa famille – les Amiot resteront toujours en contact avec les Proust –, il ne renie rien de ses origines. Mais ses études et son mariage lui ont permis de quitter Illiers. Pour rien au monde, il ne reviendrait y habiter.

« Je ne dois pas oublier que si je n'étais pas professeur à la faculté de médecine [...], vous n'auriez pas eu l'idée de venir me demander de présider cette distribution des prix [129] », dira-t-il un jour à ses anciens condisciples. Imperceptible trace d'amertume ? Peut-être, même si tout laisse à penser qu'il y a chez ce positiviste (Homais de haute volée ?) moins de nostalgie que de satisfaction, celle de l'ancien élève méritant au terme d'une carrière prestigieuse.

Est-il sensible comme Jeanne à la tristesse qui baigne les rues aux maisons noirâtres, « coiffées de pignons qui rabattaient l'ombre devant elles [130] ». La religion règle la vie d'Illiers, mâtines, vêpres, grand-messe du dimanche, processions de la Fête-Dieu. Jusqu'au temps qui s'écoule au battement des cloches, tous les quarts d'heure... Sous la pluie du Vendredi saint, Jeanne traverse le marché pour se rendre à la messe. On ne comprendrait pas à Illiers que la belle-sœur des Amiot, – vous savez celle qui a épousé le fils Proust... – n'assiste pas à la messe. Dans cette France profonde du XIXe siècle, il n'est pas pensable qu'il en soit autrement. Du reste, elle suivra aussi les leçons de catéchisme de ses fils, inquiète à l'idée que le curé « insiste un peu trop sur les exigences de la foi », intervenant sans vergogne :

« Cela va comme ça, monsieur l'abbé, cela suffit ; n'oubliez pas qu'il ne s'agit que d'un enfant [131]. »

La messe, le catéchisme font partie de ses devoirs de mère et d'épouse, témoignages de son adaptation aux rites sociaux et aux convenances, signes de sa volonté d'intégration. Elle est fidèle à son engagement : les enfants seront élevés dans la religion, sinon la foi, catholique. Son indifférence religieuse lui permet de concilier cette attitude avec la fidélité à ses origines, comme s'il y avait d'un côté son identité personnelle, et de l'autre ses obligations sociales. A l'église, elle partage avec sa belle-mère le banc fermé des Amiot que le curé loue à l'année. La tante Élisabeth ne sort plus de chez elle. Adrien, lui, n'accompagne pas sa femme à la messe. Il jouit du privilège masculin qui permet de s'abstenir. M. Santeuil, non seulement se lève tard le dimanche matin et lit tranquillement au salon, mais s'il va se promener, il fait un détour par le chemin de la ferme pour ne pas croiser les paroissiens qui reviennent de la messe. Et que Madame ne s'attarde pas à bavarder à la sortie, car il faut passer à table à midi si l'on veut manger le gigot à point. Jean, lui, rejoint sa mère. « Et à l'abri de la pluie dans l'église bien close, trompé sur le temps qu'il fait dehors par le jour rose, vert, jaune qui tombe des vitraux sur les marches, Jean qui est allé se placer près de sa mère sans lui dire bonjour parce que ça ne serait pas convenable à l'église, Jean, obligé de rester sans rien faire, pense à l'aise au gigot qu'il a vu Félicie mettre à la broche [132]... »

En ce jour de Vendredi saint, pas de gigot. On mange maigre. Dans l'église Saint-Jacques que son fils immortalisera, Jeanne suit la messe, les yeux baissés sur son missel. J'imagine – comment faire autrement ? – qu'elle s'agenouille en même temps que les autres fidèles et fait le signe de croix, en jetant peut-être un coup d'œil discret sur ses voisines pour ne pas se tromper... Remue-t-elle les lèvres pour chanter en latin le psaume 21 : « *Deus, Deus meus, respice in me : quare me dereliquisti...* » Mon Dieu, mon Dieu, pourquoi m'as-tu abandonné... Qui sait si elle ne l'a pas entendu un jour en hébreu : « *Eli, Eli, lama sabacthani...* » ? Quant à Marcel, loin d'imaginer les sublimes descriptions qu'il en fera un jour, il s'ennuie comme tous les enfants à l'église, « immobile sur son banc et n'ayant rien à penser. » Point encore de dame de Guermantes, pas d'Esther sur les tapisserie de haute lice mais des *pater noster* à voix basse, des antiennes en latin et d'interminables lectures qu'il écoute d'une oreille distraite en songeant peut-être au déjeuner (une barbue et des cardons à la moelle ou les goujons pêchés hier par ses cousins avec des épinards ?). Sans le savoir, le petit garçon s'imprègne de l'atmosphère provinciale et emmagasine les matériaux de son œuvre future. L'église d'Illiers restera d'autant mieux gravée en lui que c'est la seule qu'il fréquente, une ou deux fois par an.

Et Jeanne, à quoi pense-t-elle, en ce Vendredi saint, en entendant la voix sonore du prêtre du haut de sa chaire :

— *Vous la connaissez, cette assemblée des méchants, celle des Juifs. Et cette foule de ceux qui font le mal. De quel mal s'agit-il ? Ils ont voulu faire mourir le Seigneur Jésus-Christ. [...]*

L'assemblée répond d'une seule voix, grondant comme la rumeur :

— *Lorsque les Juifs eurent crucifié Jésus, les ténèbres couvrirent toute la terre. Et vers 3 heures, Jésus poussa un grand cri : Mon Dieu, pourquoi m'as-tu abandonné ? Sa tête retomba et il rendit l'esprit...*

Et le prêtre reprend :

— *Ils ont aiguisé leur langue comme un glaive. Que les Juifs ne viennent pas dire : « Ce n'est pas nous qui avons mis le Christ à mort. » [...] Vous aussi, Juifs, vous l'avez mis à mort. Comment l'avez-vous mis à mort ? Avec le glaive de votre langue. Vous avez en effet aiguisé votre langue comme un glaive. Et quand l'avez-vous frappé ? Lorsque vous avez crié : « En croix ! En croix*[133] *! »*

La pluie frappe les vitraux. Jeanne frissonne dans son mantelet de demi-saison. « Mets ton paletot pour ne pas avoir froid », murmure-t-elle à Marcel, tandis que l'orgue tonne et qu'ils se dirigent vers la sortie...

Si Adrien et les enfants se réjouissent de venir à Illiers, je ne suis pas sûre qu'il en aille de même pour Jeanne. Adrien retrouve son beau-frère Jules, avec lequel il a toujours eu de bonnes relations. Cet ancien marchand de drap (comme l'oncle Samuel Mayer de Flers !) est propriétaire de plusieurs maisons à Illiers. Il possède aussi un beau parc, à la sortie du bourg, de l'autre côté du Loir, le Pré Catelan qu'il ouvre généreusement à ses concitoyens. D'un voyage en Algérie où vivent sa fille et son gendre qui fait le commerce des vins, il a rapporté tout un bric-à-brac, photographies de mosquées et de palmiers, nattes, coussins et tapis qu'il a installés dans un cabinet où il se retire, officiellement pour se livrer à d'importants travaux, mais dont il sort en se frottant les yeux, comme si « le sommeil était venu le prendre au moment où il allait travailler ou ranger ses photographies sur la chaise longue en natte, près du narguilé[134] ! ». Il a même un petit hammam, décoré de carreaux orientaux... fabriqués en France[135]. Unis par un même goût pour les contrées exotiques, Adrien et Jules s'entendent d'autant mieux que ce dernier est, lui aussi, libre-penseur et anticlérical. Il est du reste l'un des dédicataires de la thèse de médecine du docteur Proust. Il incarne pour son beau-frère le lien avec son passé. Ils ont des souvenirs communs. Jules tient Adrien au courant des propriétés à vendre, des projets d'urbanisme, des changements de la politique locale – Jules Amiot sera adjoint au maire – et Adrien prend grand plaisir à bavarder avec lui.

Mais pour la malheureuse Jeanne, son épouse est une bien piètre compagnie ! Toujours malade, la tante Élisabeth se tient dans sa chambre et vit en recluse. Ses seuls centres d'intérêt sont les potins et la religion. Son neveu, qui, du reste, finira lui aussi sa vie en reclus, en a fait un portrait savoureux à travers le personnage de tante Léonie. Adrien donne-t-il parfois quelques conseils pour soigner la mystérieuse maladie de sa sœur ? Ou avoue-t-il son impuissance, comme il sera contraint de le faire avec son propre fils ? Il juge probablement que ce sont des simagrées et qu'Elisabeth n'est pas plus malade que vous ou moi. Pourtant, elle mourra d'une lésion intestinale tardivement opérée, au milieu de son eau de Vichy, de sa pepsine et de ses tisanes. Jeanne, que Marcel montre pleine de prévenance avec la cuisinière, prenant des nouvelles de sa fille, monte faire de courtes visites à tante Elisabeth. Mais je doute que la vieille bigote accueille bien longtemps sa belle-sœur... Que pourraient-elles se dire ?

Jeanne doit être assez isolée : elle fréquente une ou deux voisines, peut-être, quelques relations de campagne, comme cette Mme Savinien de *Jean Santeuil* avec qui elle bavarde à la sortie de la messe... Avec Adrien, elle rend aussi visite à Mme Larcher, rue de l'Oiseau fléché : dans son salon aux tapisseries solennelles se retrouvent les notables d'Illiers. Mme Goupil, la fille du docteur Galopin, est célèbre pour sa démarche majestueuse et son impassibilité. « Sa figure cireuse et hiératique » a, dit-on, inspiré l'image de sainte Lucie sur le vitrail de l'église. Cette Mme Goupil qui passe « sans parapluie avec la robe de soie qu'elle s'est fait faire à Châteaudun » et qu'« elle pourrait bien faire saucer [...] si elle a loin à aller avant les vêpres [136] », gageons qu'elle doit beaucoup aux portraits malicieux de Jeanne, faits au retour de ses visites.

Elle trouve le temps long, parfois. Les enfants ont leurs propres amusements : lecture solitaire et rêverie dans le jardin pour Marcel ou parties de pêche avec son oncle. Les cousins Amiot, bien plus âgés que Marcel et Robert, ne sont plus en âge de jouer avec eux. Le matin, Jeanne « fait sa petite correspondance [137] », puis lit dans le salon, près du feu, en attendant le déjeuner. Les repas constituent une occupation centrale à Illiers. Ernestine fait merveille, qu'il s'agisse du gigot à la broche du dimanche de Pâques, du bœuf à la casserole, du rôti de veau du samedi, des premiers petits pois ronds comme des billes vertes, du « poulet livré au beurre bouillant [138] » ou des asperges que la malheureuse fille de cuisine pèle à tout va, malgré son allergie. Riz à l'impératrice, biscuits, brioches, tartes aux pommes dominicales, crème au chocolat concluent ces repas copieux, dont on sort somnolent, malgré le café que l'oncle Jules prépare lui-même dans un appareil en verre, « extrêmement compliqué, parce qu'il était très primitif [139] », posé sur la table.

L'après-midi, quand il fait beau, on emporte le goûter, pain, chocolat et fruits, et on part pour une grande promenade. Jeanne prête son ombrelle à Marcel s'il fait trop chaud. Parfois, ils emportent des pliants, et elle s'installe derrière lui avec un livre pendant qu'il pêche.

Le plus souvent, on se promène tout de suite après le déjeuner, et on rentre pour le goûter. S'il fait froid, comme en ces vacances de 1880 où Pâques est tombé le 28 mars, on se contente de rester près du feu à lire. Il y aura l'année du *Capitaine Fracasse*, et plus tard, celle de *La Conquête de l'Angleterre par les Normands* d'Augustin Thierry... Les soirs de clair de lune (pas d'éclairage public en ce temps !), Adrien, « par amour de la gloire » entraîne sa femme et ses deux enfants dans une longue promenade par le calvaire, le viaduc et le boulevard de la Gare. Il les ramène, à bout de forces, à la grille de derrière, dont résonne la clochette au « bruit ferrugineux, intarissable et glacé » qui accueille la famille et qu'on distingue du « double tintement timide, ovale et doré » de celle des invités... Jeanne, qui n'a pas le sens de l'orientation, s'émerveille à chaque fois du génie stratégique de son mari. Il est vrai que, pour lui, les rues d'Illiers ont perdu leur secret depuis longtemps...

> « Tout d'un coup mon père nous arrêtait et demandait à ma mère :
>
> « Où sommes-nous ? Épuisée par la marche, mais fière de lui, elle lui avouait tendrement qu'elle n'en savait absolument rien. Alors, comme s'il l'avait sortie de la poche de son veston avec sa clef, il nous montrait debout devant nous la petite porte de derrière de notre jardin [140]... »

Mais le plus souvent, on reste à causer sous la lampe. Les enfants jouent aux cartes. Jeanne, assise dans son fauteuil, travaille à son ouvrage, le visage éclairé par la lampe. Parfois, elle propose à Marcel une partie de dames. Il arrive aussi, à la grande joie des enfants, qu'avant le dîner, on joue dans la chambre de Marcel à la lanterne magique. On repousse le bureau contre la porte, on va chercher des chaises dans la chambre de Jeanne, on tire bien les rideaux et l'abat-jour de la lampe de travail est remplacé par un réflecteur. Barbe-Bleue, Geneviève de Brabant et le traître Golo laisseront pour toujours chez Marcel l'empreinte de la vie passée au parfum unique que, seule, l'écriture pourra restituer. Jeanne est-elle consciente de la profondeur des impressions que ces séjours laisseront à son fils ?

Le temps qu'il fait – Adrien tapote le baromètre tous les matins et prononce solennellement ses oracles –, le menu du soir, les potins du voisinage forment l'essentiel des conversations. Pour Jeanne, le temps s'écoule bien lentement à Illiers. Elle a beau se réjouir de voir les siens réunis, ses parents et son frère lui manquent, leurs discussions, leurs disputes, leurs conversations sur les livres et la peinture, le piano de sa mère. Illiers est à la fois doux et un peu ennuyeux, comme un exil qui n'en finirait pas.

Il lui arrive alors de partir un peu plus tôt, emmenant le plus jeune de ses enfants avec elle, et laissant Marcel avec son père à Illiers. C'est en tout cas ce que l'on peut déduire d'un récit que Proust a intitulé « Robert et le chevreau », l'un des deux seuls textes où il a mis son frère en scène [141]. Ce jour-là, Mme Proust doit prendre le train avec Robert, âgé de 5 ans et demi, pour se rendre chez une amie, Mme Z... Marcel et son père les rejoindront plus tard avant que tous ensemble, ils ne regagnent Paris. Dès le réveil, Marcel, dont la sensibilité n'est jamais prise en défaut, devine aux premiers mots de sa mère qu'il va devoir la quitter : « Leonidas dans les grandes catastrophes savait montrer un visage... J'espère que mon jaunet va être digne de Leonidas », ce qui, avouons-le, est propre à alarmer n'importe quel enfant (pourvu qu'il sache qui est Leonidas : rappelons que Marcel a 7 ans et demi !). « Tu pars », répond-il d'un ton désespéré. Mais il prend sur lui, et l'essentiel de son désespoir se transfère sur le personnage de Robert. Pendant ce temps, en effet, Robert vit lui aussi un drame de la séparation, mais avec un chevreau dont il a fait son compagnon. Impossible de l'emmener à Paris, bien sûr ! On a donc décidé de le confier à des fermiers du voisinage. Petit Robert est décrit tout au long du texte sous des traits un peu ridicules : on lui a « frisé les cheveux comme aux enfants de concierge quand on les photographie, sa grosse figure [était] entourée d'un casque de cheveux noirs bouffants avec des grands nœuds plantés comme les papillons d'une infante de Vélasquez » ; il sera comparé plus loin avec sa petite robe des grands jours et sa jupe de dentelle à « une princesse de tragédie pompeuse et désespérée », puis à Phèdre, ployant sous les vains ornements. Proust a beau écrire : « Je l'avais regardé avec le sourire d'un enfant plus âgé pour un frère qu'il aime, sourire où l'on ne sait pas trop s'il y a plus d'admiration, de supériorité ironique ou de tendresse », ce sourire paraît teinté d'une satisfaction bien suspecte.

Mais impossible de trouver Robert. S'est-il caché par vengeance, pour faire manquer le train à Maman ? On le cherche partout, et on finit par le trouver, en tête à tête avec son chevreau, lui confiant avec des accents de tragédienne sa douleur. Le voici même qui entre deux sanglots chante un air qu'il a entendu dans la bouche de sa mère : « Adieu, des voix étranges m'appellent loin de toi, paisible sœur des anges. » Quelle culture pour un enfant de 5 ans ! Puis, pris d'un accès de rage, il se met à briser ses jouets, à arracher ses nœuds et à déchirer « sa belle robe asiatique » en poussant des cris perçants. Jeanne s'avance vers lui, mais il lui échappe et finit par s'asseoir sur la voie ferrée en la défiant. A tout instant, un train peut passer. « Maman, folle de peur, s'élança vers lui, mais elle avait beau tirer, avec une force inouïe de son derrière sur lequel il avait l'habitude de se laisser glisser et de parcourir le jardin en chantant dans des jours meilleurs, il adhérait aux rails. » Heureusement, à ce moment, le père arrive, et avec deux bonnes claques, il arrache Robert à sa voie ferrée. Voilà qui est efficace ! « Je ne te prêterai plus jamais mon tombereau », prononce Robert avant de s'enfermer dans le silence, nous prouvant au passage qu'Adrien joue parfois avec ses fils.

Marcel l'aîné en profite pour se faire bien voir de Maman, en se montrant digne de sa confiance : « Toi qui es plus grand, sois raisonnable, je t'en prie, n'aie pas l'air triste au moment du départ, ton père est déjà ennuyé que je parte, tâche qu'il ne nous trouve pas tous les deux insupportables. »

Jeanne, toujours prise entre les exigences de ses hommes...

On passe à table, pour « un vrai déjeuner dînatoire avec entrées, volaille, salade et entremets ». Robert, ne dit toujours pas un mot, perché sur sa chaise haute, « tout à son chagrin ». On parle de choses et d'autres quand soudain, un cri perçant : « Marcel a eu plus de crème au chocolat que moi ! » Ces mots-là sonnent vrai. Ils donnent l'exacte tonalité d'une relation entre frères : le contrôle permanent pour la justice ! Que Marcel ait eu dans la vie un peu plus de crème au chocolat de la part de sa maman, malgré le souci d'équité de Jeanne, ce n'est pas impossible... Mais ce jour-là, après tout, Robert avait le privilège sans pareil de l'accompagner quand Marcel restait à quai. Celui-ci envisagea une courte seconde de mettre le feu à la maison pour retarder le départ. Il embrassa sa mère autant qu'il put, c'est-à-dire moins qu'il ne l'aurait voulu. On finit par partir pour la gare de Chartres. Jeanne voyait le visage de son fils se décomposer à mesure qu'on approchait. Elle lui pressa légèrement la main pour lui faire signe d'être ferme. De telles épreuves étaient son école de la volonté.

Elle monta dans son wagon. Appelant une fois encore les grands Anciens à la rescousse, elle cita, non sans sourire, Regulus qui « étonnait par sa fermeté dans les circonstances douloureuses ». On peut se demander si c'était la meilleure façon de rassurer Marcel ! Mais Jeanne savait que son fils n'avait rien d'un Romain (et encore moins d'un Spartiate). Profitant qu'Adrien s'éloignait, elle rappela Marcel une seconde et lui glissa : « Nous nous comprenons, mon loup, tous les deux, n'est-ce pas ? Mon petit aura demain un petit mot de sa Maman, s'il est bien sage. *Sursum corda* », ajouta-t-elle dans un dernier effort alors que le train partait, laissant son petit bonhomme désemparé, comme si quelque chose de lui s'en allait aussi.

Bien plus tard, Marcel confiera à Jeanne son désespoir ce jour-là.

« — Qu'est-ce que tu aurais fait si ta Maman avait été en voyage ?

— Les jours m'auraient paru longs.

Mais si j'avais été partie pour des mois, pour des années, pour...

Nous nous taisons tous les deux, ajoute Marcel Proust. Il ne s'est jamais agi entre nous de nous prouver que chacun aimait l'autre plus que tout au monde : nous n'en avons jamais douté. Il s'est agi de nous laisser croire que nous nous aimions moins qu'il ne semblait et que la vie serait supportable à celui qui resterait seul [142]. »

C'est sans doute pourquoi ce récit associe le thème de la séparation au personnage du petit frère. Être aimé plus que tout au monde, voilà ce que son fils aîné réclame de Jeanne. Tyrannie de l'amour que les années à venir ne vont qu'amplifier...

Un jour, la famille Proust cessera de venir à Illiers. Adrien se rendra seul sur les lieux de son enfance. On invoquera l'asthme de Marcel, bien que par temps froid, Illiers lui ait toujours réussi, comme le lui rappellera un jour sa mère [143]. Des années plus tard, Céleste Albaret rapportera ces propos de Marcel Proust qui témoignent de ces arrangements conjugaux qui font les couples solides, sinon heureux :

> « Papa adorait Illiers, et maman n'était pas femme à l'en priver. Elle y allait, parce qu'elle aimait trop mon père pour permettre qu'il pût soupçonner un instant non seulement qu'elle s'y ennuyait, mais que cela l'ennuyait d'y aller. Et mon père l'aimait trop de son côté pour ne pas concevoir le soupçon sans le laisser paraître. Alors une année, l'air d'Illiers est devenu soudain très mauvais pour mon asthme, comprenez-vous ? C'est papa qui l'a dit et nous n'y sommes plus retournés [144]. »

11

UNE MAÎTRESSE DE MAISON

Le boulevard Malesherbes gronde aujourd'hui d'une rumeur continue. Camions de livraisons, taxis, autobus, motos et voitures particulières ne retiennent leur course qu'aux feux rouges, sur la double voie qui va de la porte d'Asnières à la place de la Madeleine. Une gravure montre ce même boulevard au début de la Troisième République. Un rêve ! Toute la largeur de la voie est dégagée, les promeneurs déambulent paisiblement ; quelques calèches, des cavaliers, des nourrices avec des enfants, des couples. Des deux côtés du boulevard, des platanes et une colonne Morris en font un espace vert et citadin à la fois. On comprend que le docteur Proust ait voulu y installer sa famille : c'est un quartier « bien habité », comme on dit alors. L'immeuble lui-même, typique des constructions haussmanniennes, correspond aux critères des habitations de première classe selon les architectes de l'époque [145] : double orientation, côté cour et côté rue, façade cossue, vaste porche qui mène à une cour intérieure, vestibule orné de dorures, un escalier en pierre et un escalier de service du côté de la cuisine. Autre caractéristique : la présence d'un concierge, jadis réservée aux hôtels particuliers. Odeur de cire fraîche, cuivres étincelants, épais tapis rouges. L'appartement des Proust est au fond de la cour, au premier étage à gauche. L'échoppe à verrière d'un tailleur, M. Eppler, est accotée au bâtiment intérieur, et Marcel et Robert peuvent l'apercevoir de leurs chambres. Proust s'en souviendra en évoquant l'atelier de Jupien. Mais l'immeuble, contrairement à celui du narrateur de *La Recherche* (« C'était une de ces vieilles demeures comme il en existe peut-être encore... »), est neuf : le médecin hygiéniste a tenu à ce que sa famille dispose du confort moderne, eau courante, éclairage et cuisine au gaz ; pas d'électricité, bien sûr, ni de chauffage central, un seul WC assez primitif, *closets* sans chasse d'eau mais équipés d'une planche à écrire, et deux étroits cabinets de toilette sans fenêtre. Il faut attendre le début du siècle pour que l'hygiène fasse son apparition dans l'habitat français.

Les Proust habiteront de 1873 à 1900 dans ce vaste appartement. On entre par l'antichambre, assez grande, mais moins que celle du 45, rue de Courcelles, l'appartement luxueux dans lequel la famille Proust emménagera ensuite, où cette pièce décorée de boiseries et de tapisseries sera la fierté de Jeanne. Les chambres des enfants sont situées à l'opposé de celle des parents, et un long corridor sépare la cuisine de la salle à manger : comme dans la plupart des appartements bourgeois, l'office est situé le plus loin possible des pièces de réception pour éviter à la fois les odeurs et la fumée du fourneau, et la promiscuité entre domestiques et maîtres. On a fait installer, entre la salle à manger et l'antichambre, un passe-plat qui sert aussi de chauffe-plat grâce à un petit foyer pour les braises. Cela évite au maître d'hôtel de quitter la pièce pour servir, et permet de garder les plats au chaud. A de tels détails, on mesure le train de vie de M. et Mme Proust. Les jours de réception, quand on n'utilise pas le chauffage à gaz, plutôt qu'un feu de bois, on fait brûler des boulets Bernot dans l'une des salamandres installées dans les grandes cheminées. Des calorifères et des bouches à air chaud seront installés rue de Courcelles. On s'éclaire avec des flambeaux ou des candélabres à bougie, des lampes à pétrole ou à gaz à bec Auer[146]. Rythme paisible dehors, lumières douces à l'intérieur, ambiance feutrée : le climat de cette époque est bien éloigné des trépidations de la nôtre.

Les visiteurs s'accordent à reconnaître le manque d'élégance de la décoration. « L'impression que j'en ai gardée [...] est celle d'un intérieur assez obscur, bondé de meubles lourds, calfeutré de rideaux, étouffé de tapis, le tout noir et rouge, l'appartement type d'alors, qui n'était pas si éloigné que nous le croyons du sombre bric-à-brac balzacien », écrit Fernand Gregh[147].

Son souvenir ne le trompe pas, car à l'époque dont il parle, Jeanne a hérité des fauteuils en peluche rouge de ses parents, de l'armoire à glace « vaguement rougeâtre », et du vieux bureau qu'elle a connu chez ses grands-parents Berncastel. Le mobilier est cossu mais sans raffinement, meubles Second Empire, tapisseries sur les murs, fauteuils en velours, immenses glaces ornées au-dessus des cheminées, guéridons, paravent chinois, tablette en marbre rose reposant sur des pieds de bouc dorés ou meuble d'Extrême-Orient avec des appliques métalliques... Plantes vertes, bronzes de Barbedienne, pendules, vases chinois et autres coupes en cristal s'y ajoutent. Dans le salon, sur le grand tapis persan rapporté par Adrien Proust, une table ronde recouverte de lourdes étoffes et un canapé côtoient le piano à queue de Jeanne. Les portraits des maîtres de maison ornent les murs. Le cabinet du docteur Proust, recouvert de tapisseries, communique avec le salon et la chambre à coucher conjugale. Ces trois pièces donnent sur la rue de Surène, perpendiculaire au boulevard Malesherbes. Mais le lieu de l'intimité familiale est la salle à manger. La famille s'y retrouve, les enfants y font leurs devoirs et récitent leurs leçons à leur mère, sur la grande table recouverte d'un molleton rouge. C'est là aussi que dos au feu, Marcel Proust rédigera ses cahiers, sous la lampe Carcel dont il aime l'éclairage.

Au fil des héritages, des voyages d'Adrien, des acquisitions et des cadeaux, le mobilier va s'accumuler, sans harmonie ni goût.

> « Plus on avance dans le siècle, plus l'appartement bourgeois, dans son ameublement, ressemble à un magasin d'antiquités où l'accumulation apparaît comme le seul principe directeur de la composition intérieure de l'espace »,

remarque Roger-Henri Guerrand [148]. Les tapisseries, les tentures, les tapis, les coussins masquent le moindre espace nu et composent un nid douillet, un espace de sécurité qui, selon l'historienne Adeline Daumard, protège de l'extérieur, perçu comme dangereux depuis les insurrections de 1848 et de 1871. Pas de plan ou de décoration d'ensemble, donc, mais une démarche sans doute plus affective qu'esthétique. Il y a là un trait d'époque, de milieu social mais aussi de famille. On aime les objets parce qu'ils ont appartenu à des êtres chers ou ont été donnés par eux. Du bureau de ses arrière-grands-parents maternels, Marcel Proust parlera comme d'« un vieil ami très laid mais qui a si bien connu tout ce que j'ai le plus aimé ». Quand elle héritera de Louis Weil, Jeanne installera les rideaux d'Auteuil en satin bleu dans sa chambre rue de Courcelles, ainsi qu'un grand lustre en forme de coupe bleue, des meubles et des candélabres à globe de la même couleur. Dans les armoires, des sachets de parfum Houbigant laissent leur empreinte. Après la mort de sa mère, ces objets se retrouveront dans la chambre de Marcel, boulevard Haussmann, avec sa table à ouvrage, sa commode et l'armoire à glace en palissandre à filets de bronze fermée à clef par son fils. Céleste Albaret y trouvera une boîte de mouchoirs ornés de dentelle de Valenciennes, aux initiales J.P...

Oscar Wilde aurait, dit-on, en présence de Jeanne et d'Adrien Proust proféré un dédaigneux : « Comme c'est laid chez vous » avant de leur tourner le dos. Marcel le mettra dans la bouche de Charlus, « avec un mélange d'insolence, d'esprit et de goût [149] ». La première fois qu'Émile Straus se rend chez eux, raconte Marcel Proust, dans le « salon d'une laideur toute médicale que rétrospectivement je trouve plus touchante que beaucoup de beautés et où les bronzes, les palmiers, la peluche et l'acajou tenaient leur rôle respectivement », l'avocat cherche vainement un objet à admirer. Ses yeux finissent par dénicher un petit dessin d'Henry Monnier, offert par Caran d'Ache à Adrien, son médecin. C'est gentil, c'est gentil, répète-t-il, soulagé d'avoir enfin trouvé quelque chose d'aimable à dire ! Mais ces jugements sont le fait d'esthètes ou de mondains, et traduisent leur mépris pour l'esprit bourgeois. Le goût est éminemment culturel et social. Peut-être cet intérieur reflète-t-il avant tout l'origine de Jeanne et d'Adrien, qui, si différente soit-elle, n'est pas héritière d'une tradition de « bon goût » ou de raffinement. Il correspond au stéréotype d'un décor bourgeois tel qu'on se le figure au début de la Troisième République, auquel s'ajoutent une certaine austérité et des habitudes d'économie venues aussi bien du « 40 *bis* » que de l'épicerie d'Illiers. « Pas de clinquant. Une grande modestie. Un style très puritain », confirmera Emmanuel Berl, qui par sa mère appartient à la famille Weil[150]. Cette simplicité évoluera avec la carrière du docteur Proust.

La Troisième République marque l'apogée du règne de la maîtresse de maison. Des dizaines de manuels la conseillent et la célèbrent : « semblable au machiniste de l'Opéra, elle préside à tout sans qu'on la voie agir ». L'ambiguïté de ce rôle, à la fois secondaire et primordial, essentiel et invisible, illustre parfaitement la place de Jeanne Proust. Elle va tenir son ménage avec l'ardeur et la volonté de perfection que bien des femmes mettent aujourd'hui à réussir leur carrière. Jamais elle ne remettra en cause ce rôle, y trouvant un accomplissement que ses qualités intellectuelles, morales et artistiques, sa culture et son énergie pourraient chercher ailleurs.

> « Son nom n'est inscrit parmi les présidentes, les vice-présidentes, les dames patronnesses d'aucune œuvre. Elle n'a jamais signé d'appel à aucune femme de France, elle n'a été dans aucun hôpital soigner des malades[151]. »

Mais c'est au service de « la vie obscure de la famille », de la carrière de son mari, de l'avenir de ses fils qu'elle mettra ses dons, puisant dans son amour pour eux la justification de sa propre existence. Pas la moindre trace d'amertume, de regret d'une autre vie possible.

> « [...] Mme Santeuil n'avait nullement cherché à élever M. Santeuil à son idéal, mais à tâcher de lui être le plus utile et le plus agréable possible, à donner des dîners quand il aimait cela, à ce que la mousse à la fraise fût faite comme l'aimait son ami Dester pour qu'il eût plaisir à venir souvent dîner, et plus tard, quand M. Santeuil fut fatigué le soir, à rester près de lui, à lui lire les choses qui l'amusaient, à écrire ses lettres[152]. »

Il nous faut admettre que cette femme supérieurement intelligente n'aura eu d'autre ambition que le bonheur des siens, sans le moindre esprit de sacrifice mais, espérons-le, non sans bénéfices secondaires. Pour une femme du XXIe siècle, il y a là une curiosité, que nous ne pouvons comprendre qu'en mettant de côté nos propres valeurs.

La journée commence tôt. Jeanne est la première levée, et les domestiques savent que le déjeuner du matin n'échappe pas à sa vigilance. La préparation du café obéit à des règles draconiennes et s'apparente à un véritable rituel qui frôlera l'obsession chez son fils. Il est possible que ce soit une tradition familiale, car il en ira de même pour Georges, le frère de Jeanne. L'appareil à café complexe décrit dans *Jean Santeuil* serait-il emprunté à Louis Weil et non à Jules Amiot ? C'est possible. Café et filtre viennent de chez Corcellet, mais sont achetés rue de Lévis dans une boutique où le café est fraîchement torréfié. Le lait est livré chaque matin de la crémerie. On l'accompagne de pain frais ou de rôties, avec des confitures de chez Tanrade, rue de Sèze, où on achète aussi les sirops. Après avoir réveillé les enfants et supervisé leur toilette – petits, ils auront une bonne, Louise, qui dit de Marcel : « je ne sais pas où ce que cet enfant va chercher tout cela... » – et veillé à ce que son mari ne manque de rien avant son départ pour l'hôpital, Jeanne fait le point avec les domestiques, planifiant les menus et les tâches de la journée. Avec le temps, le train de maison ira en augmentant. Mais dès le départ, il y aura une cuisinière, une femme de chambre et un valet, cocher à l'occasion. C'est le personnel de base d'une maison bourgeoise. Pour les réceptions, on engage des extras. Félicie Fitau qui restera longtemps au service de Jeanne, a inspiré en partie (avec Ernestine Gallou et Céline Cottin) le personnage de Françoise, la cuisinière de *A la recherche du temps perdu*. Grande et mince, elle s'habille parfois en costume régional pour sortir.

> « [...] elle allait elle-même aux Halles se faire donner les plus beaux carrés de romsteck, de jarret de bœuf, de pied de veau, comme Michel-Ange passant huit mois dans les montagnes de Carrare [...] [153]. »

Son bœuf mode à la gelée transparente est entré dans l'histoire de la littérature grâce au petit garçon qui avait les yeux plus grands que le ventre et la plume plus fine que le palais [154]. Comme tous les enfants, il aimait les croque-monsieur et les frites, mais plus tard, décrivit comme personne la salade d'ananas aux truffes. Type même de la domestique dévouée, Félicie restera au service de Marcel après la mort de ses parents, et ne le quittera qu'à la venue du ménage Cottin, Nicolas et Céline, auxquels succédera Céleste. La cuisinière est le personnage clef de la domesticité. C'est elle qui nourrit, c'est sur elle que repose la réputation d'une maîtresse de maison, en ces temps où la table joue un rôle majeur dans la sociabilité. Elle a des aides sous ses ordres et son caractère difficile est souvent à l'image de son fourneau.

> « Félicie comme Vulcain dans ses forges attisait le feu en frappant d'une tringle de fer les charbons rouges, dans un flamboiement, une chaleur, un crépitement, un grondement d'enfer...[155] »,

écrit Marcel dans *Jean Santeuil*, comparant ses mains épaisses à celles de certains sculpteurs, d'où sortent des chefs-d'œuvre. Avec Félicie, le Michel-Ange de la cuisine, Jeanne doit à la fois faire preuve d'autorité – elle est la maîtresse – et de diplomatie. Rien n'échappe à Mme Proust, et bien que « tout miel », elle « dit bien ce qu'elle a à dire[156] ». Elle sait être très ferme, et même exigeante. Tout doit être parfait. Elle veille elle-même à la propreté et aux travaux de la cuisine, jusqu'à venir surveiller ce qui mijote sur le feu. Une anecdote racontée par Céleste Albaret illustre les rapports forcément ambivalents entre la domestique et la maîtresse. Un jour, sur le foyer, se trouve une cocotte brûlante. Félicie dit à Nicolas, le valet, en ôtant la poignée d'étoffe du couvercle : « Comme on la connaît, si elle vient ici, Madame ne pourra pas s'empêcher de soulever le couvercle... » Arrive Mme Proust, poursuit Céleste. Un regard, et puis à Félicie : « Voulez-vous me découvrir cette cocotte, s'il vous plaît[157] ? »

A la stabilité de la cuisinière, correspond le ballet des femmes de chambre, plus jeunes, susceptibles de se marier, de retourner dans leur province d'origine ou d'être renvoyées. Eugénie, Catherine, Gabrielle, Marie sont quelques-unes d'entre elles. Jeanne emmène une nièce de Félicie pour la servir à l'hôtel à Trouville, qu'elle doublera d'une cuisinière et d'une aide si elle loue une maison. Une charmante Marie qui offrira une courtepointe rouge à Monsieur Marcel aura son congé, suspecte de plaire un peu trop (à Marcel seulement ?).

Une autre femme de chambre, plus élégante que Jeanne mais sentant le vin, l'agressera quand celle-ci voudra la renvoyer, et s'avérera une dangereuse meurtrière en fuite. Or, on doit pouvoir leur faire confiance car elles entrent dans l'intimité de la famille, comme Catherine, « à laquelle, écrit Jeanne à Marcel, rien de ce qui nous appartient n'est étranger » et qui « m'a amenée tout droit à ton tiroir de petite table avec lequel elle me paraît se tutoyer[158] » ! Quant aux valets, Jean Blanc, Arthur ou Nicolas Cottin, leur rôle consiste à ouvrir la porte aux patients et aux invités, faire certaines courses, servir à table et assister Monsieur.

La contrepartie de la surveillance exercée par Jeanne sur son personnel est sa sollicitude à leur égard. Proust montre la mère du narrateur s'enquérant des problèmes familiaux de la cuisinière d'Illiers, les lettres de Jeanne la décrivent elle-même courant dès l'aube, pour acheter un corsage à Eugénie qui succombe de chaleur ou à Philomèle, la femme de chambre de ses parents. Au 14 Juillet, on dîne à 6 h 3/4, « afin que le peuple soit libre de bonne heure pour les réjouissances », écrit-elle non sans une ironie un peu hautaine.

Madame donne donc ses instructions au peuple, et le peuple – en l'occurrence la cuisinière – fait les courses. On ne s'approvisionne que chez les fournisseurs les plus réputés auxquels Marcel, après la mort de Jeanne, restera fidèle. Ainsi, les glaces et les petits fours ne peuvent venir que de chez Rebattet, rue du Faubourg-Saint-Honoré, ce sont, affirme Jeanne, les meilleurs de Paris.

> « Un jour où mon ami Reynaldo Hahn, le compositeur, était passé me voir, raconte Marcel à Céleste Albaret, et où nous prenions le thé avec maman, Reynaldo l'a plai-

santée gentiment sur ses petits fours, en lui disant : “Je parie, chère Madame, que vos fameux petits fours de chez Rebattet, si je vous en apportais une fois de chez Potin, eh bien ! vous n’y reconnaîtriez rien !”, vous auriez dû entendre maman : “Soit, mon petit Reynaldo. Amusez-vous à le faire, et vous saurez la suite[159].” »

Snobisme ? ou rituel social qui permet à un groupe de se reconnaître dans ces signes de distinction ?

Les brioches viennent de chez Bourbonneux, rue de Rome, les entremets au chocolat, quand ils ne sont pas maison, de chez Latinville, rue La Boétie, les fruits de chez Auger, boulevard Haussmann. Chaque semaine, la blanchisserie La Maison bleue vient chercher le linge sale et rapporte le propre, que Jeanne vérifie soigneusement. On porte les vêtements de laine à la teinturerie Garobi, boulevard Haussmann. On confie le nettoyage des tapis à « La Place Clichy », un grand magasin qui a également pour cliente Mme Zola. Mais pour ses emplettes, Jeanne préfère le magasin « Les Trois quartiers », plus élégant et surtout très proche. Quant aux fleurs, on les achète chez Lemaître, boulevard Haussmann aussi. Tous ces commerces de luxe sont à proximité. Le Paris du XIXe siècle a encore une vie de quartier, que la répartition horizontale de Haussmann (les riches au centre, les pauvres à la périphérie) n’a fait qu’amplifier. On y a ses commerçants et ses amis. Déménager dans un autre quartier équivaut presque à changer de ville.

Une femme comme il faut ne sort pas dans la rue le matin, prescrivent les manuels de savoir-vivre. Si on la rencontre, il faut faire mine de ne pas la reconnaître, car sans doute se livre-t-elle à quelque discrète action charitable. Jeanne, sauf exception (les jours de grosse chaleur, en particulier), reste donc chez elle. Le déjeuner est très léger, et se prend à 12 heures précises.

L'après-midi est consacrée à la promenade, aux visites, aux expositions, à la lecture. Sortie quotidienne au bois de Boulogne avec Mme Félix Faure, la femme du futur président de la République, mondanités sur lesquelles nous reviendrons. A l'image des femmes de son milieu, Jeanne a ses « jours », comme en fait foi le post-scriptum d'une lettre de Marcel à sa mère en 1899 : « J'ai fait la commission à Me Richtenberger partie aujourd'hui je crois. Elle ne m'a rien demandé sur Paris de sorte que je n'ai rien eu à dire sur tes jours etc. [160] ». Cette institution mondaine perdure jusqu'en 1914, assignant à résidence au moins une après-midi par semaine les femmes de la bonne société. Le degré de mondanité est très variable, comme le montre – quel meilleur exemple donner ? – l'œuvre de Marcel Proust. On reçoit en général de 15 h à 18 h 30 environ, les visiteurs restent de un quart d'heure à une demi-heure, à la fois par convenance et par commodité, fréquentant plusieurs maisons dans une même demi-journée. On discute potins, lectures, spectacles. Jeanne reçoit ses amies au salon. Il arrive qu'elle fasse venir le petit Marcel, « comme un savant qui ne comprendrait pas sa science, comme une sorte de magicien, apporter tous ses livres illustrés sur la lune pour montrer combien il en avait [161] ». Jeanne est fière, visiblement, de sa précocité et de sa profondeur. Ce passage de *Jean Santeuil*, attesté par la correspondance, est l'une des premières preuves, émouvantes, de cette fierté maternelle. Il montre aussi que la vie familiale est toujours prépondérante chez cette femme qui dit avec humour avoir apprécié pour la première fois les potins le jour où Lucie Faure, la fille du futur président de la République, a témoigné de l'estime d'Anatole France pour Marcel tandis que son amie Mme Catusse rapportait des propos élogieux sur Robert.

Se rend-elle aussi à la piscine Deligny, près du pont de la Concorde, comme le suggère un passage de *Jean Santeuil*, où l'enfant, fasciné, contemple « sa mère s'y jouer en riant, lui envoyer des baisers et en revenir belle sous son petit casque de caoutchouc et ruisselante » comme une déesse sortie des eaux[162]...

La peinture fait partie de la culture d'une femme du monde. Jeanne est une habituée du Louvre[163]. Elle ne perd jamais son humour, même en ce matin étouffant où elle y est allée avant la grosse chaleur. Elle raconte à Marcel :

> « Au Louvre ? ? J'ai vu Watteau de ta part de celle de Hahn *[sic]* puis suis allée me jeter aux pieds de Vinci et du Titien (et le reste et le reste ! ! !) Les salles en cette saison, et le matin, sont presque désertes. Les occupants sont la plupart de pauvres débris de vieilles femmes à lunettes, qui, bien que juchées sur le haut de leur échelle pour voir de plus près leur modèle, n'arrivent pas à leur voler le feu céleste.
>
> Puis dans le public quelques Anglaises préoccupées surtout de rester d'accord avec leur catalogue[164]. »

Mais Jeanne consacre surtout de longues heures à la lecture, passion qu'elle partage avec toute la famille Weil. A Paris, elle est abonnée au cabinet de lecture de M. Delorme, 80, rue Saint-Lazare. Georges est lui aussi un grand lecteur, et ne vient jamais sans un livre. Il prête par exemple à Jeanne *Le Voyage en Russie* de Théophile Gautier. Quant à *La Débâcle*, le roman de Zola sur la guerre de 1870, paru en 1892, il va passer de main en main jusqu'à Louis Weil. Les livres s'échangent, on lit aussi à voix haute des pages de revues, comme l'article de l'historien Lavisse sur la jeunesse du Grand Frédéric, le feuilleton de Brunetière, dans *La Revue des deux mondes* ou celui de Faguet. *Le Figaro, Le Journal des Débats*, *Le Temps* sont le point de départ de conversations enflammées. On discute les articles, on les critique, on lit les livres recommandés. Souvent en avance sur ses amies, Jeanne est invitée à donner son avis sur des romans qu'elles n'ont pas encore lus : elle doit parler à Mme Catusse de Loti (qu'elle aime) en lui *conseillant* de ne *pas* le lire, car celle-ci « est en admiration devant *Le Cœur* de Bourget et n'aime pas celui de Maupassant », rapporte-t-elle non sans ironie. La critique oppose alors *Un cœur de femme* de Paul Bourget, paru en feuilleton dans *Le Figaro*, archétype du roman psychologique, à *Notre Cœur*, qu'on murmure inspiré à Maupassant par son amour pour Mme Edouard Kann.

Les goûts de Jeanne sont éclectiques, comme le prouve un extrait d'une lettre à son fils :

> « mes lectures (suivant les heures) varient entre :
> Loti, Sévigné et Musset (*Fantasio*, *Caprices de Marianne*, etc.)
> Qu'as-tu à dire ? A Loti succédera *Mauprat*[165]. »

Sa connaissance de l'anglais lui permet de citer *Richard III* de Shakespeare dans le texte. Contrairement à Marcel, elle aime aussi le XVIIIe siècle, qu'il s'agisse des *Mémoires* de Mme du Deffand, de *Wilhelm Meister* de Goethe, de la pièce *Les Surprises de l'amour* de Marivaux, ou de Voltaire et d'Alembert. L'un de ses livres de chevet est les *Mémoires* de Mme de Rémusat, avec qui elle se sent liée « d'une intimité cordiale ».

« Je ne vois aucun motif de traiter les femmes moins sérieusement que les hommes », écrit cette aristocrate dont le père a été guillotiné en 1794, et qui préconise une éducation fondée sur la raison et sur une religion éclairée[166].

Les points communs entre Claire de Rémusat et Jeanne Proust sont du reste frappants. Brune aux yeux noirs et aux formes épanouies comme Jeanne, elle a été mariée très jeune à un homme de dix-sept ans son aîné, premier chambellan à la cour de Napoléon, puis préfet. « Heureuse fille, heureuse épouse, heureuse mère », elle professe que dans toutes les douleurs de l'existence, « il y a toujours un certain guichet à passer, après lequel on se trouve mieux qu'on ne s'y était attendu[167] ». Un fils handicapé, une santé fragile ne l'empêchent pas de garder sa sérénité et d'afficher une philosophie souriante, qui surprend chez cette femme au tempérament mélancolique dont la grande passion fut... son autre fils, Charles. « Il lui tenait autant par l'esprit que par le cœur, par la ressemblance des idées que par les liens de l'affection filiale[168]. » Si en avançant dans la vie, Claire de Rémusat ressemble de plus en plus à sa mère, comme Jeanne, c'est avec son fils que se nouent les liens les plus étroits. Il n'est point de passion sans souffrance. Mme de Rémusat ne cessa jamais de ressentir de l'angoisse pour Charles, de craindre qu'il ne lui arrive quelque chose. « Il n'y a rien entre nous de ce qui ressemble aux autres », avouait-elle. Jeanne aurait pu en dire autant.

Les livres font partie de son univers mental, et reflètent une culture vivante qui n'a rien à voir avec une occupation mondaine. Jeanne est bien représentative de ce milieu israélite pour lequel la vie intellectuelle est primordiale, et jugée supérieure à toute autre activité.

Comme le dira Emmanuel Berl : « C'était un milieu où l'on cultivait avant tout les choses de l'esprit », dans lequel « le prestige de l'Université, de l'intellectualité dominait celui de l'argent, même dans les milieux d'affaires [169] ». La transmission de ces valeurs est essentielle. Ainsi, on voit Mme Santeuil tenter de faire aimer à son fils les *Méditations* de Lamartine, *Horace* de Corneille et *Les Contemplations* de Hugo. Mais il préfère Verlaine...

Culture, savoir-vivre et cuisine sont les facettes d'un même art : celui de la parfaite maîtresse de maison.

> « Sur les choses dont les règles et les principes lui avaient été enseignés par sa mère, sur la manière de faire certains plats, de jouer les sonates de Beethoven et de recevoir avec amabilité, elle était certaine d'avoir une idée juste de la perfection et de discerner si les autres s'en approchaient plus ou moins. Pour les trois choses, d'ailleurs, la perfection était la même : c'était une sorte de simplicité dans les moyens, de sobriété et de charme. Elle repoussait avec horreur qu'on mît des épices dans les plats qui n'en exigent pas absolument, qu'on jouât avec affectation et abus de pédales, qu'en "recevant" on sortît d'un naturel parfait et parlât de soi avec exagération. Dès la première bouchée, aux premières notes, sur un simple billet, elle avait la prétention de savoir si elle avait affaire à une bonne cuisinière, à un vrai musicien, à une femme bien élevée. [...] "Ce peut être une cuisinière très savante, mais elle ne sait pas faire le bifteck aux pommes [170]". »

Ces qualités vont de pair avec son esprit caustique, son goût pour l'euphémisme et le refus de parler d'elle-même.

En fin de journée, Jeanne se consacre à sa correspondance et à l'écriture de son carnet. Comme toutes les femmes de son temps et de son milieu, elle écrit beaucoup. Malheureusement, seule une infime partie de ces lettres nous est parvenue. Quant au cahier de *Souvenirs*, où elle notera citations et pensées personnelles, en particulier après la mort de sa mère et de son mari, il a disparu[171]...

Le dîner est suivi de soirées paisibles, à moins que Jeanne et Adrien ne sortent. *Jean Santeuil* donne une image, peut-être idéalisée, de ces veillées familiales. Jeanne joue du piano pour son mari (*Dom Juan* de Mozart, *Fidelio* dont une partition lui appartenant a été conservée, et Beethoven, son compositeur favori) ou chante. Elle raconte sa journée avec vivacité, nous donnant l'impression qu'elle est l'animatrice de ces soirées, la flamme vivante. Elle fait aussi la lecture à haute voix, et endort son mari en lui lisant des vers de Vigny ! Adrien somnole, les pantoufles contre les chenets... Il est vrai qu'il a derrière lui une journée de travail et que les conversations littéraires de sa femme doivent médiocrement l'intéresser. Ils vont parfois aussi au théâtre, et Marcel gardera le souvenir éblouissant d'une mère « jeune, belle » vêtue d'un manteau de velours noir bordé d'aiguillettes, doublé de satin cerise et d'hermine. Ce soir d'automne 1883, Adrien et Jeanne sont allés applaudir la pièce de Meilhac *Ma Camarade*... Au fil des années, la carrière du professeur Proust entraînera une véritable vie mondaine, faite de dîners, de soirées, de réceptions officielles. Jeanne recevra beaucoup à son tour, remplissant avec grâce son rôle d'épouse modèle d'un grand médecin parisien.

12

L'ENFANT MALADE

En ce jour de février 1880, la foule s'était massée tout au long du cortège et obstruait l'entrée du cimetière Montparnasse. Le char funèbre drapé de noir disparaissait sous les gerbes et les couronnes. Sur le cercueil d'Adolphe Crémieux, reposaient ses insignes de sénateur, sa robe d'avocat et son écharpe de franc-maçon. Une vie entière au service de la justice, de la République et de sa foi en l'homme. Mais les symboles pouvaient-ils dire sa simplicité, son incroyable générosité, sa bourse et son cœur ouverts à toutes les détresses ? « Je n'ai porté avec moi que des sentiments de modération et de fraternelle tolérance. Je veux que le jour où l'on viendra me conduire à ma tombe, on dise sur moi quelque chose, en me plaçant dans ma dernière demeure. Je veux qu'on dise : "Il a été bon"[172]. » On pouvait le dire. *Le Journal des Débats* avait rappelé la veille que le sénateur Crémieux avait offert de sa poche 100 000 francs, une somme colossale, pour aider à payer l'indemnité de guerre à l'Allemagne et proposé aux israélites d'ouvrir une souscription : « Disons à cette France adorée, avait-il plaidé devant l'Alliance israélite universelle : voilà ceux que tu as faits citoyens ; les fils de ceux que tu adoptais en 1791, les voilà, ils sont tes enfants les plus dévoués. Ils te l'ont prouvé aux jours des combats, ils te le prouvent aux jours du malheur[173]. » Au même moment, le petit Thiers se plaignait que l'État ne lui accordât qu'un million cinquante mille francs pour remettre en état sa maison détruite par la Commune...

La veille, la Chambre des députés, sur proposition du ministre de l'Intérieur, avait décidé sans discussion et à la quasi-unanimité des funérailles aux frais de l'État. Un crédit de 10 000 francs était alloué à cet effet. « Le gouvernement de la République acquitte une dette de reconnaissance et remplit un devoir d'honneur en vous demandant d'accorder à Adolphe Crémieux la récompense réservée aux citoyens qui ont rendu de grands services à leur pays », déclara le ministre aux députés.

Adèle avait accueilli avec tristesse la nouvelle de la mort de son oncle. A vrai dire, tout le monde s'y attendait. Le destin n'avait pas été tendre avec lui au cours des dernières années. Gustave, son fils, était mort en 1872. Séparé de sa femme, la cantatrice Mlle Monbelli (de son vrai nom Marie-Françoise Rabou), Gustave avait dans son testament demandé que sa fille unique Louise eût pour tuteur son père, sa mère ou à défaut sa sœur Mathilde ou son beau-frère, le préfet Alfred Peigné. Il avait réclamé aussi aux tribunaux la rupture de son mariage pour ne pas « flétrir l'avenir de Louise[174] ». Quatre ans plus tard, une nouvelle épreuve terrassa le sénateur : la mort de sa petite-fille Valentine, emportée par la fièvre, deux mois après son mariage avec le peintre Lecomte de Nouy. Elle avait 21 ans. Amélie, son épouse, restait le seul, l'éternel réconfort. Malgré leur différend à propos du judaïsme, leur amour restait intact. Aussi, quand Amélie mourut, le 31 janvier, le vieil homme se coucha-t-il pour ne plus se relever. Il mourut dix jours plus tard[175].

« Crémieux est mort martyr de son amour, de sa passion conjugale. [...] Le malheureux appelait sa femme à grands cris. Il demanda qu'on lui apportât les objets qui avaient appartenu à sa chère regrettée. Il les pressait sur ses lèvres ; puis il retombait farouche dans son désespoir, invoquant la mort », écrivit un journal[176]. La presse entière, jusqu'au très sérieux *Journal des Débats*, fit allusion à cette passion. Ce n'est pas tous les jours qu'un homme d'État meurt d'amour.

Les cordons étaient tenus par Gambetta, Georges Cochery, le ministre des Postes et du Télégraphe, Jules Ferry, Camille Pelletan, Théodore Cazot, le ministre de la Justice, Étienne Arago et Alphonse de Rothschild. Les honneurs militaires furent rendus par un escadron du 8e régiment de dragons, colonel en tête. L'oncle Adolphe était tout sauf un guerrier ! pensa Jeanne. Mais le vieux lion avait été un fier combattant, à sa façon, « un juste plus qu'un héros[177] ». Derrière le char, marchait le commandant Lichtenstein, représentant le président de la République, puis Alfred Peigné qui menait le deuil, et la famille au grand complet. Jeanne, songeuse au bras d'Adrien, suivait à côté d'Adèle et de Nathé, vêtus de noir. Des généraux, des hommes politiques, des députés, des sénateurs, des financiers : la France des notables rendait hommage au premier israélite français à avoir cumulé tant d'honneurs officiels, député à trois reprises, sénateur inamovible, deux fois membre du gouvernement dont il avait même été le chef durant quelques jours. Une bannière rappelait le décret du 24 octobre 1870 qui avait accordé la citoyenneté aux israélites d'Alger. A l'entrée du cimetière juif, le grand rabbin de Paris, Zadoc Kahn, fit arrêter le corps et rappela le rôle d'Adolphe Crémieux dans la communauté depuis cinquante ans.

Le cercueil, précédé des chantres de toutes les synagogues de Paris, entra ensuite dans le cimetière. Devant la maison de purification, et tout près de la tombe, le cortège s'arrêta à nouveau. Les discours se succédèrent, dans le froid sec de ce matin de février. Adrien ne put s'empêcher de regarder une ou deux fois sa montre. La vie politique, la carrière d'avocat, la franc-maçonnerie par la bouche d'Arago, l'Alliance israélite universelle, l'Algérie... Le Grand Rabbin de France émut l'assemblée en évoquant la dimension humaine de son ami. Les derniers mots furent laissés à un étudiant roumain qui rappela que, quelques jours plus tôt, Crémieux avait encore pris la défense de son peuple. Jeanne, frissonnant dans ses fourrures, songeait avec mélancolie qu'une page se tournait. Une génération disparaissait : celle des premiers Juifs nés avec la citoyenneté. Moïse et Godechaux Weil, Merline et Benoît Cohen ses oncles et sa tante, ses grands-parents Nathan et Rose Berncastel... Instinctivement, elle serra la main de sa mère et lui jeta un coup d'œil. Dieu merci, Adèle était bien vivante ! Nathé aussi. Georges regardait en l'air. Son oncle Alphonse, sanglé dans son uniforme, se tenait au garde-à-vous. Quant à Louis, il lui répondit avec un clin d'œil malicieux et un soupir comique. C'est vrai, la cérémonie avait été longue...

« Je ne vois qu'une figure à laquelle on puisse la comparer, écrivit le chroniqueur de *L'Univers israélite* le lendemain de la fête de Pourim : c'est celle de Mardochée, dont le nom vient de retentir dans nos temples. Vous tous mes frères en Israël, quand vous avez entendu hier ce glorieux témoignage décerné par la

Bible au vizir d'Assuérus, ne vous semblait-il pas entendre l'éloge funèbre de l'homme que nous venons de perdre [178] ? »

Jeanne n'aurait pas désavoué ce rapprochement, elle qui depuis toujours voyait en l'oncle Crémieux la figure de celui d'Esther...

Esther à qui je ne peux m'empêcher de penser en voyant le portrait de Jeanne peint la même année par Anaïs Beauvais [179]. C'est la femme de 30 ans, dans toute la plénitude de sa beauté. La chevelure très sombre se confond avec le fond du tableau, contrastant avec le visage doré. Les yeux noirs aux paupières lourdes et au regard songeur, la bouche sensuelle, le menton arrondi, la poitrine généreuse sous la gaze du corsage orné de fleurs des champs, tout suggère la noblesse et l'intériorité. La femme forte de l'Ecriture ? Oui, si l'on prend en compte la simplicité voulue de la parure, la profondeur du regard et l'autorité naturelle qui s'en dégage. Le portrait traité à la façon des maîtres hollandais, les pendants d'oreilles caressant le cou soulignent la beauté orientale de Jeanne : fille d'Israël, à la fois austère et épanouie, son charme semble venir du fond des âges. Ce tableau ne quittera jamais son fils aîné.

Tout paraît sourire à Jeanne. Nommé chef de service à l'hôpital Lariboisière, son mari a été élu à l'Académie de médecine deux ans plus tard. Un portrait de Lecomte de Nouy l'immortalise en toge, une plume à la main. Les enfants ont grandi, ils vont à l'école. Si l'on en croit Robert Dreyfus, Marcel a fréquenté en maternelle le cours Pape-Carpantier. Faut-il y voir la volonté de le rendre un peu plus indépendant, de le détacher de sa mère dont, malgré les années, il ne supporte pas l'absence ? La moindre séparation le bouleverse. A 16 ans, il lui faudra encore refouler ses larmes quand elle s'éloigne. Cette hypersensibilité, cette vulnérabilité, rien ne nous permet de savoir d'où elles viennent, ce qui les a engendrées. Mais elles trouvent un écho en Jeanne, qui vit cette communion à la fois comme un poids et comme une joie. Peut-être faut-il rapprocher cette relation fusionnelle de celle qu'elle entretient avec sa propre mère. Elles se voient tous les jours, ou presque, et parfois se raccompagnent à tour de rôle sans parvenir à se séparer.

> « Lorsque ma grand-mère se décidait à partir, raconte Marcel Proust, ma mère l'accompagnait. Il y avait une première station à la porte, où la conversation continuait. Puis, tout en parlant, les voilà reparties dans l'escalier. En bas, il y avait un canapé. Au bout d'un moment, elles s'y asseyaient. Parfois, cela durait encore une demi-heure. Tout à coup, ma grand-mère s'écriait : "Mon Dieu ! l'heure qu'il est ! Je remonte avec toi jusqu'à ta porte, et je me sauve !" Elles remontaient ensemble et cela recommençait. Elles ne pouvaient jamais se quitter[180] ! »

Elles partagent le même culte pour Mme de Sévigné dont Adèle cite des passages entiers au fil de la conversation. Or, qu'est-ce que la correspondance de Mme de Sévigné, sinon les lettres d'une mère passionnément éprise de sa fille – qui a eu l'instinct salvateur de partir vivre avec son mari à l'autre bout du pays ? Cet extraordinaire monologue amoureux dont Adèle et Jeanne se repaissent est la mise en abyme de leurs propres sentiments maternels. Adèle, Jeanne et Marcel : variations autour de la dépendance entre mère et fille, mère et fils. Si Marcel a utilisé certains traits de Jeanne pour parler d'Adèle, s'il a rendu difficile la distinction entre elles, si les personnages de la mère et de la grand-mère dans *A la recherche du temps perdu* sont les deux faces d'un même amour maternel, un amour à deux étages mais aussi à deux visages, c'est parce qu'il avait senti à quel point, sans se ressembler, elles ne faisaient qu'un. Deux visages ? L'un, celui de la grand-mère, tout indulgence, l'autre plus sévère. C'est ainsi que l'enfant les a perçues, ainsi qu'elles devaient être. Car l'amour de Jeanne pour son fils n'exclut pas la sévérité et l'autorité, ni parfois la moquerie. Dans sa volonté de raisonner sa propre anxiété, il lui arrive de ne pas entendre les besoins de l'enfant. De lui imposer des raisonnements qui ne sont pas de son âge, ou qu'il n'est pas en état de mettre en pratique. Du coup, il s'en veut et souffre encore plus, comme le montre la scène du coucher. Ainsi, la mère de Jean Santeuil tente de lui montrer la différence entre son hypersensibilité maladive et l'amour :

> « Ce n'est pas aimer ses parents que d'avoir du plaisir à les embrasser, de pleurer quand on les quitte. Cela, ce n'est pas les aimer, on le fait malgré soi, parce que l'on est né sensible et nerveux. Cela n'a pas de rapport avec la bonté. – Aucun rapport ? demanda Jean. – Aucun, répondit Mme Santeuil. Néron pouvait être nerveux.
>
> [...] Aimer ses parents, ajoute-t-elle, c'est prendre sur soi, agir sur sa volonté pour leur faire plaisir[181]. »

Cette question de la volonté est au cœur de l'éducation qu'on tente de lui inculquer. Mais comment promettre ce qu'on ne peut pas ? s'interroge Jean avec perplexité.

C'est un enfant nerveux, dit-on. Le nervosisme est alors considéré comme une véritable maladie – qu'on ne sait pas soigner, bien sûr. Les uns préconisent l'eau froide, les autres l'eau chaude. L'anxiété de Jeanne est logée en elle depuis sa grossesse et la naissance difficile de Marcel. L'angoisse transfusée de l'un à l'autre est un lien existentiel. Seule l'œuvre – mais à quel prix – permettra à Marcel Proust de le dépasser en le sublimant. L'émotivité de son fils, sa dépendance qui ressemble parfois à une tyrannie, sa fragilité ont alimenté l'anxiété de Jeanne au fil des maladies infantiles dont il a dû souffrir comme tous les enfants de son temps.

Cet enfant qui la dévore, que rien ne peut rassasier ni apaiser, dont le poids repose entièrement sur ses épaules – un grand médecin hausse les siennes devant les bobos du quotidien –, pour qui elle tremble même quand elle ne pense pas à lui, dont les caprices, les pleurs, les regards tristes lui pèsent parfois, comment ne lui en voudrait-elle pas aussi, inconsciemment, malgré tout son amour ? Il lui arrive d'être agacée, de refuser de céder, de le gronder. Puis de se sentir coupable et d'étouffer ce sentiment en le protégeant trop. Mère aimante, captative, toute-puissante, à qui rien ne doit échapper, qui veut tout savoir des moindres gestes et désirs de son fils.

Un exemple : Marcel a 18 ans, il est en vacances chez son ami Horace Finaly.

> « Je ne sais où j'ai lu un récit touchant d'une mère paralysée et aveugle, qui s'aperçoit cependant que sa fille est amoureuse, suit les progrès, la met en garde etc. – moi paralysée par la distance et recevant bien peu de clarté de tes lettres qui négligent trop les points essentiels, je sens très bien ton pouls et ton style battre trop vite, et je réclame absolument du *calme*, du régime, des heures de solitude, le refus de participer aux excursions etc. – et au besoin je sollicite M. Horace de veiller à l'exécution des présents décrets ayant toute confiance en sa raison – (n'en conclus pas mon loup que je me défie de la tienne).
>
> Ne pourrais-tu pas aussi mon chéri dater chacune de tes lettres, je suivrais plus aisément les choses.

Puis me dire
Levé à
Couché à
Heures d'air –
Heures de repos –
Etc.

La statistique aurait pour moi son éloquence et en quelques lignes tu aurais achevé de remplir ton devoir[182]. »

Sollicitude, angoisse, autorité, humour, complicité et don médiumnique de la mère qui sent à distance battre le pouls de son bébé de 18 ans, tout y est. A distance ? A moins que lui, ce soit elle, et que sans elle, incapable d'autonomie, il ne puisse vivre, comme s'il avait perdu ses repères. La lettre suivante, écrite quelques jours plus tôt, éclaire la précédente :

« Cher petit pauvre loup,

On t'écrira tous les jours maintenant qu'on est prévenu – mais remarque mon vieux qu'ayant reçu en tout les quelques lignes qui m'ont été retournées d'Auteuil (et auxquelles j'ai répondu à l'instant) – je ne soupçonnais pas ta solitude morale. Me voici en possession de ta seconde lettre désolée de te voir *sens* dessus dessous et aussi que tu l'écrives *sans* dessus etc... »

Pauvre loup qui perd le *sens sans* maman...

A la lumière de cet échange entre le grand garçon moustachu et sa mère, on imagine la détresse dans laquelle est parfois l'enfant, et la protection dont l'enveloppe Jeanne.

La vive imagination de Marcel, sa sensibilité, sa difficulté à faire la part du fantasme et de la réalité, son incapacité à *exister* en dehors d'elle, à s'affirmer, à être tout simplement autre que celui qu'elle veut qu'il soit, ont pour pendant la tendresse inquiète de Jeanne, ses exigences, son intelligence, son caractère possessif.

Son anxiété va se trouver alimentée et amplifiée par un événement qui bouleversera leur vie à tous.

Un jour de 1881, les Proust se promènent au bois de Boulogne avec leurs amis, les Duplay. Le professeur Duplay, chirurgien de renom, est un collègue d'Adrien, les épouses s'entendent bien, les enfants aussi, malgré leur différence d'âge. C'est un dimanche de printemps, les marronniers sont en fleur. On s'attarde dans la douceur nouvelle, on salue les connaissances, les dames ont ouvert leurs ombrelles, les enfants s'amusent. Soudain, raconte Robert, « Marcel fut pris d'une effroyable crise de suffocation qui faillit l'emporter devant mon père terrifié, et de ce jour date cette vie épouvantable au-dessus de laquelle planait constamment la menace de crises semblables [183] ».

On imagine les quintes de toux, les sifflements, la difficulté à aspirer l'air, l'impossibilité d'expirer, la pâleur du visage de l'enfant, l'asphyxie qui gagne, l'atroce impression de suffocation, le souffle qui se raréfie, les yeux pleins de larmes, la bouche qui cherche l'air : une noyade hors de l'eau sous les yeux horrifiés des parents, des passants. Angoisse insupportable de voir son enfant étouffer sans rien pouvoir faire, la panique – il va mourir, il va mourir, l'air ne passe plus, le visage se cyanose, le cœur s'emballe, le sifflement devient un râle, le corps frêle se raidit sous la convulsion et la douleur thoracique...

On s'agite autour de lui. Il faut l'allonger, non au contraire, le redresser. – Allez chercher de l'eau, vite ! Mon loup... mon petit loup... Laissez faire les médecins. Jeanne recule. Elle suffoque à son tour, son cœur se glace, elle est trempée de sueur. Voir son enfant étouffer sous ses yeux : imagine-t-on ?

Et puis, au bout d'une éternité, la toux reprend, les sifflements s'espacent, et l'enfant livide, épuisé, endolori, retrouve peu à peu son souffle et le rythme normal des battements de son cœur.

Les deux professeurs de médecine avaient assisté, impuissants, à la crise. Dans l'esprit de Robert âgé de 7 ans, cette impuissance paternelle fut sans doute la plus impressionnante. Mais on peut penser que la terreur de Jeanne fut elle aussi à son comble. Quant à Marcel, il vécut désormais dans le souvenir et l'appréhension de ce voyage aux confins de l'angoisse et de la mort.

L'unique évocation de sa maladie dans son œuvre se rattache à cette première expérience :

> « Un enfant qui depuis sa naissance respire sans y avoir jamais pris garde, ne sait pas combien l'air qui gonfle si doucement sa poitrine qu'il ne le remarque même pas est essentiel à sa vie. Vient-il, pendant un accès de fièvre, dans une convulsion, à étouffer ? Dans l'effort désespéré de son être, c'est presque pour sa vie, qu'il lutte, c'est pour sa tranquillité perdue qu'il ne retrouvera qu'avec l'air duquel il ne la savait pas inséparable [184]. »

Aujourd'hui encore, l'asthme est une maladie incurable [185]. Il peut réapparaître à tout moment, à l'occasion d'un facteur déclenchant que rien ne permet de prévoir avec certitude. Ce caractère imprévisible ajoute à l'angoisse du malade et de sa famille. A la longue, les lésions des bronches sont irréversibles, et dans l'asthme chronique, les crises de plus en plus violentes.

Quelques années après la première crise de son fils, le professeur Proust préfacera l'ouvrage du docteur

Brissaud, *L'Hygiène des asthmatiques* publié dans la collection de petits traités d'hygiène pratique qu'il dirige. « L'asthme vrai est une pure névrose », affirme le professeur Brissaud, qui dresse un tableau peu encourageant : « Lorsque les crises d'asthme se répètent coup sur coup, sans rémission, sans repos, pendant des jours, des semaines, des mois, la résistance nerveuse s'épuise, l'effort est trop grand, surtout trop prolongé pour que l'énergie du malade, mesurée d'avance, y suffise... La vie, constamment menacée parce qu'elle est à la merci des moindres influences pathogènes, n'est plus possible que si elle se réduit au minimum des actes végétatifs... » Et il poursuit : « Les bases du poumon se congestionnent, les extrémités se cyanosent, se refroidissent, et ils [les plus robustes] meurent. » Quand on sait que le professeur Proust apporte son auguste caution à cette vision sinistre, que Marcel et toute la famille ont eu ce traité pour bible, on comprend qu'à l'angoisse propre à la maladie se soit ajoutée l'absence d'espoir.

Quant aux traitements, ils sont ceux du « nervosisme » : douches froides (l'hydrothérapie est le grand recours de la pathologie mentale, comme le montrent les méthodes du docteur Blanche dont la célèbre clinique se situait à Auteuil), vie calme et régulière, air pur, et dans les cas extrêmes, lavement au mercure ! Avec sagesse, le bon professeur Brissaud finit par conclure : « Le malade, à beaucoup d'égards, sait ce qui lui est bon, ce qui lui est mauvais. Il a une expérience qui vaut au moins la nôtre, et devant laquelle on fera sagement de s'incliner. »

Le « père terrifié » a lui aussi conscience des limites de sa science. Il est aussi de plus en plus absent ou occupé à ses travaux – pas moins de trente ouvrages de *Du pneumothorax essentiel ou pneumothorax sans perforation* au *Saturnisme des ouvriers travaillant à la fabrication des accumulateurs électriques* en passant par la *Défense de l'Europe contre le choléra*, *La Défense de l'Europe contre la peste* (qu'Albert Camus utilisera pour son livre *La Peste*), *Les Éléments d'hygiène, ouvrage destiné à l'enseignement secondaire des jeunes filles*, son *Traité d'hygiène* (près de 1 000 pages) ou *Les Troubles de la nutrition consécutifs aux affections des nerfs* : tous les domaines de la médecine semblent l'intéresser[186]. « ... Papa disait à tout le monde que je n'avais rien et que mon asthme était purement imaginaire », écrira Marcel à sa mère en 1899. Le docteur Proust laisse à sa femme le soin de veiller. C'est elle qui se charge de transmettre les conseils paternels à son fils.

Le père inconsistant de Jean Santeuil n'est pas une pure invention. Il révèle la façon dont Marcel a vécu le manque d'implication de son père dans la vie familiale, assimilée à une faiblesse ou à de l'égoïsme. L'omniprésence de Jeanne résulte de l'absence de son mari. L'autorité du père de Jean, et bien souvent d'Adrien à travers les lettres de sa femme, est celle d'un homme devant lequel on fait parfois *semblant* de s'incliner. Mais son savoir aux yeux de son fils adulte est dérisoire : la météo pas plus que la médecine ne sont des sciences exactes. Le territoire qu'il abandonne est envahi par la Mère. Dieu parle par sa bouche, mais c'est elle l'oracle. L'enfant sensible qu'est Marcel l'a sans doute compris très tôt.

> « Rien n'est plus propre à fomenter ou à entretenir chez ces malades la dépression morale et les préoccupations hypocondriaques que les soins assidus, les questions incessamment renouvelées sur leur état de santé et les

recommandations que leur prodiguent les personnes de leur entourage »,

écrit le professeur Proust à propos des neurasthéniques[187]. Il parle d'expérience.

« — Maman te rappelles-tu que tu m'as lu La *Petite Fadette* et *François le Champi*, quand j'étais malade ? Tu avais fait venir le médecin. Il m'avait ordonné des médicaments pour couper la fièvre et permis de manger un peu. [...] Mais pour Robert comme pour moi, il pouvait nous ordonner tout ; une fois qu'il était parti : "Mes enfants ce médecin est peut-être beaucoup plus savant que moi, mais votre Maman est dans les vrais principes[188]." »

Jeanne ne cessera en effet de prodiguer « soins assidus » et « recommandations » à cet enfant chez qui elle redoute le plus infime signe de malaise. Que peut faire d'autre une mère dont le fils est en danger de suffocation et vit avec cette terrible maladie tapie dans sa poitrine ? Elle prend des initiatives, et n'hésite pas à contrevenir aux prescriptions des médecins.

« J'ai le sentiment que par ma mauvaise santé j'ai été le chagrin et le souci de sa vie », écrira Proust après la mort de sa mère[189]. Marcel est un enfant « pas comme les autres », ne pouvant courir, sauter, « se laisser aller à son élan[190] ». Un enfant malade. L'asthme a contribué à resserrer leurs liens et le réseau complexe d'amour, de ressentiment, de culpabilité et de dépendance qui les unit indissolublement. Leurs émotions sont à l'unisson. Ils vivent un amour hanté par la menace de la séparation.

« Mon pauvre loup moi je suis d'autant moins tentée de te critiquer que j'avais bien autant de chagrin que toi et que je ne cesse de penser à toi », écrit Jeanne à son fils, d'un séjour en cure, en 1888. Comment ne pas se perdre dans l'autre sans perdre l'autre ? Un proverbe touareg dit que la mère préfère le petit tant qu'il n'a pas grandi, l'enfant malade tant qu'il n'a pas guéri et celui qui voyage tant qu'il n'est pas revenu. Marcel ne grandira pas et ne guérira pas. Mais jamais il ne parviendra à s'éloigner. « J'avais toujours quatre ans pour elle », note-t-il après sa mort.

En hiver, elle bourre ses poches de pommes de terre chaudes et de marrons grillés pour lui éviter d'avoir froid, il prend l'habitude d'entasser tricot sur tricot. Il lui faut de l'air, mais pas trop, de la chaleur, mais pas trop, la nature est une ennemie toujours susceptible de déclencher les terribles crises. On remplace Illiers par les vacances au bord de la mer, avec Adèle, à Dieppe et à Cabourg. Ses absences scolaires pour cause de santé se multiplient : le deuxième trimestre et toute la fin de l'année à partir de mai en quatrième, l'année de troisième se réduit à quelques semaines de cours. En seconde, il manque une grande partie de l'année et doit redoubler. La maladie de Marcel connaîtra ensuite une relative accalmie jusqu'à l'âge de 23 ans. Puis les crises réapparaîtront, de plus en plus violentes, surtout à partir de la mort de Jeanne, jusqu'à faire partie de sa vie quotidienne et marquer profondément son existence. L'asthme devenu chronique entraînera sa mort, à la suite d'une pneumonie, à 51 ans. Mais depuis longtemps, Maman n'était plus là pour veiller sur le petit Marcel...

13

VILLÉGIATURE

Depuis le Second Empire, c'est un véritable engouement. L'Empereur et Eugénie ont donné eux-mêmes l'exemple en se rendant ensemble à Saint-Sauveur, une petite ville de cure des Pyrénées. Le développement des chemins de fer, des guides de voyage et du commerce des eaux minérales a fait le reste. Depuis, il n'y a source dont on ne célèbre les vertus curatives. Après la guerre de 1870, la fièvre s'empare des investisseurs et les établissements hôteliers se multiplient, transformant des villages reculés en villes d'eaux à la mode.

Les propriétés des eaux salées de Salies-de-Béarn sont connues depuis longtemps. Le premier établissement thermal est ouvert par le docteur Nogaret en 1858 – une douzaine de cabines avec des baignoires en bois – mais c'est le docteur Coustalé de Larroque, l'un des médecins de Napoléon III, qui contribue à attirer la clientèle fortunée de Paris en vantant dans un mémoire les qualités thérapeutiques de la station. Plus de 800 kilomètres, douze heures de train, c'est une expédition – mais cela ne fait pas peur à Jeanne Proust, qui s'embarque avec enfants et bagages pour la petite cité béarnaise. Les malles sont chargées – *L'Almanach Hachette* de 1896 conseille 28 objets de toilette différents et 34 articles divers dont un encrier de poche, un porte-carte avec les photographies du mari et des enfants, un livre de comptes, auxquels s'ajoutent 35 articles de linge, chaussures et vêtements[191] ! Mme Proust n'est pas la seule à profiter de la nouvelle ligne de chemin de fer : en trente ans, le nombre de bains à Salies passera de 6 000 à 60 000. La plus forte croissance correspond aux années où elle vient en cure : de 1886 à 1889.

Le choix de Salies n'est pas dû au hasard. Le docteur Proust connaît bien le sujet : quelques années plus tard, il représentera, en tant qu'inspecteur général des services sanitaires, le ministre de l'Intérieur au congrès d'hydrologie de Clermont-Ferrand, proclamant « la nécessité de créer des ressources locales uniquement destinées à l'amélioration des établissements thermaux et à l'hygiène de la station[192] ». Il faut dire que bien souvent, les sites ne sont pas équipés pour recevoir cet afflux saisonnier de population. Ainsi, à Salies, le canal du moulin de Trotecâ est devenu un véritable cloaque, et la nécessité d'établir un réseau d'égouts se fera vite sentir. Le docteur Proust pour sa part, comme jadis Napoléon III, préfère Vichy. Y mène-t-il aussi joyeuse vie que l'Empereur qui y retrouvait ses maîtresses ? Je n'en sais rien, mais Jeanne, elle, encadrée par ses deux fils puis, les deux dernières années, accompagnée du plus jeune seulement, vient à Salies pour la bonne cause : le traitement par les eaux chlorurées, dix fois plus salées que l'eau de mer, riches en minéraux et en oligo-éléments, destiné à « fortifier et guérir les parties procréatrices de la femme, la guérison des tares génitales des enfants et en faire des hommes ». La station thermale est réputée, en effet, pour ses soins gynécologiques, qu'il s'agisse d'infections ou de fibromes utérins. Si le docteur Durand-Fardel, président de la société hydrologique de Paris, doute de l'effet du traitement sur les kystes de l'ovaire, il le juge efficace pour les « tumeurs fibreuses de la matrice » à condition de les traiter dès le début[193].

De quels troubles Jeanne souffre-t-elle ? Sans doute de saignements et de douleurs qui vont lui faire espérer pendant des années une guérison par les eaux : après Salies, ce sera Kreuznach, en Prusse, où l'on soigne le même type d'affection. Elle essaiera aussi les bains de mer, à Trouville, à Dieppe et au Tréport. Maladies de femme, maladies secrètes, honteuses. Rien ne nous laisse même entendre qu'elle soit seulement fatiguée, ou alitée. Jeanne n'est pas femme à se plaindre ; la place de malade est occupée à part entière par son fils aîné. Les lettres de Marcel font figure de bulletins de santé, avec un luxe de détails qui ne laissent rien dans l'ombre. Il faut dire qu'il a en sa mère un exceptionnel répondant.

> « (Surveiller les entrailles de Monsieur & pas de 90e mille de la Débâcle !) »,

écrit Jeanne à son fils de 21 ans en guise de préambule, mêlant recommandation médicale et allusion littéraire au dernier roman de Zola qui fait... un malheur en 1892. Un fibrome ? Un kyste ? Une tumeur ? Jusqu'au bout, elle aura pour principal souci de ne pas inquiéter les siens, et surtout Marcel. Mais lui-même aura, selon Maurice Duplay, pour préoccupation centrale la santé de sa mère, chacun se tourmentant secrètement pour l'autre.

« Chaque fois que je lui vois mauvaise mine, confiera-t-il plus tard à son ami alors que Jeanne souffre de fréquents malaises, j'éprouve pour maman un sentiment complexe. Je lui en veux de me tourmenter. Je suis, envers elle, dans la situation du supplicié envers son bourreau. Mais ici, le supplicié chérit le bourreau et il le déteste précisément parce qu'il le chérit [194]. »

Le Béarn, c'est alors le bout du monde. On y parle le patois, « ce qui est assez couleur locale et assez gênant, ce qui est la même chose », explique Marcel à sa grand-mère. En 1908 encore, un guide de Cauterets condamnera sans aménité l'usage du béarnais par le personnel durant le service. Or, pendant la saison, c'est tout Salies qui vit au rythme des curistes : on s'entasse dans une pièce pour louer le reste de la maison, on campe dans un appentis dans le jardin, on cherche à s'employer comme porteur, rabatteur, voiturier, repasseuse, baigneuse, laveuse, lingère ou masseur, on vend des cartes postales ou des bibelots, on s'installe le long des avenues ou des jardins publics pour proposer ses services ou des souvenirs aux curistes.

La cure dure vingt et un jours. Jeanne et les enfants arrivent le 26 août 1886 à midi et quart, par une chaleur écrasante. A l'époque, on ne réserve pas à l'avance son hôtel. Des rabatteurs se chargent de vous orienter. A la correspondance de Royan, Jeanne est montée dans un wagon avec des personnes pouvant l'informer sur les hôtels de Salies. Justement, elle a fait la connaissance de la tenancière de l'hôtel de Paris où elle déjeunera avec les enfants en arrivant, avant de s'enquérir d'un logement. Le jour même, c'est fait : on s'installera à l'hôtel de la Paix. Si Marcel voit dans la chaleur un trait « suffisamment méridional », Jeanne en souffre.

On passe le temps sur « la terrasse pleine de caquets et de bouffées de tabac » de l'hôtel. Construit par Mme Laborde en 1883, il est, avec l'hôtel Bellevue et l'hôtel de France et d'Angleterre l'un des plus réputés. La cuisine y est délicieuse. Le fleuron de la station, l'hôtel du Parc qui abritera le casino, ne sera édifié que dix ans plus tard, tout comme le kiosque à musique du jardin public qui fait face aux thermes. C'est donc une petite station à l'aube de son développement que fréquente Jeanne. Cela explique peut-être le sentiment écrasant d'ennui qui est le sien. « Vraiment Salies est moins mal que Maman ne doit te le dire, si j'en crois ses impressions de chaque jour[195] », proteste Marcel dans une lettre à sa grand-mère. Comme Robert, il est subjugué par les bœufs auxquels il trouve « une vraie tête de Christ » ! Mais il va vite déchanter. Il n'y a pas grand-chose à faire pour un adolescent aussi peu sportif que lui. Robert, lui, pourra au moins se livrer à sa passion du cheval.

> « Robert est arrivé rêvant cheval – et n'en trouvant aucun assez pur-sang. Mais il fallait aussi lui trouver non un guide (il ne le supporterait pas) mais un camarade[196] »,

écrit Jeanne qui, deux ans plus tard, a fort à faire entre son aîné inconsolable à Paris, et son casse-cou de cadet à Salies ! Elle tente de lui trouver un compagnon en la personne d'un jeune Eiffel, neveu de l'une de ses relations, Mme Hénocque, et fils du célèbre ingénieur. Manque de chance, son oncle lui interdit le cheval ! L'année suivante, Robert, âgé de 16 ans, monte avec une telle énergie malgré la canicule, qu'il a « des saignements de nez insupportables », des douleurs musculaires et s'enrhume à force de transpirer. « Je ne le laisserai plus monter à la grande chaleur », conclut Jeanne avec fermeté [197].

Les promenades à cheval et à dos d'âne pour les dames sont l'une des grandes activités des stations de montagne. La vie de société en est une autre. Le rythme régulier lié aux soins, les repas pris en commun, la chaleur qui fait « qu'on ne peut se risquer dehors avant 5 heures » contribuent à créer des liens, et à faire de cette existence une véritable comédie de mœurs :

> « Nous avons retrouvé (cela se retrouve toujours !) le décadent Belge de l'an dernier, qui décade toujours plus bas et ne s'enflamme plus que pour Joséphin Péladan.
>
> Il y a aussi un Brésilien qui broie du piano de 8 heures du matin à minuit et ne s'interrompt que pour laisser la place à une jeune fille de Libourne qui chante des morceaux de vocalise. La pauvre petite lance de toute la vitesse et l'énergie de son gosier :
>
> Oui – iiiiii
> Le désespoir –oi-oi-oi-oi-r
> Abrégera –a – mes jours !
>
> La mère accompagne avec son lorgnon – puis son menton heurte sa poitrine par l'effet du rythme qu'elle cherche à marquer. Il faut que les 24 doubles-croches sentimentales de la pauvre petite rentrent dans le temps de la mesure.
>
> Après la mère se lève en contenant son triomphe, range la musique etc.
>
> « Ce sont de courtes distractions – et notre séjour n'a d'ailleurs rien de gai – [198] »

s'empresse d'ajouter Jeanne après ce morceau de bravoure digne de son fils. Elle a le trait vif, prompte à saisir comme lui le ridicule, qu'il s'agisse de la directrice de l'hôtel, Mme Biraben, « aussi heureuse pour ses rivaux que pour elle-même de recevoir un gouverneur et (qui) va signaler sa présence à tous par un feu d'artifice (de mets – et de fusées) » ou de Robert, collé au baccalauréat et « toujours persuadé que Gazier a imprimé en lettres de feu “recalé” sur son front[199] ».

Marcel, lui, prend pour cible le docteur Magitot, qu'il traite avec mépris d'« odontologiste ».

La verve satirique du fils du docteur Proust, alors âgé de 15 ans, éclate dans cette lettre à son grand-père, dont il salue au passage les idées critiques sur l'odontologie et les croyances religieuses, ce qui nous confirme dans l'hypothèse d'un Nathé... athée.

Il est d'autres fréquentations plus plaisantes. C'est à Salies que Jeanne fait la connaissance de sa grande amie, Marguerite Catusse. Excellente musicienne elle aussi, épouse de préfet, elle chante au salon Massenet et Gounod pour la plus grande joie de Marcel. Malgré son désir de rejoindre ses camarades pour une partie de croquet, l'adolescent s'échine à la décrire à sa grand-mère : Mme Catusse a promis en échange de ce portrait de chanter pour lui ! « Une tête ravissante, deux yeux doux et clairs, une peau fine et blanche, une tête digne d'être rêvée par un peintre amoureux de la beauté parfaite, encadrée de beaux cheveux noirs », les clichés se suivent et désespèrent l'écrivain en herbe ! Tant pis, il gardera pour une lettre qu'elle ne lira pas la célébration de ses charmes physiques... A son grand-père, il vante « son intelligence très grande, très remarquable, son instruction profonde [...] une amabilité point banale qui n'exclut pas une franchise pleine de saveur, en somme beaucoup d'originalité et de charme[200] ». Bref, il est tombé amoureux de l'amie de Maman...

Mme Catusse et Jeanne Proust resteront très proches, et l'on ne peut que regretter la disparition de leur correspondance qui nous aurait sans doute permis d'en savoir plus sur les pensées intimes de Jeanne. Anatole Catusse, préfet, directeur général des contributions indirectes, puis conseiller d'État et enfin ministre plénipotentiaire en Suède mourra en 1901, à l'âge de 51 ans. Après la disparition de Jeanne, Mme Catusse, sera d'une aide précieuse à Marcel. Quant à son fils, Charles, devenu journaliste, il épousera Meg Villars, la deuxième femme de Willy, l'ex-mari de Colette...

Autre relation de cure, les Tirman. Louis Tirman, président de la Compagnie du PLM, ancien député et futur sénateur des Ardennes est alors gouverneur de l'Algérie. Jeanne apprécie assez sa présence et celle de sa femme pour lire beaucoup moins que les autres années à cause d'eux. On se retrouve le soir au salon, entre piano et plantes vertes. Jeanne elle-même ne dédaigne pas de donner un échantillon de ses talents de pianiste, en faisant « son petit effet Binder ». Mais la plupart du temps, trouvant l'« hôtel comble mais creux (...) comme société », elle consacre l'essentiel de son temps à la lecture, passant de Mme du Deffand, « la seule relation que je ne dédaigne pas et que je cultive » au feuilleton de Brunetière dans *La Revue des deux mondes*. Elle se livre aussi à sa correspondance :

> « J'ai reçu une lettre de Mme Rayet que je te transmets, ou plutôt je change et je t'envoie celle de Nuna à ta grand-mère et t'enverrai l'autre demain après y avoir répondu, car il faut que je réponde !
>
> J'ai reçu ce matin une lettre de ton père en excursion "Admirablement" etc. Une lettre très drôle de ton oncle G[eorges].
>
> Enfin, mon grand, chacun est inspiré excepté ta pauvre maman qui est dans l'appauvrissement intellectuel le plus complet[201]. »

La correspondance circule. Les lettres sont faites pour être lues et appréciées par le groupe familial. Sauf mention spéciale, comme l'illustre ce post-scriptum à la lettre où Marcel décrivait le docteur Magitot :

> « Mon petit père
> Je ne veux pas te priver de la lettre de ton petit-fils mais pour des raisons spéciales que je te dirai de vive voix je désire qu'aucun autre que Maman toi et Georges ne la lisent et que tu la déchires de suite. J.P.[202] »

La famille n'est jamais bien loin, même à distance. On s'écrit beaucoup, et Marcel, l'année où il est resté à Paris, se charge de tenir son « exquise petite maman » au courant des derniers potins. Dispute à Auteuil entre Louis Weil et la cousine de Jeanne, Hélène Bessières, dite Nuna, qu'il déclare « *incompétente* en peinture » parce qu'elle n'aime pas Ingres. Une semaine plus tôt, Nuna s'est moquée de l'oncle Louis parce qu'il a mélangé Raphaël et Dürer.

> « Ça se passait au jardin après le dîner, dans la nuit, raconte Marcel. Tout à coup, une ombre glisse, rapide. Mon oncle venait de pisser et se hâtait de rentrer pour ne pas se refroidir. Nuna d'une voix altérée : "ce n'est pas ton oncle, n'est-ce pas qui vient de passer là ?" "Si." Eclatant : "Alors, il a tout entendu." "Non. Rien du tout[203]." »

Mère et fils partagent le même désir d'amuser, contant les anecdotes comme autant de clins d'œil complices. Il leur arrive de se relire mutuellement leurs lettres, pour le plaisir. Imaginons une Mme de Grignan douée du talent épistolier de sa mère, Mme de Sévigné... Pour Jeanne, Marcel et sans doute Adèle, la lettre n'est pas seulement un message d'amour, elle est un art. En outre, comme pour beaucoup d'enfants de son milieu, elle est pour le collégien un apprentissage, et parfois, un devoir de vacances. Ni la mère ni la grand-mère n'épargnent cet entraînement aux deux garçons. Celles de Marcel révèlent déjà son souci de « bien écrire », malgré les maladresses. Les encouragements maternels y sont pour beaucoup.

Les repas, toujours copieux, au grand désespoir des médecins, réunissent les curistes et leurs proches autour de la table d'hôte ou dans la salle de restaurant. On déjeune tôt, vers 10 h 30. Jeanne et ses deux fils ont leur table ; les deux garçons en marinière bleu marine encadrent leur mère, vêtue de clair. Leurs manières sont parfaites, et leur appétit fait honneur à Mme Biraben :

> « Nous avons ici cinq plats au moins à chaque repas, entremets le matin, entremets le soir, enfin une cuisine divine et gargantuesque avec des quantités gigantesques et des raffinements délicieux dont les maigres châtelains d'Auteuil se donnent à cœur joie.
>
> Ce matin (je prends au hasard et j'ai moins englouti que d'habitude) j'ai mangé
> Un œuf à la coque
> Deux tranches de beefteack [*sic*]
> Cinq pommes de terre (entières)
> Un pilon de poulet froid
> Une cuisse de poulet froid
> Trois fois des pommes cuites avec jus extraordinaire
> (A 8 heures et demie café au lait et pain)[204] »

La vie tranquille de Salies ne sera troublée que par un événement, l'incendie, le jeudi 6 septembre 1888, de l'établissement de bains. L'alerte est donnée en pleine nuit par un employé qui rentre chez lui. L'hôtel de la Paix échappe de peu aux flammes, rapporte *Le Mémorial des Pyrénées*.

Dès le lendemain, on s'organise pour fournir en eau salée les hôtels : les curistes prendront leur bain à domicile !

Jeanne, sans doute pour ne pas alarmer les siens, se garde bien de tels détails. Elle se contente de préciser qu'« après l'alerte de cette nuit, on n'a pour se remettre que les doléances générales et une chaleur fatigante ». Il faut ménager petit loup qui supporte toujours aussi mal ses absences. La famille se montre moins compréhensive que Maman. Il s'attire un sermon de l'oncle Louis qui taxe son chagrin d'« égoïsme ».

« Grand-père beaucoup plus doux a seulement dit que j'étais idiot, avec beaucoup de calme, et grand-mère a hoché la tête en riant, en disant que ça ne prouvait nullement que j'aimais "ma mère".

« Je crois, ajoute Marcel, dépité, qu'il n'y a guère qu'Auguste, Marguerite et madame Gaillard qui soient sensibles à mon malheur. »

Et il conclut avec fierté :

« Je me suis très bien tenu à table et n'ai pas une fois croisé un regard furibond de grand-père. A peine une observation parce que je me frottais les yeux avec mon mouchoir. Reste de chagrin[205]. »

Il faut dire que Nathé a renoncé au thé et s'est mis à la fleur d'oranger. Et que Marcel a 17 ans... Mais comment ne pas être touché quand il achève par ces mots :

« J'ai des remords des plus légères contrariétés que j'ai pu te causer ! Pardon. Je t'embrasse infiniment. »

Toutefois, à la lecture des lettres qu'au *même moment* il écrit à ses amis Daniel Halévy et Jacques Bizet, on peut se demander si Marcel, avec Jeanne, ne *fait* pas l'enfant. Une façon subtile de répondre sur le même ton à cette mère qui le traite en bébé, et de lui cacher qu'il est en train de devenir un homme.

Cette année-là, il a été privé de cure, peut-être pour l'endurcir. Et c'est Robert qui joue le chevalier servant.

Ne serait-ce pas, aux yeux de Jeanne, l'une des vertus essentielles des eaux thermales ? Habituer Marcel à se séparer de Maman.

14

UN COUPLE MODÈLE

« Nous élevons nos filles comme des saintes et nous les livrons comme des pouliches » : cette phrase de George Sand vaut pour bien des jeunes filles du XIXe siècle. Jeanne n'échappe pas à la règle.

On ne trahit pas un secret d'alcôve en imaginant qu'entre la jeune vierge de 21 ans et l'homme de 36 ans, l'écart doit être grand. Adrien Proust est médecin, il a voyagé, il a l'expérience des femmes ; que sait Jeanne des choses de la vie ? Les filles sont élevées dans la stricte ignorance des réalités du mariage. Comme les jeunes filles de sa génération, elle lit Alfred de Musset et George Sand, joue du Chopin, chante : de quoi donner corps à ses rêveries romantiques et à une certaine idée de l'amour. Son piano et son journal intime sont ses confidents. Elle admire son frère Georges, de deux ans son aîné. Il partage son goût des livres, il la fait rire, il est son complice. Comme le souligne Alain Corbin : « Le frère est bien le seul garçon avec lequel une jeune fille puisse alors se montrer familière ; la sœur représente la seule jeune fille sage dont le garçon ait connaissance dans l'intimité[206] ». La littérature romantique nous donne des exemples de ces couples fraternels, de l'attachement ambigu de Chateaubriand pour sa sœur Lucile, à Stendhal et Pauline, Balzac et Laure. Jeanne et Georges sont et demeureront inséparables, unis par un sentiment très fort qui n'exclut pas la taquinerie. Georges monte chez sa sœur le matin pour faire la causette, il lui tient compagnie quand son mari n'est pas là, il plaisante avec son neveu qui s'amuse à lui faire rater son omnibus en bavardant avec lui. Jeanne veille sur lui, et déplore, par exemple, qu'il n'ait pas pris conseil auprès de son mari avant de partir en cure :

> « Ton oncle n'étant pas homme à retarder d'une heure ce qu'il a doucement résolu il partira évidemment demain livré au hasard de ses conceptions Nord, Ouest, Sud, Est ou Centre.
>
> Il m'a pourvue avant de partir d'un stock de livres dont le *Voyage en Russie* de Théophile Gautier[207]. »

Mais le sens de la réalité et des convenances sociales, son désir de fonder une famille ont contrebalancé chez Jeanne Weil les aspirations romanesques. Elle se marie comme sa mère et ses tantes, sans en savoir beaucoup plus. Initiation brutale pour les jeunes filles en un temps où l'on assimile la puissance virile à la rapidité et à la force de l'assaut. Un premier fils dix mois après le mariage, un deuxième deux ans plus tard, et la porte se referme sur la chambre conjugale. Le plaisir de l'épouse n'est pas inscrit dans le contrat de mariage. C'est une terre inconnue dont on ne parle pas. Son devoir est de donner des enfants et de tenir son ménage. Jeanne n'a pas failli à sa tâche : deux fils et une maison parfaite. L'image renvoyée par le couple Proust et pieusement transmise est celle d'une harmonie sans faille. Si selon

Jean Santeuil, ce couple est « uni sans choix autre que celui des convenances bourgeoises de la situation et des convenances supérieures de l'honneur, mais uni jusqu'à la mort[208] », on peut suivre les lignes de force d'une conjugalité révélatrice de son temps.

Jeanne aime son mari, c'est indéniable. Et comme pour tant de femmes de son époque, cet amour va être mis à l'épreuve. Mais Jeanne Proust n'est pas plus une héroïne romantique qu'une Emma Bovary ou une Flora Tristan. Ni rêveuse, ni révoltée. Rien de chimérique chez elle. La sentimentalité n'est pas dans ses cordes. Du cœur, oui, mais pas de romanesque. Des aspirations qui s'enracinent dans le réel et dans son amour pour les autres : la réussite et le bonheur des siens. Son réalisme et son pragmatisme lui permettent d'assumer les difficultés de sa vie conjugale. Les avantages de la très belle situation du docteur compensent largement les quelques inconvénients. L'aptitude de Jeanne à composer, à jouer sur le temps, son sens du devoir hérité de son éducation font d'elle un modèle d'épouse, docile en apparence, volontaire en réalité. Elle garde sa dignité. Si scènes et reproches il y eut, nous n'en savons rien. Seul, l'humour est une indication sur la distance qu'elle sait prendre à l'occasion avec son mari. Mais son esprit moqueur – l'esprit Weil – n'épargne personne, pas plus Adrien ou Nathé que Robert ou Marcel. Si, une exception : sa propre mère, Adèle – comme si elle prenait le contre-pied de l'attitude un peu cruelle du reste de la famille décrite par Proust dans *La Recherche*.

Les goûts d'Adrien et de Jeanne sont fort différents. Imperméable à la littérature et à l'art, le docteur Proust ne partage aucun des centres d'intérêt de sa femme. Conversation plate, dogmatisme : il est, selon les souvenirs d'André Germain, « bien lourd et insignifiant[209] ».

Comme George Sand, Jeanne n'a pas trouvé un mari « dans ses idées ».

> « Je vis que tu n'aimais pas la musique et je cessai de m'en occuper parce que le son du piano te faisait fuir. Tu lisais par complaisance, et au bout de quelques lignes le livre te tombait des mains, d'ennui et de sommeil. [...] Je commençais à concevoir un véritable chagrin en pensant que jamais il ne pourrait exister le moindre rapport dans nos goûts »,

écrit celle qui est encore Aurore à son mari Casimir Dudevant en 1825.

Et même si Adrien est d'une tout autre trempe, Jeanne, elle non plus, n'a pas épousé un artiste ou un héros dont elle pourrait partager l'idéal mais un médecin faisant carrière. En août 1890, il revient d'une mission à la frontière espagnole : « Le voyage est une chose charmante, puisqu'on est enchanté de partir et enchanté de revenir », se félicite-t-il devant sa femme qui répugne (une chance ?) aux voyages. Tournées d'ins pections sanitaires, missions en Espagne, en Egypte ou en Algérie, cures à Vichy ou à Carlsbad, conférences internationales à Vienne, à Venise, à Rome ou à Dresde...

Il lui écrit, elle attend son retour, souvent incertain.

> « Hier soir à neuf heures, lettres de ton père – qui trime ferme – est resté quatre heures à cheval – et ne signale pas son retour. »

Trois jours plus tard, le jeudi, elle en est toujours à guetter une dépêche qui lui annoncerait le retour de son Ulysse, mais c'est encore une lettre écrite « à la gare de Cerbère (gare départ – ou arrivée ?) » disant :

« J'étonne les gens du pays par la vitesse avec laquelle je voyage. » « Soyons donc étonnés de la vitesse ! commente avec philosophie Jeanne – et attendons[210]. »

A une heure, nouvelle missive postée cette fois de Lamalou : Adrien revient dimanche.

Leurs retrouvailles à Auteuil sont racontées en détail et avec humour à Marcel, alors au service militaire :

> « A 9 heures 10 la Présidente descendait incognito du bateau-mouche – et à 9 h 1/4 le fidèle Jean arrivait en fiacre – et à 9 heures 40 le président lui-même arrivait : premier mot : "Et Marcel ?" – Il a bien fallu dire "mon président, il a rejoint son corps !"
>
> Quant à lui-même ton père, enchanté – a supporté admirablement une chaleur de feu – les levers à 4 et 5 heures chaque jour et des journées où il n'avait pas trois minutes de repos. Tout dépoussiéré et à neuf aujourd'hui – nous avons déjeuné à 10 heures – partis ensemble à 11 heures pour Paris – d'où je t'écris (Bvd Malesherbes).
>
> Je t'ai fait mousser – ferme[211] »,

ajoute la mère complice !

Bien souvent, leurs lettres se croisent, et leurs villégiatures les séparent. Elle est à Dieppe, lui à Vichy. Elle reste à Paris, il vole de Carlsbad à Aix-les-Bains.

> « Comme nos lettres ne peuvent jamais se répondre j'y éprouve comme quand on consulte mal le nº du catalogue au salon, et que cherchant le nom d'un portrait, on trouve : "Nature morte[212]" »,

soupire-t-elle.

Nature morte ?

Souvent en déplacement, très absorbé par sa vie professionnelle, il faut bien avouer qu'Adrien Proust ne répugne pas à certaines distractions moins officielles. Comme le note Jean-Yves Tadié, « dans ce ménage modèle peint par Le Masle, biographe officiel de Robert Proust (qui lui-même...), l'une a été plus modèle que l'autre[213] ». Les périples exotiques de son mari ont comporté quelques étapes de charme. Galamment entouré sur les photos d'un voyage à Louxor, le docteur Proust fréquente aussi les coulisses de l'Opéra-Comique dont il est le médecin. Tâche qu'on imagine plaisante pour un homme en pleine force de l'âge. Les demoiselles de l'Opéra sont un vivier inépuisable pour ces messieurs respectables qui ont de l'art une conception... intimiste. Une photo dédicacée le 23 octobre 1881 par la cantatrice Marie Van Zandt en travesti masculin (comme Odette de Crécy en Miss Sacripant), une autre par Juliette Bilbault-Vauchelet ne laissent guère de doute sur ses relations avec ces jeunes femmes – amies aussi de... Louis Weil, « le plus aimable des hommes », comme l'écrit l'une de ses conquêtes. On comprend mieux la remarque de Marcel :

> « Quand nous rentrions de ces visites, mon père et ma mère s'amusaient de l'oncle Louis et de ses jolies amies. En y allant, papa disait : "Je me demande quelle cocotte il aura encore trouvée." C'était surtout papa qui en riait ; maman, comme toujours atténuait doucement. Et puis, au fond, elle se doutait bien que papa ne détestait pas cela autant qu'il aurait voulu le faire croire[214]... »

Adrien a dû être gagné par l'esprit de famille des Weil, car, comme l'oncle, il a aussi pour belle amie la demi-mondaine Laure Hayman, l'un des modèles d'Odette de Crécy (qui habitera comme elle 4, rue La Pérouse). Quant à Marcel, il rendra lui aussi hommage aux charmes de cette très jolie femme, aimée par des souverains, peinte par des artistes et célébrée par Paul Bourget qui en fait sa « Gladys Harvey », en se vantant de leur intimité auprès de ses camarades de classe.

> « Quand Proust la rencontre pour la première fois, à l'automne 1888, elle avait 37 ans, écrit le peintre Jacques-Émile Blanche. Il n'en avait que 17 ; elle était potelée, mais avait une taille de guêpe et portait des décolletés très profonds garnis de perles bringuebalantes (trois rangs de chaque côté) ne dissimulant qu'assez peu sa gorge. Ses cheveux étaient d'un blond cendré, noués avec un ruban rose, ses yeux noirs, et quand elle était surexcitée, ils avaient tendance à s'ouvrir démesurément [215]. »

Elle l'appelle avec affection « mon petit saxe psychologique », ce qui n'est pas mal trouvé, avouons-le, pour un descendant de porcelainier. L'aspect le plus surprenant dans ces relations est leur caractère familial – comme s'il existait une complicité masculine objective ou une filiation. Jeanne se savait-elle ce point commun avec sa chère Sévigné, dont le mari et le fils avaient partagé les charmes de Ninon de Lenclos ? Trois générations de Weil-Proust s'inclinent devant Laure : Louis, Adrien, et Marcel, ce dernier déplaçant sur le plan platonique ces liaisons que les autres hommes de la famille savent tenir à leur place. Comme toujours, il en fait trop :

> « Lui vous citait toujours chaque fois qu'il voulait citer un exemple non seulement d'élégance de jeunesse et de beauté, mais aussi d'intelligence, de goût, de bonté, de tact, de finesse, de cœur »,

lui écrit-il à la mort de son père.

Laure, il est vrai, comme son jeune ami, excelle tout particulièrement dans les consolations *post mortem*, comme nous le verrons.

On apprend ainsi que le modèle de « la dame en rose » que le narrateur de *A la recherche du temps perdu* rencontre chez son oncle Adolphe était devenue « un sujet de conversation de famille » !

> « Chaque fois que Papa vous avait vue et avait su par vous quelque petite chose de moi il prenait de grandes précautions si visibles pour que je ne sache pas qui le lui avait dit. "On t'a vu" "Il paraît..." etc. Et je devinais tout de suite que ce jour-là vous étiez venue le voir[216]. »

Le clan des hommes a ses rites et s'afficher au bras d'une cocotte ou lui glisser un petit cadeau n'est guère plus compromettant que fumer un bon cigare en sirotant un cognac. Décoratives, souvent spirituelles et cultivées comme Laure Hayman, les demi-mondaines sont un signe extérieur de richesse. Dans la plupart des cas, elles sont surtout le complément indispensable du couple, la garantie de son équilibre.

Rien que de très banal dans cette bourgeoisie de la Troisième République, où l'on trouve légitime que l'homme prenne son plaisir en dehors du mariage, tandis que la femme « ferme les yeux ». La jeune fille « confiante et malicieuse » (*Jean Santeuil*) qu'était Jeanne s'est muée au fil des années en épouse compréhensive. La littérature a largement diffusé cette image, de Maupassant à Zola, de Dumas fils à Colette, sans parler du vaudeville qui en fait ses choux gras. Mieux vaut une épouse frigide qu'ardente au plaisir, infiniment plus dangereuse pour l'équilibre social comme le montre l'exemple funeste de Madame Bovary. Son rôle de procréatrice accompli, l'épouse laisse la place à la maîtresse. « La réserve des anciennes oies blanches, condamnées bien souvent à des unions mal assorties, l'influence réfrigérante du confesseur, l'image castratrice de la mère, la fréquente interruption des rapports due à la menstruation, aux grossesses, à l'allaitement, l'arrêt des relations sexuelles à la ménopause, l'ampleur des maladies gynécologiques, les impératifs de la contraception constituent autant d'incitations à prendre le chemin du bordel[217] », écrit Alain Corbin. Les ébats amoureux ont pour théâtre les coulisses, et non le lit conjugal.

Dans le cas de Jeanne, tout laisse à penser que les troubles gynécologiques ont commencé tôt. Faut-il comme Christian Péchenard envisager l'hypothèse d'une maladie vénérienne rapportée par le bon docteur[218] ? Rien ne permet de l'étayer, même si de tels cas d'infection par le mari sont légion à l'époque. Les maladies gynécologiques sont en effet très fréquentes en un temps où il n'existe pas de traitement adéquat : un médecin estime à 80 % le nombre de femmes atteintes de leucorrhées en 1865[219]. La première chaire des maladies vénériennes sera fondée en 1880 pour Alfred Fournier. On peut en tout cas s'étonner de voir Adrien Proust, ce professeur de médecine, détenteur, lui, de la chaire d'hygiène, fréquenter des demi-mondaines et envoyer son fils adolescent au bordel pour lui faire perdre ses mauvaises habitudes de masturbation... Y aurait-il là quelque contradiction chez lui ? Cette ambiguïté est bien intéressante à confronter à l'obsession des microbes qui sera celle de Marcel. Lutte obscure du propre et du sale dans la famille de l'hygiéniste, grand maître du Cordon sanitaire. Quant à l'expérience du bordel, elle se révèle un fiasco. Non content d'échouer à ce test de virilité, le jeune garçon brise un vase de nuit et c'est à son grand-père, sur le conseil de sa mère, qu'il demande de l'argent pour tenter à nouveau sa chance... désireux de satisfaire un père qui voudrait tant le faire passer du côté des hommes. On voit que la famille tout entière est solidaire dans cette lutte contre les « mauvais penchants » de Marcel :

> Jeudi soir (17mai 1888)
> « Mon cher petit grand-père
> Je viens réclamer de ta gentillesse la somme de 13 francs que je voulais demander à Monsieur Nathan, mais que Maman préfère que je te demande. Voici pourquoi. J'avais si besoin de voir une femme pour cesser mes mauvaises habitudes de masturbation que papa m'a donné 10 francs pour aller au bordel. Mais 1° dans mon émotion j'ai cassé un vase de nuit, 3 francs 2° dans cette même émotion je n'ai pu baiser[220]. »

Rien ne permet de douter de l'amour de Jeanne pour son mari, que cet amour ait suivi le mariage comme le suggère leur fils, ou qu'il en soit la base. L'image donnée par *Jean Santeuil* est assez proche, malgré son idéalisation de la figure maternelle, de la réalité. Jeanne conjugue indépendance d'esprit et tendresse, humour caustique et dévouement. « La crainte que sa tendresse humble et passionnée éprouvait d'ennuyer son mari, de troubler ses pensées, sa digestion et son repos[221] » n'exclut pas ses « incessantes plaisanteries sur tout ». « Beaucoup plus intelligente que son mari », Mme Santeuil, pleine de tact, de sensibilité artistique et de charme, témoigne d'une « docile sujétion » et d'une abnégation sans faille. Elle embrasse son mari, joue du piano et chante pour lui. Le moindre geste de tendresse de sa part l'émeut : « de lui qu'elle aimait tant et qui avait si peu l'habitude de telles pensées, un rien suffisait à la toucher[222] », constate le narrateur. Cet amour va jusqu'au sacrifice de soi : « S'il l'avait trompée elle se fût immolée à cette condition nouvelle du bonheur de son mari. » L'hypothèse filiale vaut certitude.

> « On a colporté, écrit Robert Soupault, qu'il papillonnait avec des demoiselles de vertu facile, et qu'un jour, plaisantant avec un de ses collègues, il protesta : "Elles deviennent terribles. Bientôt il va falloir les payer." On lui prêta aussi quelques bonnes fortunes auprès des dames du monde. Cela n'alla pas loin. On n'a écho d'aucun incident conjugal. Mme Proust, épouse sensée, ne s'aperçut ou voulut ne s'apercevoir de rien. Bien plus tard, Marcel racontait dans l'intimité : "Maman n'a jamais rien su." Mais, lui s'était bien rendu compte[223]. »

Autant dire que « Maman » sait, qu'il s'agisse des frasques de son époux ou, plus tard, de celles de son fils. De là à faire état de son infortune... Échange-t-elle des confidences avec certaines de ses amies proches, comme Mme Félix Faure, la femme du futur président de la République qui la trompa avec constance jusqu'à la mort ? Ou la réserve et la fierté l'empêchent-elles d'aborder ces sujets autrement qu'à demi-mot ? Je n'imagine pas Jeanne Proust se plaignant des infidélités ou des absences de son mari, même à ses meilleures amies. Mais çà et là, une remarque un peu piquante, une plaisanterie douce-amère...

Une esquisse du *Temps retrouvé* nous apprend que la femme du professeur Cottard découvre l'infidélité de son mari en trouvant sa correspondance après sa mort. Il a entretenu une liaison avec Odette depuis sa jeunesse. Proust imagine un dialogue burlesque entre le médecin, inquiet à l'idée de n'avoir pas tous ses moyens le soir à une société savante, et sa maîtresse : « Le sacrifice est consommé. Moi qui ne voulais pas consommer le sacrifice, crédié, je suis attendu à la sous-commission des maladies contagieuses, il est tard. – Il n'est jamais trop tard pour bien faire[224] », répond suavement la future Mme Swann. Ces entrevues ont souvent pour cadre « l'appartement même de Mme Cottard, tandis que les malades attendaient dans le grand salon ». Celle-ci souffre encore plus de cette trahison posthume que de la mort de son compagnon. Le narrateur regrette de ne pouvoir la consoler :

> « Du moment qu'il vous trompait, qu'il prenait tant de peine pour que vous ne sachiez pas, c'est qu'il avait peur de vous faire de la peine, c'est qu'il vous respectait et vous préférait. Il n'y a que vous qui ne sût [*sic*] pas combien il vous aimait. A ses maîtresses il disait que vous étiez un ange, qu'il n'aurait pas pu faire sa carrière sans vous. Au ciel il n'y aura que vous qu'il désirera revoir[225]. »

Piètre consolation, mais qui sonne juste et reflète bien la classique vénération du mari pour l'épouse qu'il trompe. Jeanne, d'une certaine façon, ne fut pas seulement la mère de ses fils.

Il ne faudrait pas pour autant imaginer Mme Proust comme une épouse aigrie ou mélancolique. Gardons-nous de plaquer nos schémas modernes. « La sexualité, aujourd'hui au centre des unions, ne constitue alors qu'un arrière-plan de la vie conjugale[226] », rappelle Alain Corbin. On voit Jeanne accompagner son mari en coupé chez ses patients et à l'Hôtel-Dieu, écrire son courrier, lui lire les lettres de Marcel. Elle contribue à gérer leur fortune considérable, comme le montrent cer-

Jeanne Proust
et ses deux fils,
vers 1895.

Rose Berncastel,
née Silny,
la grand-mère
maternelle
de Jeanne.
© Archives Nationales

Deux assiettes
signées
Baruch Weil.
© Catalogue Sotheby's
Monaco 1977

Assiette et cafetière
en porcelaine
de Fontainebleau,
provenant de la
fabrique de Baruch
Weil,
Musée de Sèvres.
© R.M.N.

Nathé Weil,
le père de Jeanne.
© Nadar, Centre des Monuments Nationaux, Paris.

Adèle Weil, née Berncastel,
la mère de Jeanne.
© Nadar, Centre des Monuments Nationaux, Paris.

Georges-Denis Weil,
le frère de Jeanne.

Amélie Weil, née Oulman,
son épouse.

Jeanne Weil
par Otto.

Adèle Weil,
la mère
de Jeanne.

Jeanne enfant.

Le docteur Adrien
Proust...

et Madame.

Robert et Marcel
en 1876.

Virginie Proust,
née Torcheux,
et ses petits-fils.

Marcel et Robert
vers 1882.

Marcel Proust
en 1902 par Otto.

Robert de Flers,
Lucien Daudet
et Marcel Proust.

Une page
du manuscrit de
La Bible d'Amiens
de Ruskin,
traduite par
Jeanne Proust
avec les corrections
de Marcel.

Madame Proust
en villégiature.
© Bibliothèque Nationale

Nulle différence avec nos années de mer où grand-mère et moi, fondus ensemble, nous allions contre le vent en causant.
(Lettre de mon petit Marcel de Cabourg septembre 1891).

Note écrite par le roi Louis Philippe en marge d'un décret qu'on lui envoyait à signer relatif à l'ouverture de la chasse (On venait de nommer un de ses fils [illegible]) « Il n'y a plus pour moi ni ouverture ni jamais fermeture. »

Dans les temps féodaux les aristocrates et nobles ont toujours montré leur préférence pour le travail manuel. Ils ont peu exercé leur intelligence et seulement par exception. Leur goût s'est porté constamment sur des occupations telles que la chasse et la guerre, où le corps a plus de part que l'esprit.

Le carnet de
Jeanne.
© Bibliothèque
Nationale

Jeanne Proust
photographiée par Nadar,
le 5 décembre 1904.
© Nadar, Centre des Monuments Nationaux, Paris.

« Journées de lecture… »

Fac-similé extrait de Marcel Proust.
Correspondance avec sa mère, Plon, 1953

Couché à une heure

Ma chère petite maman

Chaque minute depuis 2 jours apporte de
nouvelles choses à te dire (bien entendu
rien de désagréable !) ou je parle de projets

tains documents lors du mariage de Robert. Elle est selon Robert Soupault « la secrétaire, la collaboratrice, la zélatrice de son mari ». Elle se promène les soirs d'été avec lui, ils font à pied « le tour réglementaire par Passy ». La solidité des ménages bourgeois est avérée par les dispositions testamentaires, et la plupart de ces couples sont unis par un réel attachement. Le testament olographe d'Adrien Proust confirmera cette remarque de l'historien en instituant sa femme pour légataire universelle.

La touche d'humour souvent sensible dans les lettres de Jeanne à son fils lorsqu'il est question de son mari me semble être une forme de pudeur autant qu'un trait de caractère personnel et d'esprit familial. Nous n'avons pour juger de leur relation que la correspondance de Jeanne avec Marcel, où s'exprime surtout la complicité de la mère et du fils. Aucune trace cependant d'un quelconque différend dans le couple ; plutôt une complémentarité qui fait, dit-on, les unions solides. Chacun a ses pôles d'excellence : à lui, la science, les honneurs, les cercles du pouvoir, le labeur incessant ; à elle, la famille, la culture et les acquis de la grande bourgeoisie. Elle sait le ménager, et au besoin faire semblant d'admirer les dons mineurs dont il est fier, comme son goût pour la météorologie : « Ton père m'a fait lui lire hier huit colonnes de Parville qui m'ont appris que toutes les fois qu'il fait mauvais temps, ce n'est pas sans raison[227] ! » ironise-t-elle doucement. Mais comment se parlent-ils ? Quels petits noms se donnent-ils ? Quelles formules utilisent-ils à la fin de leurs lettres ? Nous ne le savons pas, toute leur correspondance ayant disparu. Sans doute Jeanne voit-elle Adrien tel qu'il est, toujours occupé (« l'Hôtel-Dieu, et le reste et le reste », écrit-elle), content et sûr de lui, avide de reconnaissance, évoluant avec brio dans cette sphère supérieure des grands esprits, un peu méprisant pour ces intellectuels trop sensibles que sont sa femme et son fils aîné, et souvent absent.

Le bon sens d'Adrien, son esprit précis, son goût de l'observation jugé vulgaire par son fils, l'autorité de son caractère, sa manie agaçante de nommer tout ce qu'il voit, son « positivisme irraisonné et superbe », toutes « les sèches et fières illusions de sa vie », sait-elle les décrypter, portée par son amour, cette « femme tendre, soumise, dévouée aux autres, pleine d'abnégation[228] » ? Elle lui apporte sa finesse, sa sensibilité, sa vivacité d'esprit, son amour de l'art, son sens des relations humaines, sa riche parentèle. Elle lui apporte ce que des siècles de judaïsme ont forgé, le sens de la Loi, une façon de se croire différent tout en souhaitant ressembler aux autres. Son esprit critique et sa générosité ; son angoisse et son humour. Bien que s'estimant par nature supérieur, le professeur Proust respecte sa femme. Elle est un soutien pour sa carrière, une mère pour ses fils, une compagne pour ses vieux jours. Jamais il ne regrettera de l'avoir épousée. Ce couple dissemblable paraît bien, à la réflexion, derrière sa façade conformiste, « uni jusqu'à la mort », comme le montre la fin de *Jean Santeuil*. « Il est vrai que quand son mari mourra elle ne se tuera pas sans doute, écrit le jeune romancier, mais mourra de chagrin. Mais non, elle ne se laissera pas mourir si elle a encore son fils[229] », corrige-t-il, avec une tranquille évidence.

Unis aussi, si l'on en croit la correspondance et *Jean Santeuil*, pour lutter contre les « mauvais penchants » de leur fils aîné. En parlent-ils le soir, quand la porte de leur chambre à coucher s'est refermée ? A la nervosité, au manque d'appétit, à l'hypersensibilité, à l'asthme, à l'insomnie, va s'ajouter un nouveau trait propre à inquiéter M. et Mme Proust : l'onanisme. Tableau clinique complet en ce temps où, comme l'a montré Michel Foucault, parents, médecins et éducateurs s'intéressent de très près à la sexualité de l'enfant, l'interrogeant, le traquant, le forçant à l'aveu. C'est dans la deuxième moitié du XIXe siècle que se constitue le discours médical sur le sexe – englobant dans « la volonté de savoir » les maladies des nerfs, les perversions et l'homosexualité.

L'enfant onaniste est l'une des grandes figures de l'obsession médicale et hygiéniste de la bourgeoisie du siècle. Le médecin prend le relais du confesseur pour extorquer les aveux et menacer des pires châtiments. L'ouvrage du docteur Tissot, *Onania*, sera régulièrement réédité de 1760 à 1905. Les médecins sont unanimes. La masturbation épuise la substance de celui qui s'y livre ; elle menace la descendance saine, elle est un vice et un danger pour l'individu et pour l'espèce. La consomption, la sénilité précoce et la mort sont les étapes d'un dépérissement que rien ne peut freiner. On met en place des dispositifs de surveillance dans les dortoirs de pensionnat ; on invente des latrines dont les portes permettent de contrôler les occupants ; les spécialistes proposent même, jusqu'en 1914, des bandages sur mesure. En dernier recours, il reste la chirurgie et la cautérisation de l'urètre[230] !

> « A l'époque de la puberté, les sujets prédestinés par leurs tares héréditaires aux impulsions morbides de toutes sortes seront l'objet d'une surveillance particulièrement attentive. L'éveil de l'instinct et des désirs sexuels trouble profondément l'équilibre du système nerveux chez ces adolescents. La plupart d'entre eux s'adonnent aux pra-

tiques de l'onanisme d'une manière abusive et c'est bien là souvent, nous l'avons vu en étudiant les causes de la neurasthénie, un facteur puissant d'épuisement nerveux[231]. »

Ce texte du docteur Proust ne laisse aucun doute sur la « surveillance attentive » qu'il exerce sur son fils. Difficile de trouver meilleur sujet d'observation : à plusieurs reprises, dans *Jean Santeuil* comme dans *A la recherche du temps perdu*, Marcel fait état de sa propension à se procurer ce « premier plaisir » « qu'à l'âge où l'on ne connaît pas encore l'amour on cherche encore auprès de soi-même ». Associé aux lilas et aux iris, fleur phallique par excellence, le plaisir solitaire est source de jouissance et d'effroi. On tend à penser que Marcel Proust se contenta toute sa vie de ce « premier plaisir », variant seulement partenaires et mises en scène. Les leçons de Papa ont été vaines. Ce n'est pas faute d'insister : il va même supplier son fils de « cesser au moins quatre jours » de se masturber, et lui offrir, comme on l'a vu, une séance au bordel pour mettre fin à ses « mauvaises habitudes de masturbation » et « se vider ».

La masturbation est une question qu'on règle entre hommes (le père, le grand-père). Quant à Jeanne, même si c'est elle qui a conseillé de s'adresser à Nathé pour emprunter de l'argent plutôt qu'à leur cousin, Charles Nathan[232], elle n'est pas tenue de savoir à quoi doit être employée la somme. A moins que la sexualité de Marcel, âgé de 17 ans, ne soit chose si anodine qu'on puisse en débattre à table... En tout cas, une grande liberté de parole paraît régner dans cette famille de médecin. Mais cette liberté est au service d'un contrôle et d'une absence d'intimité qui peuvent nous sembler humiliants et infantilisants. Elle ne s'explique que par l'état de sujétion où sont les enfants au XIXe siècle, même dans des familles libérales comme celle des Proust où l'on tutoie ses parents et où l'on dialogue avec eux. Son père interroge-t-il Marcel le matin ? Le garçon doit-il donner des comptes rendus aussi fidèles que ceux exigés par sa mère sur son sommeil ? Comment le docteur Proust *sait*-il ? A moins que, partageant l'inquiétude des siens, l'adolescent, culpabilisé, ne se confie à son père sur ce besoin irrépressible de jouissance. « J'ai tant à dire, ça se presse comme des flots », s'excuse-t-il auprès de l'un de ses camarades à la fin d'une longue lettre. Oui, ça se presse comme des flots. Dans le cabinet aux senteurs d'iris et de lilas où il s'est réfugié, s'élève « un jet d'opale, par élans successifs, comme au moment où il s'élance, le jet d'eau de Saint-Cloud peint par Hubert Robert », écrit Marcel Proust dans une esquisse de *Du côté de chez Swann*[233].

On l'a compris, rien de ce qui concerne la santé de Marcel n'est étranger à ses parents. Intérieur, extérieur, température, viscères, sécrétions, circulation des humeurs, goût dans la bouche, flatulences, crises de toux, nature, durée et qualité du sommeil, acidité gastrique, la liste est inépuisable, comme si ce corps adolescent ne pouvait receler de secret pour ses géniteurs. Scrutant ses moindres replis, il leur livre les plus petites variations du fonctionnement de ses organes, épuisant leur curiosité et même parfois, on le sent, leur intérêt. Cette mise à nu verbale est proportionnelle à l'extrême pudeur physique dont il fera preuve toute sa vie, comme en témoignera sa gouvernante Céleste Albaret. Plus il dévoile son corps en paroles, plus il le couvre de vêtements, tricots superposés, pardessus, ouate protectrice.

« Instance de contrôle », la famille bourgeoise veille

sur ses enfants. Quand le père est l'un des plus grands hygiénistes de son temps, en charge de la santé publique, sa parole se leste d'une autorité supplémentaire. L'instance qui requiert l'aveu jouit d'un tel prestige que le fils n'a d'autre solution que cacher, mentir ou utiliser le chantage. Avec succès. Adrien en est réduit à « supplier » son fils de cesser de se masturber. Échec et mat. Marcel ne renoncera jamais à ses « mauvaises habitudes ».

15

UN GARÇON SOUS INFLUENCE

Est-ce bien son fils, son petit loup, ce garçon aux airs empruntés, comme glissé dans la peau d'un autre ? Tout a changé chez lui, tout est *en train* de changer : ses membres trop grands pour son corps, son visage ovale devenu pointu, le duvet qui ombre sa lèvre supérieure, jusqu'à sa voix passant du grave à l'aigu sans crier gare. Il se tient un peu voûté, prend des poses, la tête inclinée sur l'épaule, les doigts repliés, et nouveauté, s'enferme dans sa chambre pour des missives à de mystérieux correspondants. Depuis son entrée en classe de rhétorique, il est méconnaissable. Il y a quelques mois encore, il écrivait à la petite Antoinette Faure des lettres charmantes où se rencontraient pêle-mêle des remarques sur le général Boulanger et sur leurs amies communes des Champs-Élysées où il se rendait presque tous les jours pour jouer. Il les faisait lire à sa mère avant de les envoyer. Jeanne lui en avait même déchiré une, tant l'écriture en était mauvaise. Il avait dû la recommencer. C'est sur le cahier de cette même Antoinette que son fils avait répondu au questionnaire qui allait un jour devenir fameux sous son nom... Jeanne, à qui

Mme Faure l'avait montré en riant, put ainsi lire que le plus grand malheur de Marcel serait d'être séparé de Maman. Comme si elle ne le savait pas !

A l'enfant affectueux s'est substitué un adolescent rétif, cachottier, qui passe du fou rire aux larmes et des confidences au silence buté. Il lui arrive encore de venir se faire câliner comme un bébé, et il faut à Jeanne toute sa raison pour l'empêcher de s'asseoir sur ses genoux ou de se serrer contre elle comme à 4 ans ; à d'autres moments, elle ne peut même pas saisir son regard fuyant. Il lui échappe. Il n'y a pas si longtemps, il s'est pris de passion pour l'une de ses camarades de jeux, Marie Benardaky. Jeanne a dû y mettre bon ordre. Comme d'habitude, Marcel a fait montre de démesure, piquant des crises de larmes quand il ne pouvait la rejoindre aux Champs-Élysées, guettant des heures à la fenêtre une éclaircie, ou sortant malgré sa mauvaise santé. Tout cela pour une simple camarade, une enfant, jolie, certes, mais exubérante et batailleuse, dont la famille, d'origine russe, est célèbre pour sa fortune et ses excentricités.

Mais aujourd'hui, Jeanne donnerait cher pour rendre à Marcel son affection pour la petite Marie... A cause de son asthme, il a redoublé sa seconde et manqué le lycée presque tout le premier trimestre de rhétorique. Sa pâleur est parfois telle que, retrouvant son geste familier, Jeanne le fait approcher de la fenêtre pour saisir sur ses joues un peu de couleur. Il travaille à contrecœur les matières qui ne l'intéressent pas. Comme tous les jeunes de son âge, il a ses têtes : il aime son professeur de français, Maxime Gaucher, mais ne s'entend pas avec son professeur de latin. M. Gaucher, sensible à son talent, lui fait lire ses dissertations à voix haute, provoquant les ricanements et les huées de ses condisciples. Marcel aime Verlaine, Mallarmé et Leconte de Lisle et il écrit des vers comme bien des garçons de son âge.

Les amis de Marcel au lycée Condorcet, elle les connaît : Robert Dreyfus, un garçon sérieux, Jacques Bizet qui était déjà au cours Pape-Carpantier avec Marcel, et le cousin de Jacques, Daniel Halévy. Des garçons intelligents, un peu plus jeunes que lui. Des fils de bonne famille : ils appartiennent à leur monde, la grande bourgeoisie. Ils habitent le même quartier. Le père de Daniel, Ludovic Halévy, est un écrivain célèbre, académicien plein d'esprit, auteur avec Meilhac des livrets de *La Belle Hélène* d'Offenbach et de *Carmen*, ce même opéra dont l'échec a précipité la mort du compositeur Georges Bizet, le père de Jacques. Longtemps inconsolable, sa mère, Geneviève Halévy, la sœur de Ludovic, s'est remariée avec un avocat, Émile Straus. Son salon, sur lequel elle règne avec esprit, est très couru. Jeanne connaît bien cette famille. Des générations de Weil et de Halévy ont fait partie des mêmes cercles consistoriaux ; c'est Godechaux, l'oncle de Jeanne, qui a été chargé de l'éloge funèbre d'Élie, l'arrière-grand-père de Daniel. Ils ont des amis communs. Et par le docteur Blanche, dont la clinique de Passy n'est guère éloignée de la rue La Fontaine à Auteuil, les Proust n'ignorent rien du mal nerveux qui semble ronger cette famille et peser sur elle comme une malédiction : la mère de Geneviève a été internée à plusieurs reprises et sa sœur y est morte dans des conditions mystérieuses...

Or, désolation des désolations, Marcel semble bien s'être entiché de ce petit Jacques, le fils de Mme Straus. Jeanne ne sait ce qu'il faut craindre le plus : cette attirance contre nature, ou celui qui en est l'objet. La combinaison des deux, sans aucun doute. Car comment ne pas redouter cette relation avec un garçon tout aussi fragile, aussi émotif, aussi sensible que Marcel ? Ce Jacques Bizet exerce une mauvaise influence sur Marcel, elle en est certaine. Et elle a interdit à son fils de le fréquenter.

Comment a-t-elle été alertée ?

> « Peut-être à ta figure, écrit Marcel éperdu à Jacques en juin 1888, peut-être pour avoir entendu mon frère parler de toi, ou M. Rodrigues, ou sera-t-elle entrée pendant que (mon) frère parlait de toi avec Baignères, ou mon frère aura-t-il dit du mal de toi, parce que nous sommes souvent mal ensemble, mais surtout je crois à cause de moi, de mon affection excessive pour toi [234]. »

On notera qu'aux yeux de Marcel le principal suspect est Robert, son cadet âgé de 15 ans, dont les préoccupations sont à mille lieues des siennes. Robert est en seconde, comme les amis de son aîné. Bon élève, plutôt matheux. Avec une passion pour le sport et un goût modéré pour la lecture, malgré les efforts de sa mère. Le petit frère jouerait-il les mouchards auprès de Maman ? Maman poserait-elle des questions indiscrètes auxquelles il répond de bonne foi ? Distance et querelles classiques entre des frères que deux ans séparent, mais trace aussi d'une rivalité probable dans l'affection maternelle. Les crises se succèdent depuis l'hiver précédent. Est-ce déjà pour cette raison que les parents ont menacé leur fils aîné de le mettre en pension ? Simple chantage pour le forcer à travailler, ou mesure d'éloignement ?

« J'ai beaucoup d'ennuis, ma famille est très mal pour moi. Je crois que je vais être envoyé comme interne en province », se plaint Marcel à Jacques, concluant par une véritable déclaration : « je t'embrasse et je t'aime[235] ».

Interdiction donc de voir Jacques. Mais Marcel est loin d'être l'enfant docile qu'on imagine. Il refuse. Repli stratégique de Jeanne : soit, mais défense de se voir chez l'un ou chez l'autre (ce qui prouve qu'elle craint avant tout leur intimité). « Scène furieuse, désespoir lent, menaces, mauvaise santé » : toutes les armes sont bonnes, y compris le chantage à la maladie, la spécialité de Marcel. Mais Jeanne ne cède pas. Rien n'y fait. Et dans la foulée, le père aborde la question brûlante de la masturbation. Ce n'est peut-être pas de très bonne politique, mais difficile de ne pas saisir le lien dans l'esprit des parents.

Car, dès cette époque, Jeanne sait. Et son fils sait qu'elle sait, comme l'atteste le début de sa lettre à Jacques :

> « Chéri,
>
> Pourquoi, vois-tu, je n'en sais rien. Et pour combien de temps ? Peut-être pour toujours, peut-être pour quelques jours – Pourquoi ?... peut-être parce qu'elle redoute pour moi cette affection un peu excessive, n'est-ce pas ? et qui peut dégénérer (elle le croit peut-être) en... affection *sensuelle*[236]. »

Voilà qui lève un premier doute : non seulement, Maman n'a rien ignoré ; mais elle a été alertée très tôt et a tenté de mettre un frein à cette tendance qui peut « dégénérer », comme l'écrit son fils. Les « peut-être » dont il ponctue son propos ne doivent pas nous égarer. Certes, Jeanne n'est encore sûre de rien. Mais elle *sent* quelque chose. La sensibilité de Marcel, sa tendance à s'attacher, son besoin d'amour, elle les connaît. D'abord Marie ; maintenant, Jacques. Il est jeune, il ne fait pas bien la différence entre une amitié passionnée et des sentiments interdits. C'est à elle de le protéger, en le séparant de force de ce garçon. Les choses rentreront dans l'ordre d'elles-mêmes.

Dès lors, elle est en alerte et ne cessera plus de l'être. Quand elle en aura la certitude absolue, elle redoutera pour lui la souffrance, les mauvaises relations ; et les ragots, le ridicule d'une pose sur une photo, le qu'en-dira-t-on. Longtemps elle espérera le voir se marier. A chaque nouvelle amie, car Marcel aimera des femmes ou dira les aimer, elle espérera. Présentez-lui des jeunes filles, demandera-t-elle à son ami Maurice Duplay, amateur de jolies femmes. Mais ce ne sont pas les jeunes filles qui manquent autour de Marcel. C'est le désir.

Et puis, elle finira par accepter. Tout. Parce qu'il est son fils. Rien n'en sera jamais dit entre eux. Mais elle saura. Selon Maurice Duplay, « Madame Proust connaissait les mœurs de son fils et sa mauvaise réputation[237] ». « Fais comme si je ne savais pas » sera leur mot de passe secret[238], levée tacite, clandestine d'un interdit qui pèse moins sur les choses que sur les mots. Ce secret honteux sera entre eux, caché, évident. « [...] Fils sans mère, à laquelle ils sont obligés de mentir toute la vie et même à l'heure de lui fermer les yeux », écrira Proust de la « race maudite » des invertis dans *Sodome et Gomorrhe*. Un mensonge qui est aussi une ultime protection contre l'intrusion maternelle[239].

Donc, elle sait. Ou se doute. Ce qu'elle ignore, c'est que 1) Jacques est bien loin de partager les goûts de Marcel. Même s'il ne se scandalise pas de cet amour et semble l'accueillir avec un certain amusement, il garde ses distances et accuse une fin de non-recevoir.

« J'admire ta sagesse tout en la regrettant, lui répond Marcel. [...] Peut-être as-tu raison. Pourtant je trouve toujours triste de ne pas cueillir la fleur délicieuse, que bientôt nous ne pourrons plus cueillir. Ce sera déjà le fruit... défendu[240]. »

2) Jacques s'est empressé de montrer la lettre passionnée de Marcel à son meilleur ami, Daniel Halévy, qui la recopie dans son journal et se met à jouer un jeu assez pervers. Du jour au lendemain, Jacques et lui cessent d'adresser la parole à Marcel. Désarroi de celui-ci. A-t-il commis une faute ? Le trouve-t-on trop « collant » ? « Qu'est-ce qu'ils me veulent ? s'interroge-t-il, désolé, je les trouvais si gentils. » Pauvre Marcel, fin psychologue mais jamais bien malin quand il s'agit de ses propres affaires de cœur... Robert Dreyfus, plus jeune et moins engagé dans cette éducation sentimentale, fait office de confident. Comme les Trois Mousquetaires, ils sont quatre. Ils écrivent des vers et fondent une revue. Puis une autre. Mais cette façade littéraire cache des affects complexes chez ces adolescents doués. Daniel Halévy tire les ficelles. Et c'est lui qui récolte les aveux les plus explicites. Aveu ? Ou profession de foi ? Confession ou provocation ? Tout cela à la fois. Durant les mois qui suivent, du printemps à l'hiver 1888, de la classe de rhétorique à celle de philosophie, Marcel s'expliquera sur sa « pédérastie », conjuguant références littéraires et expérience personnelle, justifications et poèmes, déclarations et reculs stratégiques.

« Quant à ton pédéraste virtuel ou non, écrit-il à Daniel Halévy, tu peux très bien te tromper. Je sais... qu'il y a des jeunes gens (et si ça t'intéresse et que tu promettes un *secret absolu*, même pour Bizet, je te donnerai des pièces d'intérêt très grand à ce point de vue, à moi adressées), des jeunes gens et surtout des types de 8 à 17 ans qui aiment d'autres types, veulent toujours les voir (comme moi, Bizet), pleurent et souffrent loin d'eux, et ne désirent qu'une chose les embrasser et se mettre sur leurs genoux, qui les aiment pour leur chair, qui les couvent des yeux, qui les appellent chéri, mon ange, très sérieusement, qui leur écrivent des lettres passionnées et qui pour rien au monde ne feraient de pédérastie.

Pourtant généralement l'amour l'emporte et ils se masturbent ensemble. Mais ne te moque pas d'eux et de celui dont tu parles, s'il est ainsi. Ce sont en somme des amoureux. Et je ne sais pourquoi leur amour est plus malpropre que l'amour habituel[241]. »

« J'aimerais dire à J. B. que je l'adore et à X. ou Y. que je suis décadent », confie-t-il aussi à Robert Dreyfus, un jour où il veut, il est vrai, se « donner la comédie ». Il est – il l'affirme – « un homme à déclarations » « et sous prétexte d'aimer un camarade comme un père, il l'aime comme une femme[242] ».

Quelle est la part de jeu dans ces déclarations ? La part de sincérité ou d'autopersuasion ?

Au même moment, Jeanne est à Salies-de-Béarn, avec Robert. Elle console Petit Loup, le cœur gros d'être resté seul. « C'est la vérité pure qui va sortir de ma bouche », lui ment-il avec assurance dans une lettre dont les derniers mots, déjà cités, prennent alors un sens nouveau :

« J'ai des remords des plus légères contrariétés que j'ai pu te causer ! Pardon. Je t'embrasse infiniment. »

Les nouvelles *Avant la nuit*, et *La Confession d'une jeune fille*, ainsi que le personnage de Mlle Vinteuil de *A la recherche du temps perdu*[243] sont déjà en germe dans la juxtaposition de ces lettres où affleurent des sentiments en apparence contradictoires, cohérents en profondeur. Comment sortir de l'enfance tout en la prolongeant, comment s'arracher à maman tout en la gardant ? Désir et culpabilité s'imbriquent étroitement. « Ce n'est pas le mal qui lui donnait l'idée du plaisir, qui lui semblait agréable ; c'est le plaisir qui lui semblait malin », écrira Marcel Proust de Mlle Vinteuil[244].

« Oh ! mon cher petit ami, que ne suis-je sur tes genoux, la tête dans ton cou, que ne m'aimes-tu pas ? » s'exclame le garçon de 17 ans dans un texte dédié à Jacques Bizet, et destiné à la *Revue Lilas*, « sous réserve de destruction ultérieure[245] ». Comme Mlle Vinteuil qui « sauta sur les genoux de son amie, et lui tendit chastement son front à baiser comme elle aurait pu faire si elle avait été sa fille[246] », Marcel ne peut envisager l'amour que sous la seule forme idéale à ses yeux : celle d'un fils avec sa mère.

Verlaine, Rimbaud, Montaigne et Socrate qu'il appelle à la rescousse, les Décadents, autant de références qu'il utilise, sans doute à la fois pour se comprendre et pour se justifier à ses propres yeux comme à ceux des autres.

Une lettre, adressée à un camarade, Raoul Versini et signée « Marcel », aurait fait état d'un aveu troublant : une première expérience homosexuelle liée à un viol. Mais il semble bien que cette lettre ait été attribuée par erreur à Marcel Proust. Jamais il n'a été intime avec ce garçon au point de lui faire de telles confidences[247].

« Mes parents l'apprirent et ne brusquèrent rien pour ne pas me faire de peine », écrit-il au début de *La Confession d'une jeune fille*. « J'eus d'abord des remords atroces, je fis des aveux qui ne furent pas compris. Mes camarades me détournèrent d'insister auprès de mon père. Ils me persuadaient lentement que [...] les parents feignaient seulement d'ignorer[248]. »

1870-1890 : Marcel Proust est contemporain de la période charnière durant laquelle le regard sur l'homosexualité a changé. Et d'abord le mot, utilisé par l'écrivain hongrois Karoly Maria Kertbeny en 1869. Puis la chose, analysée pour la première fois de façon systématique par le médecin Westphal en 1870. Du sodomite « criminel devant Dieu », on passe insensiblement au malade, au pervers relevant de la compétence des médecins. Si le code civil français, sous l'influence de Cambacérès, a décriminalisé la sodomie, si l'esthétique néoclassique et la redécouverte de l'Antiquité servent de fondement à une justification culturelle de la pédérastie, le dernier tiers du siècle est marqué par la naissance de nouveaux stéréotypes, validés par la psychiatrie et l'hygiénisme. L'homosexuel prend place dans le tableau des perversions et des maladies, aux côtés de l'hystérique et du névrosé. Charcot, Krafft-Ebing, Havelock Ellis, le premier à l'envisager hors du cadre médical, lui consacrent des études[249]. D'un côté, on craint la contagion, la séduction corruptrice, de l'autre on redoute la fatalité biologique. L'homosexualité serait une disposition innée, une dégénérescence qui enferme un âme de femme dans un corps d'homme. Comme la masturbation, elle est antisociale, et constitue une menace pour la famille. « En transformant le criminel en malade, le psychiatre déplaçait la condamnation sociale sans la supprimer[250] », remarque Florence Tamagne.

A travers la correspondance du jeune Marcel et les réactions de son entourage se lit l'émergence de ce nouveau discours sur l'homosexualité. Le lien avec l'amitié, le glissement insensible qui s'opère de la tendresse platonique au désir est manifeste. N'est-ce pas ce qui a alerté en premier sa mère ? « La raison pour laquelle elle [l'homosexualité] fait socialement problème, c'est que l'amitié a disparu, remarque Michel Foucault[251]. Tant que l'amitié était une chose importante et socialement acceptée, personne ne se rendait compte que les hommes faisaient l'amour ensemble. » La famille s'érige en rempart pour protéger l'intimité de ses membres. C'est à elle que revient l'essentiel de la socialisation et de l'éducation. Toute relation doit se vivre en son sein et dans son intérêt.

L'affectivité excessive de Marcel pour Jacques est donc vécue par ses parents comme un danger, à la fois pour sa santé et pour le devenir social de la famille. Tant que la menace n'a été constituée que par Jacques Bizet, ils ont pu penser qu'il suffisait de séparer les deux adolescents. Le jour où ils se rendent compte que le problème est *en* Marcel, ils vont changer d'attitude. Le docteur Proust a suivi les travaux de Charcot, il est très intéressé par ce qu'on appelle aujourd'hui la neuropsychiatrie, comme l'indiquent certains ouvrages signés de son nom. Paternité, psychiatrie et hygiène : l'homosexualité de son fils le concerne à plusieurs titres. Et tout laisse à penser qu'il y voit comme ses collègues un trouble, une perversion qui le laisse aussi impuissant que l'asthme... Son fils est un malade.

Un reflet de cette conception apparaît très tôt chez Marcel Proust lui-même : « La cause de cet amour est dans une altération nerveuse qui l'est trop exclusivement pour comporter un contenu moral[252] », écrit-il dans *Avant la nuit*, une nouvelle publiée en 1893 dans la *Revue blanche*. Malade, donc pas coupable.

Son désarroi n'en est pas moins grand, si l'on en

croit ces lignes de *Jean Santeuil,* attribuées, selon sa technique habituelle de l'inversion, à un personnage féminin :

> « Tu ne sauras jamais ce que j'ai souffert. J'ai des amies qui m'ont battue, d'autres qui ne m'ont pas dit bonjour. Rien n'y a fait. Mon confesseur n'a rien trouvé à me dire et mon médecin m'a dit que j'étais folle[253]. »

Comment Jeanne ne se rendrait-elle pas compte du trouble de son fils ?

Robert Dreyfus reconnaîtra que l'ostracisme (relatif) dont était victime Marcel en classe était en grande partie dû à son homosexualité qui mettait ses camarades mal à l'aise. Bourrades et quarantaine, quolibets sont la contrepartie d'une réelle admiration pour ce garçon si différent, dont ils reconnaissent par ailleurs les qualités exceptionnelles.

« Nous voici dans la cour du lycée », écrira plus tard Daniel Halévy dans *Pays parisiens*, « trois ou quatre vigoureux garçons, Jacques Bizet, Fernand Gregh, Robert de Flers, et nous devinions soudain une présence, nous sentions un souffle près de nous, quelque frôlement sur notre épaule. C'était Marcel Proust, venu sans bruit, comme un esprit ; c'était lui, ses grands yeux d'Orientale, son grand col blanc, sa cravate flottante. Il y avait là quelque chose qui ne nous plaisait pas et nous répondions par un mot brusque, nous esquissions une bourrade. La bourrade, nous ne la donnions jamais : bourrer Proust, c'était impossible, mais enfin nous l'esquissions, et c'était assez pour l'affliger. Il était décidément trop peu garçon pour nous, et ses gentillesses, ses tendres soins, ses caresses [...] nous les appelions souvent des manières, des poses, et il nous arriva de le lui dire en face : ses yeux alors étaient plus tristes. Rien pourtant ne le décourageait d'être aimable[254]. »

Ce passage du journal du même Halévy, qui fait suite à la lettre de Marcel adressée à Jacques, jette sur lui une lumière plus crue :

« Prenons Proust. Doué comme personne. Le voilà qui se surmène. Faible, jeune, il coït [*sic*], il se masturbe, il pédéraste, peut-être ! Il montrera peut-être dans sa vie des éclairs de génie perdus. Et l'on déplorera sa vie de bohème, et l'on pleurera ce qu'il *aurait pu* être. Idiotie ! S'il n'eût fait tout cela, il n'eût plus été lui-même. [...] Admettez un Proust de vie exemplaire. Il n'eût rien été. Étant son caractère, il doit être son génie[255]. »

Amour, amitié, passion, désir, sexe : toutes les figures problématiques de l'adolescence sont donc présentes dans les quelques lettres sauvées de cette époque, sentiments incroyablement explicites, s'exprimant avec une liberté qui témoigne de celle qui règne dans sa famille, de la confiance d'un jeune garçon qui a toujours cru qu'on peut *tout dire*. Il va apprendre qu'il n'en est rien. Il n'oubliera pas la leçon.

« Nous avons tous une envie folle de nous confesser, de crier notre amour ; à certaines heures, nous le raconterions aux passants, si notre bouche n'était pas scellée par la double appréhension de nous heurter à une indifférence dédaigneuse ou de nous exposer à toutes sortes d'inconvénients sociaux », écrit un homosexuel dans sa réponse au questionnaire d'un médecin[256]. Eh bien, Marcel, lui, n'hésite pas.

Dans un sonnet intitulé *Pédérastie*, revenant au sujet qui lui est cher, il écrit à Daniel Halévy :

« Je voudrais à jamais coucher, aimer ou vivre
Avec un tiède enfant, Jacques, Pierre ou Firmin[257]. »

Il s'attire en retour « une petite correction en règle » à laquelle il répond longuement, pendant le cours de philosophie :

« Tu me prends pour un blasé et un vanné, tu as tort. Si tu es délicieux, si tu as de jolis yeux clairs qui reflètent si purement la grâce fine de ton esprit qu'il me semble que je n'aime pas complètement ton esprit si je n'embrasse pas tes yeux, si ton corps et tes yeux sont si graciles et souples comme ta pensée qu'il me semble que je me mêlerais mieux à ta pensée en m'asseyant sur tes genoux, si enfin il me semble que le charme de ton toi, ton toi où je ne peux séparer ton esprit vif de ton corps léger, affinerait pour moi en l'augmentant "la douce joye d'amour", il n'y a rien là qui me fasse mériter les phrases méprisantes qui s'adresseraient mieux à un blasé des femmes cherchant de nouvelles jouissances dans la pédérastie[258]. »

« Ces amitiés à la fois sensuelles et intellectuelles » ne sont que passagères. Aussi, conclut Marcel,

« ne me traites [*sic*] pas de pédéraste, cela me fait de la peine. Moralement je tâche, ne serait-ce que par élégance, de rester pur[259]. »

Il est surtout en train d'apprendre la prudence et la distance critique. La dissimulation et le mensonge. Déjà, M. Straus se félicite de l'excellente influence intellectuelle qu'il a sur son beau-fils, Jacques. Quant à Jeanne, enfin persuadée que ce dernier ne partage pas les goûts de Marcel, elle ne peut qu'encourager sa fréquentation. Mieux : à la même époque, il commence à rendre visite à Laure Hayman, l'égérie de son oncle et de son père. Le hasard fait bien les choses... Quelques mois plus tard, Marcel lui écrira même un poème dont le dernier quatrain suffit à donner une idée de l'ensemble...

> « Mon esprit glorieux ne verra point l'aurore
> Mais un dieu t'envoya ; tueuse, je t'adore !
> Je t'ai tressé ce diadème : qu'il te laure,
> Laure[260] ! »

Dans le même temps, il marque ses distances avec Jacques Bizet. Bientôt, c'est vers sa mère, Mme Straus, que s'élancera son admiration.

« Vous pouvez tout raconter, déclarera Marcel Proust, des années plus tard, à André Gide ; mais à condition de ne pas dire *Je*. »

Il ne dira plus *Je*.

Jeanne peut respirer.

16

LA FEMME DE QUARANTE ANS

Le 21 avril 1889, Jeanne a eu 40 ans. Sa silhouette s'est un peu alourdie, mais pas un fil gris dans sa chevelure noire ramenée en chignon, le même velouté sombre dans son regard, la même note moqueuse et tendre dans la voix... « Elle offrait, un peu renversé et comme tiré en arrière par une pesante chevelure, le plus adorable visage de la terre », écrira d'elle Fernand Gregh, invité à dîner chez les Proust quelques années plus tard.

« Les belles lignes de son visage juif[261] » n'ont pas bougé. Peu de coquetterie, chez elle, mais le souci d'être bien mise, en conformité avec son milieu : cols montants, tenue austère des grandes bourgeoises de la rive droite, robes de soie l'hiver, de mousseline claire l'été, corset serré, taille étranglée et tournure disgracieuse – le faux cul – que la mode inflige aux femmes, petit chapeau à voilette sur le sommet de la tête, étole de renard, bijoux de jais ou perles noires quand les deuils se succéderont, manchon de velours ou de fourrure où elle niche par grand froid ses mains gantées. Son chapelier, Lebel, a pour spécialité les chapeaux ronds. Sa maison de la rue Saint-Honoré peut le disputer, prétend Mme Proust, à Pepita et Clarinda. Essentiel, le chapeau, pierre de touche du chic, à une époque où une femme ne saurait sortir en cheveux dans la rue... Toutefois, les photographies ne nous renvoient guère l'image d'une élégante. Rien à voir avec les beautés du faubourg Saint-Germain, l'éblouissante comtesse Greffulhe ou autre Laure de Chevigné, que son fils va tant admirer. Jeanne est aussi éloignée d'elles que la mère du narrateur de la duchesse de Guermantes, ou d'Odette, promenant ses toilettes mauves sur l'avenue du Bois. Quand Jeanne Proust emprunte l'avenue du Bois à pied, c'est qu'elle rend visite à sa tante Ernestine qui vient d'être opérée ! La féminité de Jeanne Proust semble être réfugiée tout entière dans sa maternité et son sens de la famille. Aucun souci de séduction. La dignité d'une bourgeoise un peu bas-bleu. Et son regard, incomparable, « d'une intelligence qui éclate dans ses admirables yeux », – les mêmes « yeux splendides » que son fils, selon Fernand Gregh, décidément sous le charme.

Elle n'est pas pudibonde. Sous la chaleur étouffante de l'été 1892, elle se dévêt « de la façon la plus audacieuse », signale-t-elle à son fils qui n'en demande peut-être pas tant, mais reste « écrasée ». D'une propreté méticuleuse, elle se livre chaque matin à ses « petites ablutions », avant de confier, vêtue d'un peignoir blanc, sa longue chevelure brune à la femme de chambre qui la brosse avec soin. Elle se félicite de ses dents parfaites, sur lesquelles le chirurgien-dentiste qu'elle consulte régulièrement n'a rien à dire. Son remplaçant devra se contenter de s'occuper de ses gencives « auxquelles il prétend en trois séances et sans me faire mal donner une vigueur nouvelle ». Seuls, quelques rhumatismes commencent à la faire souffrir quand elle reste trop longtemps immobile. Mais elle est active. Elle marche beaucoup, et l'été, elle se baigne. Un passage de *Jean Santeuil* montre même la mère du héros en Vénus sortant de l'onde à la piscine Deligny, sur les bords de la Seine.

La déesse, donc, a 40 ans, un âge mûr pour une dame de son temps. Marcel passe son baccalauréat et sera reçu en juillet, Robert est en classe de rhétorique. Le 19 mars, Virginie, la mère d'Adrien, est morte. Même si aucun document ne l'atteste, il est vraisemblable que la famille, tout au moins Adrien et Jeanne, se sont rendus à Illiers pour l'enterrement. Un faire-part a été imprimé à Paris, sans doute grâce aux soins de Jeanne, qui a « oublié » la croix réglementaire, à moins qu'elle n'ait fait qu'obéir aux sentiments anticléricaux de son mari et de son beau-frère, Jules Amiot[262]. Elle ne s'est jamais sentie bien proche de sa belle-mère, mais sa mort a probablement éveillé chez elle des pensées mélancoliques. Toutefois, se rassure-t-elle, Virginie, née en 1808, est beaucoup plus âgée que sa propre mère... On vient tout juste de fêter les 65 ans d'Adèle.

En septembre, Jeanne est allée suivre sa cure habituelle à Salies-de-Béarn. Les résultats sont médiocres, pour ne pas dire nuls, la chaleur écrasante. Elle n'y retournera plus. Elle a emmené avec elle Robert, on le sait, et écrit de longues lettres à Marcel, en vacances de son côté. Car pour la première fois, après le séjour rituel à Auteuil, Marcel s'est éloigné – on n'ose dire séparé, à la lecture des lettres de sa mère ! Il est à Ostende, dans la famille d'un camarade de Condorcet, Horace Finaly. Son père, Hugo Finaly, dirige la Banque de Paris et des Pays-Bas. Dynastie juive de la haute finance, dont Proust s'inspirera pour la famille Bloch. Le grand-oncle maternel d'Horace, Horace de Landau, sera, lui, le modèle de l'oncle de Bloch, Nissim Bernard. Villégiature familiale et mondaine dans cette station de la mer du Nord à la mode, mais qui inquiète Jeanne, toujours soucieuse de la santé de son petit. Mange-t-il assez ? Dort-il bien ? Ne sort-il pas trop souvent ? La mer ne l'excite-t-elle pas ? Ce qui ne l'empêche pas d'ironiser doucement sur l'excessive sensibilité de Marcel, bouleversé parce que Mme Finaly est alarmée par la santé de sa mère : « Je comprends combien tu peux être peiné du chagrin de cette pauvre Mme Finaly mais quel âge a donc sa mère ? » interroge-t-elle.

Elle veille sur lui de loin, elle lui fait envoyer des livres par son libraire de Paris, Delorme, mais n'en espère pas moins qu'il restera à Ostende jusqu'au retour d'Adrien. Crainte qu'il ne soit seul à Paris ? De son exil béarnais, elle s'emploie, en bonne mère de famille, à planifier l'organigramme des vacances. Pas facile, avec les allées et venues de son voyageur de mari :

« J'ai reçu ce matin une dépêche de ton père en excursion "Admirablement" etc. » note-t-elle, avec son habituel humour expéditif.

Cependant, la fin de cette année va bouleverser l'univers familial qui faisait son bonheur.

C'est d'abord le départ de Marcel pour l'armée. Besoin d'autonomie ? Nécessité en premier lieu de devancer l'appel s'il veut bénéficier, en ce centenaire de la Révolution, d'un an de volontariat à la place des cinq ans réglementaires, avant le changement de la loi qui portera à trois ans le service militaire pour tous. Engagé le 11 novembre 1889, il est incorporé à Orléans le vendredi 15 novembre, au 76ᵉ régiment d'infanterie comme soldat de 2ᵉ classe. De cette période, nous disposons de dix-sept lettres de Jeanne à son fils, et d'une seule de ce dernier à son père, tout à la fin de son engagement. Le reste de la correspondance a disparu, et en particulier, la totalité des lettres de Marcel. Mais celles de Jeanne, qui couvrent une période de dix mois (du 14 décembre 1889 au 23 septembre 1890) sont un document essentiel pour tenter de mieux saisir la relation entre cette mère et son fils, au moment crucial où il essaye de prendre une certaine indépendance. Il aurait pu se faire réformer (sa santé et les relations de son père l'y autorisaient), ou reculer l'échéance. Il ne l'a pas fait. Son départ à l'armée a lieu dans la droite ligne des événements des deux dernières années. Il a 18 ans, l'âge où l'on aspire à s'évader du cocon familial. Contre toute attente, cette année va lui réussir, tant physiquement que moralement. Pas d'asthme, même s'il tousse tant la nuit que l'officier lui conseille de chercher un logement en ville, pas de mélancolie ni de tristesse noire, comme il l'expliquera à son père. Il s'adapte, et si ses performances sportives sont des plus médiocres – contrairement à Robert, il se montre incapable de tenir à cheval –, il réussit plutôt bien ce passage initiatique à l'âge d'homme et en gardera un excellent souvenir. Seul le premier mois a dû lui paraître rude, et Jeanne tente de le réconforter par des images plus adaptées à un gamin de 10 ans qu'à un grand dadais en uniforme :

> « Enfin mon chéri, il y a un mois de passé, il ne te reste plus que onze morceaux à manger du gâteau, sur lesquels une ou deux tranches se consommeront en congés.
>
> J'ai pensé à un procédé pour t'abréger le temps. Prends onze tablettes de chocolat que tu aimes beaucoup, dis-toi que tu ne veux en manger une que le dernier jour de chaque mois – tu seras tout étonné de les voir filer – et l'exil avec[263]. »

De l'oralité comme remède à la séparation...

Mais ces consolations enfantines font aussi partie d'un jeu entre mère et fils, un langage codé qui n'apparaît sous la plume de Jeanne que lorsque son fils est malheureux. Alors, d'instinct, elle retrouve les mots ou les images qui consolent l'enfant en lui, et le rassurent. A l'angoisse de son fils ne peuvent répondre que les mots caressants qui apaisaient jadis le petit Marcel. Tendresse maternelle qui fait du bien.

C'est leur première vraie séparation. Et l'on peut se demander à qui elle coûte le plus. « En un dimanche passé sans te voir combien vont de dimanches avec toi... Avec toutes les opérations du monde, il restera un nombre d'heures infinies à passer quand tu n'y es pas[264] », lui écrit-elle, filant la métaphore arithmétique de l'absence. Mais de son inquiétude elle-même, elle ne lui dira rien, tout en la laissant entendre. Comment ne se ferait-elle pas de souci pour ce garçon fragile qui, quelques mois plus tôt, retenait difficilement ses larmes quand elle partait ? Elle craint pour sa santé, elle redoute son peu d'aptitudes physiques, et son terrible « manque de volonté ». Ses camarades, plus rudes, plus frustes, ne risquent-ils pas de se moquer de lui ? Et s'il fait de mauvaises rencontres ? Elle a mille raisons d'appréhender cette expérience, et mille raisons d'espérer sa réussite. « Sois vainqueur d'un combat dont ton bonheur et le nôtre sera le prix », l'encourage-t-elle. Double langage que nous retrouvons tout au long de ces lettres : sois un homme et reste mon petit garçon. *Sursum corda*, petit loup !

A travers ses missives, se devine aussi le vide laissé par l'absence de son fils. Elle lui écrit tous les jours, et attend avec impatience ses réponses. Elle guette le facteur, espère une permission. Quand celle-ci est annulée (ou que Marcel la passe ailleurs, par exemple rue de Miromesnil, chez Jeanne Pouquet, la fiancée de son ami Gaston de Caillavet), quelle déception ! « Ah que ce temps est long à mon impatience ! » soupire-t-elle, citant sa chère *Esther*.

Parfois, alors, c'est elle qui vient le voir à Orléans en train.

> « Si le dimanche suivant tu ne devais pas venir, là j'irais te trouver – mais si tu étais libre dans le courant de la semaine prochaine, je l'aimerais encore mieux.
>
> Donc médite si nous nous verrons à Orléans la semaine prochaine au jour que tu me fixerais[265]... »

Sans doute lui a-t-elle-même fait des reproches assez vifs car il est apparu « une nébuleuse dans (leur) firmament ». Marcel, comme un enfant, a dû promettre de s'amender. Elle attend maintenant l'exécution exacte de ces promesses – sans doute, écrire plus souvent.

> « Premier acte de contrition, ajoute cette mère impitoyable, achète, je te prie dix cahiers de grand papier à lettre quadrillé (ce qui fait soixante feuilles doubles).
>
> Deux paquets d'enveloppes blanches s'y adaptant exactement (total cinquante enveloppes).
>
> Et tu réserveras spécialement pour l'écrire à moi ces soixante lettres, cela me sera agréable[266]. »

« Cela me sera agréable » : une reine... On comprend que la discipline militaire paraisse légère à Marcel ! Si l'on considère qu'il lui reste un peu plus de deux mois de service, le voilà équipé pour une lettre quotidienne à Maman. Quant au format des enveloppes, il évitera que le papier soit déchiré aux quatre coins comme la dernière fois...

Ce mélange d'exigence, d'autorité, de tendresse et d'humour donne le ton de leur relation. Cependant, rien d'excessif ou d'infantilisant, la plupart du temps, dans les formules affectueuses qu'elle emploie ; pas de « crétinos » ou de « petit serin », ou de « ta Maman pense que... » comme dans la version qu'en donnera Marcel Proust dans *Contre Sainte-Beuve*. L'emprise de Jeanne est beaucoup plus subtile. Elle signe J.P. et non « ta mère » ou « maman ». « Cher petit » est la formule qui revient le plus souvent sous sa plume, à peine une fois ou deux l'appelle-t-elle « loup » (comme elle le fait pour Robert, notera Marcel) ou « mon chéri ». « Mille et mille baisers », « je t'embrasse mille fois » sont des expressions bien naturelles sous la plume d'une mère aimante dont le fils est absent. Un jeudi seulement, alors qu'elle est toute à la déception de ne pas avoir reçu de lettre de lui, elle écrit :

> « Je te quitte tendrement, t'embrasse tendrement, t'aime tendrement et compte t'étreindre tendrement, Samedi ? »

Langage d'amoureuse.

L'essentiel de ses lettres est consacré à ce qu'elle nomme « le rapide bulletin de ma journée », et aux nouvelles familiales. Une large place est accordée à Robert, sur lequel elle a peut-être reporté une partie de sa sollicitude maternelle...

> « Aujourd'hui Robert va au cours de Boutrou et n'en "manquera plus un".
>
> "philo sum et nihil philo mihi etc."
>
> Mon loup, ce matin ton père ne devant pas rentrer j'ai déjeuné à 10 heures 1/2 avec Robert, puis après j'ai fait essuyer le clavier du piano de mon fils où la bougie stalactitait la poussière puis – une heure d'exercices conscien-

cieusement faits – tandis que Robert lisait sa physique auprès de moi.

Après – toute rhumatisante de raideur – j'ai cessé puis j'ai dicté à Robert des problèmes d'algèbre qu'il écrivait au tableau noir[267]. »

On voit qu'elle suit le travail de son cadet avec autant d'attention que celui de l'aîné, tout comme ses amitiés. Bien lui en prendra, car il sera reçu cette même année aux deux baccalauréats, ès sciences et ès lettres. Cela n'empêche pas Jeanne d'être souvent moqueuse à l'égard de Robert, dit Proustowitch, surnommé aussi Dick ou Robichon. Elle tourne en ridicule son caractère grincheux, voire insupportable ; elle se moque, non sans une certaine cruauté, de son ignorance en matière de poésie :

« Ce matin je lui ai fait dire : Oh, très chiic ! à du Casimir Delavigne que j'avais étiqueté Lamartine (je dois dire qu'il n'y avait que deux vers). Par extraordinaire – il l'a pris comme il le devait – en riant[268]. »

Subtile façon de diviser pour mieux régner ? D'entretenir sa complicité avec l'aîné (« mon fils ») en se moquant du cadet ? Mais en l'absence de sa correspondance avec Robert, rien n'empêche de penser qu'elle en fait autant à propos de Marcel... Les remarques le concernant sont presque toujours caustiques ou critiques. Cela n'a rien à voir avec son amour pour lui. Son propre frère, Georges, comme son père et son grand-père, ont eux aussi « mauvais caractère ». Peut-être reproduit-elle l'attitude de sa mère avec Georges, réservant à Marcel la relation privilégiée qu'elles ont entretenue. Élève studieux, Robert est pourtant un garçon élégant, sportif, bon vivant et indépendant : l'antithèse de son aîné. A 8 heures du matin, en « complet irréprochable », il rejoint un camarade pour canoter au bois de Boulogne. « Rentré à midi, grignoté une demi-livre de viande, de pain, de légumes, de fromage et de pruneaux – reperfectionné le complet puis reparti avec Clément – récemment exhumé – pour des lieux inconnus[269] », note avec malice Jeanne.

Difficile de ne pas voir aussi les ressemblances avec Adrien, actif, infatigable... et toujours par monts et par vaux ! Décidément, Robert est du côté des hommes. Il lui échappe. Pendant ce temps, Marcel est le « pauvre grand exilé », tout près du cœur de sa maman. Inclination des mères pour l'enfant qui a le plus besoin d'elles...

Seule consolation : les photos. Ah ! ces photographies. Elles sont l'objet de longs commentaires entre la mère et le fils. Si celle de Marcel en manteau militaire, coupe au bol, une main dans son giron et un livre dans l'autre, lui donne l'air tout à la fois, comme le dit avec drôlerie Ghislain de Diesbach, « d'un clown travesti en garde municipal et d'un icoglan esquissant un pas de danse », elle n'en réjouit pas moins le cœur de Jeanne. Marcel sourit, joyeux. Il a l'air en bonne santé. Mais lui semble déçu par les siennes. La faute en est au photographe, se justifie Jeanne. Elle a dû poser trop longtemps. Quant à la suivante, prise par Robert, il l'a fait regarder en hauteur, d'où son air inspiré ! Décidément, elle n'est pas photogénique. L'instantané lui vaudrait mieux que la pose. On voit s'esquisser un thème qui occupera une place importante tant dans la vie que dans l'œuvre de Marcel Proust. Substitut, objet fétiche, possession symbolique, la photographie livre parfois au regard attentif des secrets que la trop grande proximité ne permet pas de voir. « Les lèvres rentrées » de Jeanne sont-elles un signe de « préoccupation morale » comme le pense Marcel, ou une simple question d'« objectif » ? A chacun sa version.

Les lettres de Jeanne à Marcel sont aussi l'occasion d'une chronique familiale, d'où tout tragique est évacué. Georges est en cure ou dîne avec elle et Nuna à Auteuil, Nathé assiste à la distribution des prix des sourds-muets, Louis, fidèle à lui-même, se montre généreux et vantard. Jeanne ne résiste pas au plaisir de conter l'anecdote à son fils :

« Ton oncle, voulant acquitter une paire de rideaux que Marie lui a brodés cet hiver lui donne demain quinze août fête de son homonyme une chaîne en or – achetée par lui chez Dupont [le grand-père de Mayer Dupont-Mouillot]. Et afin que Jupiter ne quitte jamais l'Olympe, depuis huit jours il est occupé à table à faire des proclamations sur Dupont destinées aux oreilles d'Octave :

"N'est-ce pas, Nathé, c'est la première maison, de Paris ?

— Alors, toutes les corbeilles princières, tous les grands achats ils les ont ?

— Ah, c'est la maison la plus chère de toutes, mais ils ont raison, ils en ont le droit. Quand on a comme eux ce qui se fait de plus beau", etc.

Et chaque soir reprise avec variante.

Nous arriverons sans doute, ajoute Jeanne avec malice, à ce que "c'est lui qui avait fourni le 'collier de la reine' volé à Marie-Antoinette[270]". »

Son esprit frondeur n'épargne personne. Il est part de la gaieté qui anime ses lettres, regard amusé sur le monde, puissant moyen aussi d'évacuer ou de masquer tout sentiment négatif : pas de rancune, pas de colère, pas de souffrance.

Or, en dehors même de l'absence de son fils, Jeanne a toutes les raisons, pourtant, d'être profondément malheureuse : sa mère vient de mourir.

17

VERGISS MEIN NICHT

Des mots allemands, trois expressions écrites en gothique comme la signature d'un passé venu du fond des âges, quelque chose qui est elle et ne l'est pas, quelque chose qui cherche à se dire, et ne le sait pas. Jeanne si française, si éprise de la langue dont son fils deviendra l'un des maîtres – mais n'oublions pas que certains lui reprochent encore la longueur de ses phrases, leur construction complexe, si peu fidèle à l'élégance française –, Jeanne les a tracés, de cette autre écriture, calligraphie aux contours anguleux et moyenâgeux, temps du ghetto, ruelles sordides, échoppes obscures, barbes et papillotes, femmes en perruque, enfants blafards. Écriture gothique que pratiquent encore les Allemands, mais qui charrie des générations de Berncastel nés et grandis à Trèves, boutiquiers, horlogers, brocanteurs, marchands de faïence, de lampes, de bimbeloterie, dont les descendants ont tenté leur chance en France, en Angleterre, et puis ce seront les États-Unis et plus loin encore l'Australie... Six mots en tout et pour tout sous la plume de Jeanne, comme une douceur, un adieu. Une porte entrouverte sur la complicité avec la langue de ses ancêtres venus d'ailleurs, que connaissent tous ceux dont les ancêtres sont venus d'ailleurs, mots de plus en plus rares au fur et à mesure qu'on avance dans les générations, et que ne se parle plus la langue des ancêtres. La proportion s'inverse, le métissage s'amenuise, puis tout disparaît. On s'est enfin fondu dans la société française, on a épousé un professeur de médecine, fils d'épicier beauceron (pas un commerçant juif, surtout), les enfants sont baptisés, ils ont fait leur communion. Catholiques français comme tout le monde. Et quelques mots se glissent dans une lettre, hommage inconscient à la mère, et au père de la mère, ce Nathan Berncastel venu en pleine guerre de l'Empire, ne parlant pas le français, ou si peu et recevant la nationalité française moins comme un dû que comme une grâce.

Ces mots allemands sous la plume de Jeanne sont exceptionnels. Comme Proust nous la montrera utilisant pieusement quelques modestes objets ayant appartenu à sa mère, Jeanne glisse dans ses lettres ces quelques mots de la langue de sa famille, juste avant et juste après sa mort.

Les premiers closent la lettre écrite à Marcel alors qu'il est chez les Finaly à Ostende.

« Adieu mon chéri. Tausend Küsse pour parler ta nouvelle langue[271]. »

Nouvelle langue, ou ancienne ? Comme les Berncastel, les Finaly sont venus d'Allemagne. La mère de Madame habite encore l'Autriche. Marcel fait un séjour linguistique, en quelque sorte ! Ne perdons pas une occasion de l'instruire. Et de faire un clin d'œil involontaire aux origines communes avec ces Finaly, dont la féroce caricature, on l'a dit, se nommera la tribu Bloch. Mille baisers, mon chéri.

Le deuxième mot s'applique encore à Horace Finaly.

« Je vais tâcher de voir Finaly pour avoir quelques détails sur toi. Mais je crains qu'il ne s'arrête au Gebaüde et n'ait pas cherché à pénétrer ton existence et ton état[272]. »

Le *Gebaüde*, c'est le bâtiment principal, la construction. Ce qu'on a édifié sur les fondations. Gebaüde qui donne à voir la façade, mais pas l'être profond. Gebaüde qui peut mentir sur l'essentiel, qui, lui, n'échappe pas à l'œil d'une mère. Gebaüde de la réussite sociale, qui ne dit rien du manquement à la lignée. Mais façade aussi de cette lettre presque silencieuse sur l'angoisse profonde de Jeanne : l'absence de son fils, la maladie de sa mère.

« Je me flatte que je recevrai demain une bonne longue lettre qui me tiendra lieu d'un petit peu de toi.

Ta grand-mère est aujourd'hui au lait – toujours par dose homéopathique – elle ne consent à la prendre que moyennant qu'il n'aura pas le goût du *lait*. »

Proust expliquera dans *Le Côté de Guermantes* comment le traitement contre l'albumine du docteur Cottard échouera, parce que dans le lait on a ajouté du sel afin d'en effacer le goût.

Nous sommes en septembre 1889. Tout laisse à penser que les premiers signes de la maladie d'Adèle sont apparus. Vertiges, fatigue extrême, pâleur, nausées, fièvre légère, membres enflés, cécité passagère, surdité... Proust a dressé un tableau clinique très précis des maux dont souffrira sa grand-mère jusqu'aux ultimes malaises, l'attaque cérébrale et l'agonie. Il n'a pas assisté aux différents stades de l'urémie qui va l'emporter, puisqu'il est à Orléans. Mais nul doute que Jeanne, dans les lettres que nous n'avons pas, le tient au courant de la santé d'une grand-mère qu'il adore. Peut-être ne donne-t-elle pas tous les détails, peut-être s'efforce-t-elle de le rassurer. On sait que Proust, dans les pages bouleversantes sur la mort de la grand-mère, puisera aussi dans son souvenir de l'agonie de sa propre mère puisque Jeanne, comme son frère Georges, poussera l'amour filial jusqu'à mourir de la même maladie[273].

Reste la troisième et dernière expression. Elle dit tout : *Vergiss mein nicht*, ne m'oublie pas. Adèle est morte. Jeanne, comme une timide offrande au printemps, joint, un jour d'avril, le lilas au myosotis, la fleur fétiche de son fils à celle du souvenir, comme elle a plus haut, dans la même lettre, associé *Le Roman d'un enfant* de Loti, que lui a donné à lire son fils, et Mme de Sévigné.

> « Adieu mon chéri je t'embrasse tendrement avec un point d'orgue à prolonger jusqu'au prochain baiser.
>
> Ton lilas blanc penche la tête mais le Vergiss mein nicht est tout frais[274]. »

La lecture du livre de Loti lui a fait du bien, elle rencontre chez Mme de Sévigné des mots qui évoquent l'absente et lui font plaisir : nous ne saurons rien de la douleur profonde de Jeanne, de sa blessure inguérissable qu'elle ne veut pas faire peser sur son fils. Même délicatesse de la part de celui-ci, qui évite de lui montrer son chagrin. Mère et fils en miroir, comme naguère mère et fille. Dans une très belle lettre, Jeanne montre le chemin du deuil à Marcel, songeant sans doute qu'un jour c'est au sien qu'il devra se confronter.

« Cher petit,

Pourquoi ne m'avoir pas écrit "parce que tu passais ton temps à pleurer et que je suis assez triste" ? Je n'aurais pas été plus triste, mon cher petit, parce que tu m'avais écrit à ce moment. Ta lettre aurait porté le reflet de ce que tu éprouvais et pour cela même elle m'aurait fait plaisir. Et d'abord jamais je ne suis attristée en pensant que tu penses à ta grand-mère ; au contraire, cela m'est extrêmement doux. Et il m'est doux aussi de te suivre dans nos lettres – comme je te suivrais ici – et que tu t'y montres toi, tout entier. Donc, mon chéri, ne prends pas pour système de ne pas m'écrire pour ne pas m'attrister, car c'est l'inverse qui se produit. Et puis mon chéri, pense à elle – chéris-la avec moi – mais ne te laisse pas aller à des journées de pleurs qui t'énervent et qu'elle ne voudrait pas. Au contraire plus tu penses à elle, plus tu dois être tel qu'elle t'aimerait et agir selon ce qu'elle voudrait[275]. »

Marcel, bien plus tard, saura extraire de sa mémoire le souvenir de la tristesse maternelle, de la veille autour du lit de la malade, et de la blessure inguérissable faite ce jour-là au cœur de Jeanne. A peine lui a-t-il appris la légère attaque dont vient d'être victime sa grand-mère :

« Dès mes premiers mots, le visage de ma mère atteignit au paroxysme d'un désespoir pourtant déjà si résigné, que je compris que depuis bien des années elle le tenait tout prêt en elle pour un jour incertain et final[276]. »

Jeanne ne pose pas de question, elle « pleure sans larmes ». Elle s'empresse autour de sa mère et l'aide à monter sans regarder son visage déformé, par pudeur, par respect, par souffrance et, ajoute Proust, « peut-être pour mieux garder plus tard intacte l'image du vrai visage de sa mère, rayonnant d'esprit et de bonté[277] ». Mère et fille rivalisent pour minimiser la maladie, et s'épargner mutuellement le spectacle de la souffrance et de la déchéance. Je ne souffre pas, prétend la mère, je pleure de rester couchée par ce beau soleil... Nous allons trouver quelque chose, ma petite maman, tu seras bientôt guérie, répond la fille.

> « Et penchée sur le lit, les jambes fléchissantes, à demi agenouillée, comme si, à force d'humilité, elle avait plus de chance de faire exaucer le don passionné d'elle-même, elle inclinait vers ma grand-mère toute sa vie dans son visage comme dans un ciboire qu'elle lui tendait, décoré en relief de fossettes et de plissements si passionnés, si désolés et si doux qu'on ne savait pas s'ils y étaient creusés par le ciseau d'un baiser, d'un sanglot ou d'un sourire [278]. »

Ce baiser de la fille à sa mère mourante, comment ne rappellerait-il pas l'offrande du baiser du soir, attendu par l'enfant comme l'hostie par le croyant ?

Jeanne veille sa mère jour et nuit. La morphine est impuissante à calmer la souffrance. Adèle va perdre conscience, et son agonie ne sera troublée que par de brefs retours à la vie, dont le dernier, déchirant, en fait une vieille hagarde qu'on recouche de force. La médecine ne peut rien. Proust montrera le ballet dérisoire des sommités appelées à son chevet, jusqu'au célèbre docteur Dieulafoy, collègue d'Adrien Proust, dont le passage dûment rémunéré, précède toujours de peu celui des pompes funèbres. La famille proche assiste la grand-mère, en compagnie d'un cousin, véritable oiseau de mauvais augure, surnommé par tous « sans fleurs ni couronnes ». Ce cousin, avec sa barbe et son surnom de funérailles juives, semble tout droit sorti de la famille... Quant au beau-frère de sa grand-mère, ce religieux dont l'ordre se trouve étrangement en... Autriche, il évoque bien moins un prêtre (rien de la liturgie chrétienne) que quelque juif pieux, « lisant des textes de prières et de méditations sans cependant détacher ses yeux en vrille de la malade ». Les deux sœurs de la mourante, elles, ne sont pas venues.

> « — Vous savez ce que ses sœurs nous ont télégraphié ? demanda mon grand-père à mon cousin.
> — Oui, Beethoven, on m'a dit ; c'est à encadrer, cela ne m'étonne pas.
> — Ma pauvre femme qui les aimait tant, dit mon grand-père en essuyant une larme. Il ne faut pas leur en vouloir. Elles sont folles à lier, je l'ai toujours dit [279]. »

Souvenir peut-être des deux sœurs Berncastel, Amélie et Ernestine, passionnées de musique comme Adèle...

Dignité, pudeur extrême : chez les Juifs de l'Est, alsaciens, lorrains ou allemands, l'émotion est toujours contenue. Quand elle s'exprime, c'est malgré soi et sans bruit.

> « Au pied du lit, convulsée par tous les souffles de cette agonie, ne pleurant pas mais par moments trempée de larmes, ma mère avait la désolation sans pensée d'un feuillage que cingle la pluie et retourne le vent [280]. »

Les seuls sanglots qu'on entend sont ceux de la domestique.

Adèle Weil, née Berncastel, meurt le vendredi 3 janvier 1890, veille de Shabbat. Elle sera enterrée le lundi, religieusement, dans le caveau familial des Weil, dans le carré israélite du Père-Lachaise.

Jeanne ne dira rien aux siens de sa souffrance profonde. Ils savent. Marcel est rentré à Orléans. Les lettres de sa mère sont gaies, toutes pleines de son souci des autres. Tous les jours, elle va chez son père, elle relaie Georges qui habite toujours faubourg Poissonnière, elle s'occupe de Nathé, le soigne quand il est malade, lui fait la lecture. La réalité est un formidable tuteur. Elle confiera sa tristesse à un cahier à couverture grise, pensées éparses, citations, confidences. C'est d'après ce même cahier que Marcel Proust rédigera les pages consacrées à la mort de sa grand-mère, pages si fortement empreintes de celle de sa propre mère... Lien d'encre entre mère et fille, mère et fils.

Troisième partie

18

UNE DAME EN NOIR AUX BAINS DE MER

Marée basse, camaïeu de gris et de brun sur la plage. Ce ciel changeant que je contemple de ma fenêtre des Roches noires, Jeanne et Marcel Proust le voyaient aussi quand ils venaient à Trouville en septembre. Les Roches était un hôtel, le plus luxueux. Ses oriflammes flottant au vent léger, sa vaste terrasse, la tente de toile blanche, le ciel vaporeux, les dandys, pantalon clair, veste ajustée, lavallière et canne, la mousseline aérienne des robes de la même nacre que les nuées, les ombrelles, les balcons de fer forgé, la façade de pierre et la mer couleur d'huître du côté de Honfleur ont été peints par Claude Monet, un jour de 1870. On y respire l'air vif et salé, on entend le cri des mouettes absentes du tableau et le bruit étouffé des voix sur la plage, le murmure des vagues et celui des conversations futiles.

Si la mode des bains de mer date de la Monarchie de Juillet, la fin du siècle consacre Trouville, Reine des plages face à Dieppe, surnommée par les partisans de sa rivale, la Reine des galets. Révélé en 1825 par le peintre Charles Mozin, le village de pêcheurs de quelques centaines d'habitants a conquis Dumas, Musset, Flaubert, Boudin, Monet et Courbet, et s'est transformé au fils des années en station balnéaire élégante. Aux artistes se mêle le gratin parisien, aristocrates, financiers, grands bourgeois se faisant construire des villas opulentes et gaiement polychromes, à l'architecture composite, mêlant la pierre, la brique et le bois. Style oriental, normand, néogothique, elles font aujourd'hui encore le charme de Trouville. Comme pour les stations thermales, l'essor des villes balnéaires est lié à celui du réseau ferroviaire. La gare de Trouville est construite en 1863. Désormais, il faut cinq heures à peine pour venir de Paris. Dès cette date, Adolphe Crémieux achète pour 105 000 francs un « chalet » construit par Celinski juste derrière les Roches noires. Un an plus tard, Mme Aubernon, qui règne avec despotisme sur son salon parisien à deux pas de chez les Proust, fait construire le Manoir de la Cour brûlée. En 1869 on bâtit « sur le faîte de la falaise » pour Arthur Baignères, les Frémonts, une « nouvelle et splendide villa en L[281] » dont la vue parcourt mer et campagne. Marcel Proust s'en inspirera pour la Raspelière, la propriété des Verdurin. La maison a été louée aux Finaly, ces riches financiers chez qui Marcel est allé à Ostende deux ans plus tôt. Horace de Landau, l'oncle de Mme Finaly, l'achète pour l'offrir à sa nièce. Marcel y séjourne en octobre 1891 et en août 1892. Il retrouve à Trouville les Baignères et les Straus, les parents de son ami Jacques Bizet, qui eux aussi vont avoir leur villa.

Les salons parisiens se transportent en effet au bord de la mer durant la saison qui s'achève en octobre, quand débute celle de la chasse. Les robes d'organdi et les panamas l'emportent désormais sur les bonnets rouges des pêcheurs traînant leurs crevettières, à mi-jambes dans l'eau froide. Théâtre, musique, casino, courses de chevaux à l'hippodrome de la Touques à Deauville, réceptions, promenades sur le « chemin de planches », escapades dans les fermes auberges, à travers la campagne au-dessus de Trouville ou vers Honfleur, et bien sûr, pour ceux qui le désirent ou en ont besoin, bains de mer.

On ne se baigne pas encore par plaisir, mais par obligation thérapeutique. Eau saline et iode, on retrouve les vertus curatives de Salies-de-Béarn, auxquelles s'ajoute le vent, jamais longtemps absent des plages normandes. Les Weil sont plutôt adeptes de Cabourg et de Dieppe, où Marcel et Robert sont allés enfants avec leur grand-mère. De passage à Cabourg, Marcel fera allusion à « ces années de mer où grand-mère et moi, fondus ensemble, nous allions contre le vent en causant ». Jeanne a pieusement recopié la phrase dans son carnet de notes, précisant : « Lettre de mon petit Marcel de Cabourg septembre 1891 [282] ». Nathé, profitant du Paris-Dieppe qui permettait de faire l'aller-retour dans la journée en 1re classe, pouvait alors rendre visite à sa famille et rentrer dormir chez lui !

Mais les amis de Marcel sont à Trouville. Et Robert de Montesquiou dont il vient de faire la connaissance est descendu aux Roches noires. C'est donc Marcel qui incite Jeanne à changer ses habitudes.

« Je t'approuve complètement, écrit-elle à son fils qui se charge de la réservation. Seulement arrange-toi je te prie à avoir la réponse des Roches noires le plus vite possible [283]. » Qu'il choisisse librement sa chambre, puisqu'elle emmène une femme de chambre qu'elle doublera d'une cuisinière et d'une aide s'ils décident, une fois sur place, de louer une maison.

Trois ans se sont écoulés depuis la mort d'Adèle. La douleur a perdu son tranchant ; mais le manque s'est creusé, parfois dilué dans les préoccupations quotidiennes, parfois insondable. Jeanne a dû réapprendre à vivre, non pas *sans* sa mère, mais avec l'illusion que sa mère est toujours là, qu'elle la guide dans ses décisions, dans ses lectures, dans ses paroles. Sa mère vit en elle, par elle. Jeanne garde sa tristesse pour elle-même et confie ses pensées à ses carnets. Par une sorte de pudeur mêlée d'orgueil, elle ne montre pas ses émotions. Même son fils a pu s'y laisser prendre. Trouville au lieu de Dieppe, c'est peut-être un moyen aussi d'éviter des souvenirs trop lancinants. Marcel n'a pas oublié ces quelques jours passés ensemble à Cabourg durant sa permission, en septembre 1890, huit mois après la mort de sa grand-mère. Jeanne était encore en grand deuil, tandis que lui, souffrant, restait alité la plupart du temps. Il écrira plus tard dans *La Recherche* :

> « Pour la première fois alors, je me rendis compte de ce qu'elle pouvait souffrir. Pour la première fois je compris que ce regard fixe et sans pleurs [...] qu'elle avait depuis la mort de ma grand-mère, était arrêté sur cette incompréhensible contradiction du souvenir et du néant. [...] Mais surtout, dès que je la vis entrer dans son manteau de crêpe, je m'aperçus – ce qui m'avait échappé à Paris – que ce n'était plus ma mère que j'avais sous les yeux, mais ma grand-mère[284]. »

Jeanne, constate Marcel, a perdu quelque chose de sa personnalité propre – « de son bon sens, de la gaieté moqueuse qu'elle tenait de son père » – qu'elle ne craignait pas du vivant d'Adèle d'exercer, fût-ce à ses dépens. Elle plaisantait sa mère sur ses incessantes citations de Sévigné ; elle la cite à son tour dans ses lettres à son fils. Par une sorte de mimétisme venu des profondeurs, elle voue une idolâtrie à tout ce que sa mère a aimé.

> « Non seulement ma mère ne pouvait se séparer du sac de ma grand-mère, devenu plus précieux que s'il eût été de saphirs et de diamants, de son manchon, de tous ces vêtements qui accentuaient encore la ressemblance entre elles deux, mais même des volumes de Mme de Sévigné que ma grand-mère avait toujours avec elle, exemplaires que ma mère n'eût pas changés contre le manuscrit même des Lettres. [...] Tenant à la main l'“en-tout-cas[285]” de sa mère, je la vis de la fenêtre s'avancer toute noire, à pas timides, pieux, sur le sable que des pieds chéris avaient foulé avant elle, et elle avait l'air d'aller à la recherche d'une morte que les flots devaient ramener[286]. »

Tous les jours, à Cabourg, Jeanne est descendue s'asseoir sur la plage, comme sa mère l'avait fait avant elle et a lu ses deux livres préférés, les *Mémoires* de Mme de Rémusat et les *Lettres* de Mme de Sévigné. Confite dans sa tristesse, endossant l'ombre de sa mère, elle ne sort de son rêve éveillé que pour exiger que son fils se promène un peu. Triste souvenir que ce séjour à Cabourg, venu trop tôt après la mort d'Adèle...

Les règles strictes du deuil ponctuent la douleur de la perte, la codifient, l'autorisent et en marquent l'allégement progressif. Après les neuf mois de crêpe, où seuls les lainages unis d'un noir mat sont permis, sont venus les six mois de soie noire, puis le demi-deuil de trois mois où velours, soie mate ou brillante ont pu se porter dans tous les tons du gris au violet. Jeanne est désormais vouée au noir. Sa silhouette sombre tranche sur les toilettes claires des élégantes de Trouville, qui n'hésitent pas à changer de tenue cinq ou six fois par jour. Trouville est en effet devenu « le boulevard des Italiens de nos plages normandes » où se presse « l'aristocratie la mieux née des baigneurs parisiens ».

Jeanne et Marcel resteront à l'hôtel des Roches noires[287] du 6 au 28 septembre 1893, et reviendront l'année suivante à la même époque. L'année précédente, l'hôtel a vu dans ses murs le marquis de Boyen, le baron de Gary, les Singer, le comte Stanislas Kzewaski, les Randolph, les Hauser, et Émile Zola. A l'écart du centre-ville, à l'extrémité de la plage, il donne directement sur la mer. Les guides vantent « sa magnifique vue sur l'embouchure de la Seine et des côtes du Havre ». Sa terrasse en hauteur domine la plage, marquant la distance avec le tout-venant. Édifié en 1865, il a été commandé à l'architecte Alphonse Crépinet, qui a travaillé pour les frères Pereire et construit le Grand Hôtel du boulevard des Capucines, près de l'Opéra. La façade des Roches noires évoque les immeubles de ce quartier parisien, même si le plan général s'inspire d'un château, avec ses ailes symétriques. Vers 1880, l'immeuble étant devenu la propriété d'un banquier anglais, Gustave Palmer Harding, on a aménagé 300 chambres et une vingtaine de salons. Salles de bains, salle de billard, café, restaurant, salles à manger privées, écuries, il sera aussi le premier hôtel, et longtemps le seul, à posséder un ascenseur desservant ses quatre étages. Le fameux « lift » de *A l'ombre des jeunes filles en fleurs* doit sans doute autant aux Roches noires de Trouville qu'au Grand-Hôtel de Cabourg... Le vaste salon du restaurant est orné « d'une cheminée de marbre des Pyrénées taillée de manière sculpturale ». De riches tapis, des plantes vertes, un personnel stylé, une argenterie étincelante en font l'archétype du grand hôtel du XIXe siècle. Tout est conçu pour le bien-être d'une clientèle exigeante et habituée au meilleur. Les Anglo-Saxons raffolent de son modernisme. On est d'autant plus étonné de découvrir la description de Marcel Proust, parue deux mois après ce séjour.

> « Je passai l'année dernière quelque temps au Grand-Hôtel de T. situé à l'extrémité de la plage. La fade exhalaison des cuisines et des eaux sales, la luxueuse banalité des tentures variant seule la grisâtre nudité des murs et complétant ce décor d'*exil* avaient incliné mon âme à une dépression presque morbide[288]. »

Evocation justifiée par le récit, ou impression réelle ? Il est vrai que l'hygiène des grands hôtels laisse encore à désirer. Trouville est alors un véritable foyer d'infection, et la Touques passant au milieu de la ville, un cloaque. L'afflux saisonnier de touristes est sans rapport avec les installations sanitaires déficientes. Il faudra attendre 1897 pour que, sous la houlette d'un disciple de Proust père, on construise une station d'épuration. Et ce n'est qu'en 1903 que l'hôtel disposera de l'électricité et du téléphone, d'un système de chauffage central et de nouvelles salles de bains. Une grande verrière prolongera alors la grande salle à manger[289].

Mère et fils logent au premier étage, face à la plage. « Il fait un temps charmant », et les estivants apprécient « ... le soleil rayonnant sur la mer », précise-t-il à son père, le spécialiste familial de la météo, en cure (seul ?) à Vichy, comme à l'accoutumée en cette saison. Le fils d'ajouter non sans perfidie : « comme dit Baudelaire en un vers dont tu apprécieras j'espère toute la force ». Il est vrai que père et fils s'opposent en un conflit qui n'est pas près de se résoudre. Le premier souhaite voir Marcel embrasser une carrière sérieuse : diplomate ou avoué, par exemple. Le second ne jure que par la littérature et la philosophie. S'il y a bien une chose qui le révulse, c'est la perspective d'être avoué ! Tout, fût-ce agent de change, comme grand-père, mais pas avoué. Ce conflit est un souci pour Jeanne. Elle sait que Marcel a raison et qu'il n'est pas fait pour ce type de carrière. Les mondanités et l'écriture occupent le plus clair de son temps. Il a emporté à Trouville les épreuves de textes destinés à la *Revue blanche*. Nombre de ses amis, de Fernand Gregh à Daniel Halévy se destinent également à la littérature, et en mars il a fait la connaissance de Robert de Montesquiou qui joint à la meilleure aristocratie le prestige du poète inspiré.

En juin, Marcel a même donné chez lui un dîner de camarades, en présence de ses parents et de son frère. A la droite de Jeanne, le comte Charles de Grancey, à sa gauche son ami Willy Heath. Jacques Baignères, Robert de Flers – en tout 14 personnes à table – ont été rejoints le soir par Abel Desjardins, le peintre Paul Baignères, Pierre Lavallée, Léon Yeatman et quelques autres. D'autres dîners suivront, que Jeanne présidera avec grâce et esprit. Elle sait combien ils sont importants pour son fils, avec quelle minutie il élabore le plan de table, le menu et veille au moindre détail.

Mais Jeanne sait aussi que son mari n'a pas tort. Marcel vient d'avoir 21 ans et d'obtenir sa licence de droit. Papoter dans les salons, noircir des pages et des pages de correspondance mondaine, rédiger quelques nouvelles ne constituent pas un avenir. Elle sait quels dangers, quelles facilités guettent Marcel ; elle craint son manque de volonté, le refuge de la maladie. Lui arrive-t-il de penser au fils de Mme de Sévigné, mauvais sujet, mondain et oisif ? Elle connaît les qualités de Marcel, elle sait qu'il y a chez lui quelque chose d'exceptionnel.

Elle est sûre de ne pas se tromper. Mais il est si facile de les gâcher, de les dilapider en grâces inutiles. Elle travaille depuis si longtemps à forger son caractère. « Je ne souhaite pas à mon fils d'être un artiste de génie », fera dire Marcel Proust à Mme Santeuil. N'est-ce pas déjà en avoir l'intuition et craindre qu'il ne soit malheureux ? Tous les efforts maternels tendent à lui donner le sens du travail et de la discipline sans lesquels le génie est vain.

Un métier pourrait constituer l'ossature qui lui manque. Il serait obligé de se lever le matin comme tout le monde, d'avoir un rythme de vie régulier, de moins sortir. Ces trois semaines de tête à tête à Trouville seront l'occasion pour Jeanne de convaincre son fils de trouver un compromis avec son père. D'accord pour une carrière ; mais pas celle d'avoué. Décidé à n'être « ni avocat, ni médecin, ni prêtre, ni –[290] », Marcel n'est décidément pas encore prêt à embrasser une « carrière pratique » mais commence à en accepter l'idée.

A Trouville, Jeanne partage l'emploi du temps de son fils, croise et fréquente ses relations. Ils se promènent avec les Straus, passent la soirée chez eux en compagnie de l'écrivain Porto-Riche, venu en voisin avec sa femme, et de l'historien Schlumberger, antisémite avéré mais installé à demeure chez M. Straus, avocat des Rothschild... La princesse de Sagan, dont la Villa Persane surplombe la plage, la princesse de Monaco y font des apparitions. L'admiration amoureuse que Marcel voue à Geneviève Straus se transformera au fil des ans en une profonde amitié. De quel œil Jeanne voit-elle les regards adorateurs de son fils pour cette femme de son âge[291] dont il a jadis courtisé le fils ? Leurs points communs sautent aux yeux : appartenant comme Jeanne au milieu assimilé de la grande bourgeoisie israélite, elle a, elle aussi, d'abord épousé un non-Juif, le musicien Georges Bizet, avant son mari actuel, l'avocat Émile Straus. Non-croyante, non-pratiquante, comme Jeanne, Mme Straus restera attachée à son appartenance juive : « J'ai trop peu de religion pour en changer ! » affirme-t-elle avec humour. Son rôle durant l'affaire Dreyfus sera déterminant. Son esprit est célèbre, et ses « mots », ironiques, piquants font le tour des salons du Tout-Paris. Geneviève Straus est une version mondaine de Jeanne.

Comme Marcel à sa mère, son fils Jacques lui est passionnément attaché. Mais ce garçon doué – il écrit comme Marcel, a commencé des études de médecine comme Robert – deviendra un dilettante suicidaire, dilapidant la fortune de sa mère, alcoolique, drogué, finissant sa vie tragiquement en se tirant une balle dans la bouche. Jeanne a-t-elle deviné en Jacques Bizet le fantôme du raté que pourrait devenir son fils ?

La similitude avec Mme Straus s'arrête là. Privée d'affection dans son enfance, héritière d'une famille paternelle, les Halévy, marquée par la maladie mentale, fille d'une mère instable qui a fait de longs séjours à la clinique du docteur Blanche et avec laquelle elle a entretenu de très mauvaises relations, Geneviève éprouve un besoin vital d'être entourée, admirée, adulée. C'est son garde-fou contre le doute et la dépression. « Son beau visage de tzigane, aux yeux brûlants, secoués de tics » porte la trace d'une indicible mélancolie qu'elle combat à force de véronal et autres drogues. Egérie de tout un milieu littéraire et mondain, elle est bien loin de l'esprit solide et terre à terre d'une Jeanne Proust, qui a puisé dans l'amour de sa mère et l'autorité de son père de quoi assurer son équilibre.

Lorsque Jeanne et Geneviève Straus se rencontrent à Trouville, en septembre 1893 (mais sans doute se connaissent-elles déjà, leurs fils sont allés à la maternelle puis au lycée ensemble), les Straus viennent d'emménager dans la maison qu'ils ont fait construire sur les hauteurs de Trouville, Le Clos des mûriers. Trois ans de travaux, durant lesquels les ouvriers ont œuvré à la chandelle de 6 heures du matin à 6 heures du soir ! Ce manoir de trois étages, avec ses terrasses, ses salles de bains, ses chambres de toutes les couleurs parfumées par des bouquets de roses, surplombe la mer et est entouré d'un parc magnifique de cinq hectares, si touffu que, raconte un témoin, on peut y descendre sans crainte en pyjama[292].

Escapades dans les chemins creux de Normandie que parfument « le vent du large et le sel », promenade sur les planches le long de la mer, concerts de l'après-midi au kiosque à musique, casino : les activités ne manquent pas. Quand Jeanne n'accompagne pas son fils dans ses sorties mondaines, elle reste à lire sur la terrasse. Tous les deux consacrent du temps à leur correspondance, et se retrouvent ensuite. Se baigne-t-elle ? C'est probable, et sans doute même, l'une des raisons de sa présence à Trouville. Elle aime l'eau. Bien protégée par son peignoir sous l'une des tentes installées sur le sable, elle a pu ensuite faire trempette dans le « quartier » réservé aux dames sous la protection de l'un des guides baigneurs, reconnaissables à leurs muscles bronzés, leur chapeau de cuir et leur écharpe rouge garnie de franges jaunes... et sous le regard de Marcel, resté prudemment à l'écart des embruns.

En juillet 1894, celui-ci a fait la connaissance du musicien Reynaldo Hahn. Il l'a retrouvé chez Madeleine Lemaire en août, après avoir souffert d'une fièvre rhumatismale. Les Finaly sont partis, Léon Yeatman est à Étretat : Marcel, en dehors des Straus, ne connaît que la ravissante Mme Trousseau, dont le mari est propriétaire de la Villa Simonian, et la marquise de Gallifet, l'une des « Belles de l'Empire » qui vient de faire construire son Manoir des Roches. De plus en plus intime avec Reynaldo, il tente en vain de le convaincre de le rejoindre après le départ de Jeanne, le dimanche 23 septembre. « Je n'ai plus personne à qui parler de vous depuis que Maman est partie », se plaint-il, nous confirmant ainsi qu'il a fait des confidences à sa mère.

Elle n'est certainement pas dupe, pas plus qu'elle ne l'a été de son autre fils, Robert, à qui un accident a failli coûter la vie quelques jours plus tôt, le 8 septembre 1894. Se promenant en tandem avec une amie, le toujours sportif Robert est tombé sous un chariot de charbon dont la roue lui a roulé sur la cuisse. Il a été admis dans une clinique à Rueil et « passe là les “heures les plus charmantes” qu'il ait jamais passées », dixit Jeanne. Retranchée dans une pièce du fond pour écrire à son aîné, elle attend que se disperse la foule des « internes d'Ivry et des frères d'armes de toute nature » qui entoure le jeune interne en médecine de 21 ans. Quant à Adrien, il est rentré de Vichy, « très ému par la nouvelle de la chute de son fils ». Son fils ? Il est aussi celui de Jeanne, mais sous le ton plaisant de la narration, il est difficile de déceler l'inquiétude. Il est vrai que Robert est bien soigné et hors de danger, le docteur Proust l'a confirmé. Dès qu'il ira mieux, on le transportera à Auteuil... et Jeanne rejoindra Marcel à Trouville. Son attitude un peu en retrait s'explique aussi par une présence féminine aux côtés de Robert. Discrétion maternelle... et tolérance exceptionnelle pour l'époque, puisque, écrira Marcel à Mme Catusse en 1915, « maman fraternisa à son chevet avec la petite cocotte qui le soignait ». Après tout, Robert n'a pas vraiment besoin d'elle ! Adrien est reparti pour Vichy. Son frère Georges Weil, victime du choléra en août à Versailles, est hors de danger. Mieux vaut rejoindre Marcel...

Un an plus tard, nous retrouvons Jeanne à Dieppe, en avril, cette fois, et toute seule. Georges qui devait l'accompagner a renoncé :

> « Ma petite, lui écrit-il, je suis bien incertain pour Dieppe. J'ai horreur du vent et le temps d'aujourd'hui me défrise complètement. Outre cela, paresse de me déplacer.
>
> Voilà deux jours que je passe à faire des promenades. Cela paraît ne pas trop mal me réussir. Peut-être m'en tiendrai-je à ce piétinement, mais peut-être aussi si la température se raffermit et si tu m'envoies de là-bas des rapports satisfaisants, t'enverrai-je un télégramme t'annonçant que j'irai te rejoindre.
>
> Bien des tendresses[293]. »

Marcel a préféré rejoindre son ami Pierre Lavallée. Rares sont les hôtels ouverts en cette saison, peut-être est-elle descendue au Métropole, l'un des seuls à l'être. En septembre 1896, c'est à l'Hôtel Royal qu'elle séjourne, seule encore, tout près de la plage et du casino dont les guides célèbrent le luxe : « Vue splendide de la Plage, de la Rade et des Jetées. Vaste salle à manger. Grands salons de lecture et de conversation. Grands et petits appartements élégamment meublés. Équipages pour promenades et excursions. Voitures à tous les trains. Table d'hôte supérieure. Cave exquise ; assortiment de vins fins et étrangers. » Quels souvenirs retrouve-t-elle ? Ce pèlerinage solitaire sur la plage de sa jeunesse doit être bien mélancolique. La voici à nouveau en grand deuil, affligée d'une double perte cette fois : son oncle Louis et son père sont morts à six semaines d'écart[294].

Nathé, âgé de 82 ans s'est « laissé mourir de faim en huit jours en continuant à se laisser porter trois fois par jour dans sa baignoire où Papa terrifié lui tenait le pouls tout le temps », écrira Marcel quelques mois avant sa propre mort, inquiet d'être arrivé au même degré d'inanition que son grand-père[295]. Cette fin atroce a dû d'autant plus marquer Jeanne qu'elle a entouré d'affection son père, s'occupant quotidiennement de lui depuis la disparition de sa mère. Quant à Louis, il est l'oncle chéri, il fait partie de sa vie au même titre que ses parents. Que ce soit au 102, boulevard Haussmann où elle est venue si souvent déjeuner avec son mari et ses enfants, ou à Auteuil, leur seconde résidence, il est mêlé à tant de souvenirs... La famille a vécu unie ces événements, puisque Adrien, Marcel et Robert ont entouré Nathé comme Adèle dans ses derniers moments. Le clan familial ne s'est pas désuni, et Adrien semble bien avoir eu sa place dans cette solidarité sans faille. La mort presque simultanée des deux frères préfigure celles de Jeanne et de Georges, qui mourra très peu de temps après elle.

Très affecté, Marcel a tenté de consoler sa mère. Il a lui-même perdu son confident de jeunesse, son « petit grand-père chéri » auquel il pouvait aussi bien demander de l'argent que des conseils en politique. L'oncle Louis a lui aussi joué un rôle essentiel dans sa formation et ils ont eu de longues discussions quand il était adolescent. Selon son ami Robert de Billy, « les conversations avec son oncle, M. Weil, spirituel et quelque peu caustique, ont été très importantes dans la formation intellectuelle de Marcel. Il y avait là une affection qui ne s'effrayait pas pour lui du réel et à laquelle il a été reconnaissant. Je crois que c'est dans ces entretiens qu'il a connu les détails de la structure de la société israélite[296] ». Maurice Duplay évoque, lui, sa calotte de drap (réminiscence de la *kippa* ?), son air nébuleux et ses façons mystérieuses. L'oncle Louis est mort en épicurien, sans souffrir, d'une fluxion de la poitrine qui l'a emporté dans la journée.

Nathé, lui, a été inhumé religieusement le 2 juillet à 10 heures du matin, dans la partie est du cimetière du Père-Lachaise après avoir été incinéré[297]. S'agit-il de ses dernières volontés ? Sans aucun doute. Faut-il y voir une manifestation de sa libre-pensée ? C'est probable, l'incinération étant contraire à la loi juive. Ainsi s'explique en tout cas la remarque de Marcel dans une lettre à sa mère : « Je suis très triste de ne pas te voir. Bien triste pour trop de raisons. Et pourtant à quoi bon ? Quand on voit, comme nous l'avons vu l'autre jour comment tout finit, à quoi bon se chagriner pour des peines ou se dévouer pour des causes dont rien ne restera[298]. »

Ces « peines » pour « trop de raisons » sont aussi sentimentales. Ses amours avec Reynaldo Hahn sont moribondes. Il essaye cependant par tous les moyens d'assister sa mère qui, une fois de plus, fait face : « Maman n'est pas trop mal. Elle me paraît prendre le dessus de son immense chagrin avec plus de force que je n'espérais », écrit-il à Reynaldo[299]. Il fait visiter l'appartement de la rue du Faubourg-Poissonnière à un acheteur potentiel, et accompagne sa mère au mois d'août au Mont-Dore, dont le traitement ne lui réussira pas. Le 12 juin, il a publié son premier recueil de nouvelles, *Les Plaisirs et les Jours*, préfacé par Anatole France et illustré par Madeleine Lemaire et il guette avec inquiétude les premières critiques. Néanmoins, il participe à la tristesse de Jeanne, ayant compris qu'il ne servait à rien de la lui cacher comme lors de la mort de sa grand-mère. On devine son attachement à ce grand-père qui est peut-être, pour lui, la véritable figure du père. Ainsi partage-t-il le deuil de sa mère, uni à elle, parlant en leur nom à tous deux, vivant les mêmes sentiments sans que se lise l'écart de génération entre eux :

> « Cette photographie de grand-père est très bien. Il me semble toujours que c'est une véritable injustice non que nous soyons séparés de lui, mais lui de nous qui lui appartenions tant, et lui appartenons toujours, qu'il aimait tant, qu'il avait reçus, et faits aussi, siens. Nous sommes comme une maison sans maître[300]. »

A peine rentrée du Mont-Dore, Jeanne est donc repartie pour Dieppe. Son état de santé l'exige-t-il ? Rien n'en transparaît dans les lettres de son fils, surtout préoccupé par la sienne sur laquelle il lui donne force détails. Heure de lever, de coucher, médicaments, tout y est, Jeanne ne peut pas se plaindre, elle saura tout Son fils va bien, elle doit être rassurée. Elle a voyagé seule en train – elle se rendra ensuite de Dieppe au Tréport –, savourant le trajet. Et cette fois, elle se baigne, suivant les consignes de l'établissement de bains. « Marche, baigne-toi, ne *pense* pas trop, ne te fatigue pas à m'écrire trop longuement et laisse-moi te remercier encore pour la douceur de ces semaines que tu m'as fait passer si heureuses », lui écrit Marcel avec tendresse. Chacun veille sur l'autre à distance. Et si Marcel ne lui épargne pas quelques corvées (« présenter ses lettres de créance à Madame Lemaire », écrire de sa part à Robert de Billy et à Robert de Flers...), elles témoignent de leur parfaite complicité. Il lui donne des nouvelles de Robert, charmant au retour avec lui. « D'ailleurs il est charmant Léon » – ce qui est peut-être moins habituel qu'on ne le pense –, et l'entretient minutieusement des affaires domestiques du boulevard Malesherbes. Elle écrit aussi à son fils cadet, et correspond, chose plus étonnante, avec Reynaldo Hahn qui affirme, au grand dam de celui-ci, que Marcel et lui se voient tous les jours à Saint-Germain-en-Laye.

Malgré pluie et vent, Jeanne, elle, tient à poursuivre sa cure.

> « Je n'ai pas chaud avant mon bain, explique-t-elle du Tréport où elle s'est rendue ensuite, toujours seule, puisque je suis assise depuis 3/4 d'heure au moins. Je n'ai pas froid en sortant puisque je bois toujours en quittant l'eau. Ce qui est bien pénible ce sont les galets sous les pieds. Les espadrilles sont une protection bien illusoire. »

Comme tous les baigneurs, elle doit se conformer aux instructions de l'administration des bains [301]. On ne peut se baigner que si les pavillons sont hissés. En général, c'est le matin. Mais il arrive qu'elle soit obligée de déjeuner très tôt, à 10 h et demie, pour pouvoir se baigner l'après-midi. Trois ou quatre heures de délai pour la digestion sont indispensables, si on veut éviter l'hydrocution. L'hôtel du Tréport est à la pointe du modernisme : « des closets avec une planche à écrire comme ceux de la maison – mais ce qu'ils ont de plus c'est la lumière électrique s'allumant pour éclairer nos œuvres et s'éteignant après... ». Quant au « leitmotiv des sommiers élastiques », un deuxième matelas est parvenu à le dominer !

Elle profite de sa solitude pour lire *Splendeurs et*

Misères des courtisanes de Balzac, et plus que de la mort de Rubempré[302], s'afflige de celle d'Esther, la fille de l'usurier juif Gobseck, devenue prostituée. Esther, encore et toujours...

Tout entière dans le concret, toujours pragmatique et efficace, elle n'entend pas non plus se laisser dicter sa conduite. Marcel aimerait qu'elle reste plus longtemps – jusqu'au 15 octobre – pour lui permettre de la rejoindre, Papa serait beaucoup plus libre pour les fêtes russes, plaide-t-il, ces somptueuses cérémonies organisées par la République pour la venue du Tsar à Paris. Le président Faure doit avoir réservé des places de faveur à son ami le docteur Proust... Mais elle reste ferme sur ses positions :

> « Mon chéri, tu es bien gentil – et moi aussi. Je ne reviendrai pas par fantaisie (ton père m'a d'ailleurs offert de ne rentrer que le 1er) mais je reviendrai lorsque les bains commenceront à me fatiguer – je les prends avec ardeur et en tirerai tout le bien que j'en puis tirer – c'est tout ce que je puis te promettre[303]. »

Elle rentrera quand elle veut. Ni plus tôt, ni plus tard.

19

LE VERRE BRISÉ

Ainsi, elle était orpheline. Vouée au noir. Elle en avait pris conscience avant même la mort de son père en jetant la pelletée de terre sur le cercueil de son oncle Louis. Étrange coutume que celle de participer à l'ensevelissement des siens, comme s'il fallait au plus vite séparer les morts des vivants pour continuer à vivre. Rien n'embellit la mort dans le rituel juif. Le corps nu est glissé dans le linceul blanc. Ni fleurs ni couronnes. Un caillou déposé sur la tombe en guise d'offrande, un *kaddish*[304] psalmodié en hébreu et en araméen. Louis Weil avait refusé tout éloge, même dans la presse. On s'en était tenu à un simple avis[305]. Toute la famille, tous ceux qui l'avaient chéri pour son hospitalité et sa stature morale étaient là. La tante Frédérique, veuve de Godechaux Weil, et la tante Amélie de Beauvais (la « mère Weil ») marchaient difficilement. Jeanne remarqua que ses cousines, les « Trois Grâces », Jenny, Hélène, Claire, étaient elles aussi des femmes mûres. Marcel, la tête couverte comme tous les hommes, retenait difficilement ses larmes. Nathé fixait le sol pour cacher son désarroi. Jeanne eut le cœur serré en le regardant. Il avait perdu son frère et son meilleur ami. Leurs chamailleries n'étaient que la forme pudique de leur affection, le signe de leur complémentarité. Il savait que, bientôt, ce serait son tour.

Avant le départ du cortège pour le Père-Lachaise, un incident tragi-comique était survenu, comme un ultime clin d'œil de Louis Weil. Marcel avait prévenu de sa mort son ancienne maîtresse, l'éternelle Laure Hayman que ses bons et loyaux services auprès des mâles de la tribu avaient élevée au rang officieux d'amie de la famille. L'ancienne cocotte avait 45 ans et s'adonnait, non sans talent, à la sculpture. Un cycliste apporta une couronne de sa part au domicile du mort, 102, boulevard Haussmann où l'on s'était réuni avant de partir pour le cimetière. A sa vue, Marcel fondit en larmes et fit embarquer la couronne, qu'on ne pouvait mettre sur le char dépouillé de tout ornement. Jeanne, qui attendait au cimetière, eut la surprise de voir arriver les fleurs avec le cortège, comme un symbole des innombrables conquêtes de l'oncle Louis. Elle demanda qu'on les descendît dans la tombe avec le vieux séducteur. Plus tard, Marcel envoya à Laure une épingle à cravate de l'oncle Louis en guise de remerciement.

Avec la mort de son oncle et de son père, Jeanne était devenue très riche. Nathé, son père, n'avait pas fait de testament. Ses biens et ceux d'Adèle lui revenaient à part égale avec Georges[306]. Louis, lui, leur léguait par testament son appartement du boulevard Haussmann[307], la maison d'Auteuil réduite à la valeur de son terrain[308], ainsi que des rentes et des actions ; il n'oubliait pas ses neveux Proust, à qui, dans un codicille ajouté en 1887, il donnait 100 000 francs, dont ils disposeraient par moitié à leur mariage. Ce capital, placé en fonds d'État, leur assurait une rente annuelle de 2 000 francs chacun.

Sa générosité légendaire, qui contrastait avec le sens de l'économie de son frère, ne se démentait pas : il faisait don, selon la coutume juive, de 5 000 francs aux pauvres de la communauté [309]. On n'avait jamais fait appel à lui en vain.

Jeanne en avait fait l'expérience quand elle avait intercédé pour sa cousine Hélène. Hélène avait perdu quatre ans plus tôt son mari, Camille Bessière, gestionnaire d'une compagnie d'assurances [310]. Elle s'était retrouvée dans le besoin avec ses trois enfants.

> « Ma chère amie
>
> « J'ai reçu ta lettre et je l'ai envoyée à mon oncle Louis. Il m'a répondu ce matin de venir lui parler à trois heures, ce que j'ai fait et il m'a dit ceci : "Ta tante et moi nous avons toujours eu un faible pour Hélène ; elle n'a pas été heureuse. Voici ce que je veux faire pour elle ; puisque, contre mes calculs, elle ne se tire pas d'affaire avec ce qu'elle a et avec la pension que ton père lui fait et la mienne – à dater du 1er Janvier 1896, j'élèverai de 1 200 fcs sa pension, soit, au lieu de 1 800 ce sera 3 000 que je lui enverrai en quatre trimestres de 750 chacun. Pour l'avenir, elle n'a pas à s'attrister ; tant que je vivrai, je maintiendrai cette pension ainsi que les 2 000 de pension de sa mère. Après moi, je laisserai à Hélène cent mille francs ; à sa fille cinquante mille francs ; si la fille se marie de mon vivant, je lui reconnaîtrai ces cinquante mille francs dans son contrat ; si elle se marie après, elle les touchera directement. Et pour le présent, je te remettrai un chèque de deux cents francs pour remédier à son embarras." J'étais ma pauvre amie bien heureuse pour toi et je n'ai pas pu obtenir que mon oncle t'annonce lui-même ses bonnes intentions, il m'a dit : "Non, je ne veux ni lettres ni correspondance je t'ai dit ce que j'ai à te dire et j'exige que ce soit toi qui l'écrives." Maintenant veux-tu pour mettre ma responsabilité à couvert, après que tu

auras lu cette lettre, ne pas perdre une minute pour me la renvoyer, toutefois après avoir pris le temps de m'écrire sur la dernière page que tu l'as bien reçue et lue. [...] Mon oncle m'a dit "je ne veux pas de correspondance, je ne veux pas de lettre, je ne veux pas de remerciements", mais pour cette dernière clause, je pense que tu désobéiras de grand cœur. Mille tendresses ma chère amie et joie de la tienne.

J. Proust

Réponds-moi simplement 1 à 2 lignes accusant réception et mets à la poste sans perdre un instant pour que l'envoi parte aussitôt[311]. »

Oui, une fois de plus, la solidarité familiale avait joué[312].

Une époque s'achevait. Bientôt, la propriété d'Auteuil serait vendue. Le nouveau propriétaire ferait détruire la maison et construire des immeubles. Jeanne et Adrien louèrent pour l'été 1897 un chalet au Parc des Princes. Dans une scène émouvante, Marcel Proust montre M. et Mme Santeuil passant par Auteuil pour aller au Bois. « Ferme les yeux », recommande M. Santeuil à sa femme chaque fois qu'ils approchent des constructions nouvelles. Parfois, elle appuie la main sur ses yeux pour cacher ses pleurs[313].

Avec la vente de la rue La Fontaine, affluent les souvenirs. Ainsi, ce jour où Robert était arrivé en retard au déjeuner. Il était allé canoter sur le lac du bois de Boulogne. Le professeur Duplay, sa femme et leur fils Maurice étaient invités. On déjeunait dans le jardin de l'oncle Louis. On en était au dessert quand Robert fit son apparition. Il s'excusa piteusement, et s'approcha de sa mère pour l'embrasser ; elle détourna la tête. Marcel contemplait la scène, au bord des larmes. Il se leva chancelant, en faisant signe à son frère de le suivre. Jeanne leur emboîta le pas. Avait-il eu un malaise, un début de crise ? On les retrouva au salon tous les trois. Marcel avait utilisé ce subterfuge pour réconcilier sa mère avec son cadet[314].

Cette anecdote confirme l'image rapportée par Robert Proust d'un Marcel veillant sur son frère « avec une douceur infinie, enveloppante et pour ainsi dire maternelle[315] ». Chacun est à la fois le grand frère et le petit frère de l'autre, ce qui n'exclut pas la rivalité, inévitable dans une fratrie aussi étroite. Robert est indépendant. Il échappe à la tutelle de sa mère, refusant d'être traité en enfant à plus de 20 ans. Comment vit-il la complicité étroite entre son frère et sa mère ? Il a dû lui arriver dans l'enfance d'éprouver un sentiment d'exclusion. Connaissant la sensibilité ombrageuse de son aîné et sa possessivité, Jeanne ne cesse d'insister sur l'affection de Robert pour lui. Ses efforts pour tenir la balance égale entre ses deux fils trahissent des tiraillements. « Ne pas montrer cette lettre à mon ange de frère, qui est un ange mais aussi un juge, un juge sévère et qui induirait de mes remarques sur le comte d'Eu un snobisme ou une frivolité bien éloignée de mon cœur au lieu de la nécessité qui me fait te dire ce dont nous causerions et les remarques qui peuvent nous amuser », recommande ainsi Marcel à sa mère[316]. Son caractère possessif, sa jalousie obsessionnelle ne se comprennent que si l'on garde en mémoire l'existence de ce « petit frère », aimé et jalousé[317].

Après son séjour solitaire à Dieppe, Jeanne éprouve plus encore le poids des années. Fidèle à elle-même, elle ne se plaint pas, ne laisse rien transparaître de sa tristesse. A qui se confie-t-elle ? A ce cahier de *Souve-*

nirs qu'ont lu André Maurois et Philip Kolb, et dont nous aurions tant aimé qu'il nous livre ses secrets. A chaque deuil, Jeanne y note ses pensées, laisse affleurer ses souvenirs et charge sa plume de garder vivants ceux qu'elle a aimés. De son écriture élancée, elle lutte à sa façon contre l'oubli et la dissolution.

> « J'ai trouvé dernièrement un cahier dans lequel maman avait raconté heure par heure la dernière maladie de son père, de sa mère, de papa, récits qui, sans qu'ils aient l'ombre d'intentions de suggérer quoi que ce soit, sont d'une telle détresse qu'on a peine à continuer à vivre après les avoir lus », écrira Marcel beaucoup plus tard à son amie Anna de Noailles[318].

A tous, elle offre sa disponibilité et le masque de sa gaieté. Tous, même Marcel, s'y laissent prendre.

Mais un épisode, si marquant qu'il l'a raconté à plusieurs reprises, va lui révéler la profondeur du chagrin de sa mère[319]. Pour se remettre de cet été éprouvant, Marcel a choisi de passer quelques jours à Fontainebleau. Il part le 19 octobre 1896, et s'installe à l'hôtel de France et d'Angleterre, le plus luxueux de la ville. Terrasse, grand jardin, téléphone : toutes les conditions sont réunies pour un séjour agréable. Sauf qu'il pleut à verse ; qu'il étouffe dans son lit ; et que ces quelques jours, malgré la présence dynamique de Léon Daudet, se révèlent un calvaire. Jamais peut-être, depuis l'enfance, il n'a ainsi souffert de l'absence de sa mère. Personne auprès de lui pour la remplacer, comme à Beg-Meil où l'accompagnait Reynaldo Hahn au début de leur idylle. La seule personne de sa connaissance est Jean Lazard, un ami de la famille[320]. Sa correspondance ne fait aucune allusion à Lazare et à Baruch Weil qui vécurent à Fontainebleau. Sans doute Marcel ignore-t-il même que son trisaïeul y est enterré.

Ses lettres sont une longue plainte qui donne la mesure de sa souffrance et de sa culpabilité. Il écrit à sa mère une ou deux fois par jour, elle lui répond sur le même rythme. Entre deux lettres, ils se téléphonent. C'est le premier de ces « téléphonages » qui va le bouleverser, comme il le racontera plus tard à Antoine Bibesco :

> « Et dans le téléphone tout d'un coup m'est arrivée sa pauvre voix brisée, meurtrie, à jamais une autre que celle que j'avais toujours connue, pleine de fêlures et de fissures ; et c'est en recueillant dans le récepteur les morceaux saignants et brisés que j'ai eu pour la première fois la sensation atroce de ce qui s'était à jamais brisé en elle[321]. »

S'en veut-il de l'avoir quittée dans cette épreuve ? Ne supporte-t-il pas sa douleur, qu'il attribuera dans *A la recherche du temps perdu* à sa grand-mère et dont il fera le signe avant-coureur de la mort ? Les Proust n'ont pas encore le téléphone (ils le feront installer rue de Courcelles en 1900). Jeanne reçoit les communications chez Cerisier, le boulanger d'en face, mais elle doit, pour appeler, se rendre au bureau de poste bondé car le commerçant ne dispose pas des communications interurbaines. Ses premières lettres sont un effort pathétique pour alléger la situation : elle s'apprêtait à lui envoyer « un petit sourire du foyer » quand on l'a appelée au téléphone, elle « entonnera de bruyants halleluias » s'il va bien... Elle ne sait pas encore que sa voix l'a trahie. Elle va l'apprendre à travers un récit que lui adresse Marcel, destiné au roman qu'il est en train d'écrire[322].

Dès lors, elle s'emploie à le réconforter en affectant un ton léger qui n'exclut pas l'empathie. :

> « Elles [ces pages] sont bien douces mais bien tristes, mon pauvre loup. Elles me font souffrir en pensant à la tristesse que tu as éprouvée. Mais le récit d'une arrivée à l'Ile du Salut par un déporté ne doit pas être plus navré ! »

La leçon n'est pas perdue, et sans doute, s'emploie-t-elle dès lors à contrôler ses inflexions car le lendemain Marcel lui écrit :

> « Tu n'as pas été la même hier au téléphone. Ce n'est plus ta voix. »

Ses lettres échouent aussi à masquer son inquiétude. Même quand elle se veut rassurante, on la sent taraudée en permanence par l'angoisse. Rien n'est plus terrible pour une mère que de voir souffrir son fils. Or, la maladie qu'on croyait jugulée depuis quelques années est revenue en force. Marcel a subi une très grave crise d'asthme en juillet. Il tente de lutter à coups de cigarettes Espic, d'inhalation de fumée de poudre Legras et combat l'insomnie à l'aide de trional, de valériane et d'amyle. Depuis l'hiver précédent, il a pris l'habitude de travailler la nuit et de dormir le jour. Le sommeil fuit Jeanne à son tour. Comment dormir quand son fils est peut-être en train de souffrir loin d'elle ? Elle attend « impatiem[ment] des nouvelles de chaque nuit ». A-t-il pu « rompre tout pacte avec l'impie trional » ?

> « As-tu travaillé ? A quelle heure te lèves-tu ? et couché ?
>
> Sois bien prudent avec leur cuisinage et chauffage du soir. J'y pense chaque soir[323]. »

Et l'on s'étonne que pauvre loup donne tous les détails sur ses nuits, ses réveils et ses digestions ! D'autant qu'un nouveau souci le torture : il a perdu de l'argent.

« Exténué par le remords, harcelé par le scrupule, écrasé par la mélancolie », il ne voit d'autre solution que de rentrer et de renoncer à jamais à toute villégiature loin du foyer. Que peut faire Jeanne sinon tenter de l'apaiser ? Elle évite de dramatiser, consciente de la disproportion entre la situation réelle et le désespoir de Marcel ; c'est sur ce terrain de la réalité qu'elle essaye de le ramener :

> « Aie donc mon chéri un tout petit peu d'ordre et évite-toi ces tourments que tu te crées. [...] Mille tendres baisers cher petit ne sois plus timos [*sic*] et gouverne ta personne et ton estomac d'après les grands principes[324]. »

Les grands principes...

Son fils ne va pas tarder à rentrer. Jeanne est à la fois soulagée et découragée. Le « pauvre exilé », comme elle l'appelle, est âgé de 25 ans, et son impuissance à supporter la séparation n'a d'égale que son inadaptation à la réalité. Que deviendrait-il si elle ne veillait pas sur lui ? Aux causes réelles d'inquiétude liées à la maladie, s'ajoute l'imbrication de leurs sentiments. Ainsi s'alimentent mutuellement leurs angoisses et le joug que Marcel et Jeanne font peser l'un sur l'autre.

Robert, lui, en a profité pour ne pas reparaître à la maison. Il vit sa vie.

Comment Jeanne ne se sentirait-elle pas seule ? Georges, son frère, est marié depuis cinq ans à Amélie Oulman[325], une veuve replète de 38 ans. Il n'a jamais quitté sa mère jusqu'à la mort de celle-ci. Il avait 44 ans. Désormais père d'une petite Adèle, il n'est plus le célibataire qui s'attardait chez sa sœur. Il ressemble de plus en plus à Nathé, irascible et pointilleux. Depuis 1889, il est juge titulaire au Tribunal de première instance de la Seine. La même année, il est l'un des représentants du gouvernement français lors d'une conférence internationale à Washington sur le droit maritime[326]. Il possède parfaitement l'anglais. La petite Adèle apprendra cette langue dès son plus jeune âge. Il a publié plusieurs ouvrages consacrés aux institutions anglaises, et en 1895, une étude sur *Les Élections législatives depuis 1789, histoire de la législation et des mœurs*. Il est passionné de lecture et sa bibliothèque comporte plus de douze mille livres. Les Georges Weil habitent un grand appartement, 22, place Malesherbes, domicile du précédent mari d'Amélie. La famille s'y retrouve pour dîner le dimanche soir, dans la salle à manger Henri II, à l'atmosphère un peu compassée. Une cuisinière, un valet, deux femmes de chambre, l'une pour servir à table, l'autre pour la lingerie, une employée pour les cuivres, une gouvernante pour Adèle, témoignent de leur train de vie. Plus tard, Amélie organisera de somptueux « bals blancs » pour sa fille, dont Emmanuel Berl gardera le souvenir quelque peu malveillant. L'alliance avec cette jeune veuve, issue d'une famille israélite moins assimilée que les Weil, a encore élargi le cercle de la parentèle. Ils se sont mariés à la synagogue de la rue de la Victoire. Les Oulman comptent parmi les notables actifs de la communauté. « A l'occasion de son mariage avec M. Denis Weil, madame Vve Herman a offert aux élèves de la Maison du Refuge des jeunes filles israélites de Neuilly une collation et une partie dans le jardin d'Acclimatation », signalent les *Archives israélites*[327]. Mariage arrangé sans doute, car Amélie ne s'est jamais consolée de la perte de son premier mari, William Herman, originaire de Francfort ; jusqu'à sa mort, elle continuera à porter sa première alliance, qu'elle a fait sertir de petites pierres pour la transformer en bague... Elle est célèbre pour sa distraction. N'a-t-elle pas un jour tendu la main à la blanchisseuse en lui disant « bonjour madame[328] » ? !

Adrien est de plus en plus absorbé par sa vie extérieure au foyer. Sans doute a-t-il renoncé à réformer celle de son aîné. Marcel, il est vrai, travaille, si l'on peut ainsi dire du poste d'assistant non rémunéré qu'il a obtenu sur concours à la bibliothèque Mazarine depuis juin 1895. Les congés vont se succéder jusqu'à sa démission finale en 1900. Il écrit. Mais l'essentiel de son temps est consacré à ses relations. Il est prisonnier « des glaces de la vie mondaine[329] ». Jeanne y voit une source de dispersion. Elle déplore son manque de volonté, sa frivolité. A Reynaldo Hahn, le musicien, a succédé un nouvel amour. La sympathie de Jeanne pour Reynaldo est manifeste. Une famille juive originaire de Caracas, une passion commune pour la musique que partage aussi Marcel, des goûts classiques (Mozart, Gounod, Saint-Saëns) : Reynaldo lui inspire confiance malgré, selon Maurice Duplay, son « expression sombre et cruelle » qui évoquerait en même temps un mignon de Henri III et un compagnon de Lucrèce Borgia !

En va-t-il de même avec Lucien Daudet, le plus jeune fils d'Alphonse et de Julia Daudet, « un beau jeune garçon, frisé, pommadé, peint et poudré, qui parle avec une petite voix de poche de gilet », comme le note Jules Renard dans son *Journal* le 3 mars 1895 ? Tous les amis de Marcel, Robert de Flers, Robert de Billy, Fernand

Gregh témoigneront du bon accueil de Jeanne. Lucien n'échappe pas à la règle. Il dédiera son livre *Autour de soixante lettres*

« A LA MÉMOIRE
de Madame Proust
MÈRE ADMIRABLE de Marcel Proust. »

Il y raconte sa première visite chez son ami.

« Ce jour-là, il me présenta à sa mère, à qui il ressemblait ; le même visage, long et plein, le même rire silencieux quand elle jugeait une chose amusante, la même attention prêtée à toute parole qu'on lui disait, cette attention qu'on aurait pu prendre chez Marcel pour de la distraction à cause de l'air "ailleurs" – et qui était au contraire une concentration[330]. »

Quelques jours plus tard, Marcel invite Lucien de la part de Jeanne. Le jeune homme est présenté cette fois à Proust père et rencontre Robert. La ressemblance physique du jeune homme avec Adrien le frappe, mais ses expressions de visage sont celles de sa mère : « quand leur mère était là, on devinait qu'ils étaient frères[331] », écrit-il finement.

Lucien va être le prétexte involontaire d'une dispute entre Marcel et ses parents, et d'une réconciliation non moins significative. Il a posé avec Robert de Flers et Lucien Daudet pour le photographe Otto. Après sept essais infructueux dus au fou rire nerveux de Marcel, le cliché final immortalise un Flers contemplant noblement l'horizon, et un Lucien à l'air enamouré, caressant du regard Marcel assis sur une chaise. Jeanne et Adrien exigent que les photos soient détruites. Une violente dispute s'ensuit, que Marcel Proust transposera dans

Jean Santeuil. Dans toutes les familles, de telles scènes cristallisent les rancœurs accumulées. « Tu sais, c'est bien simple, [...] si tu ne veux pas travailler, tu n'as qu'à quitter la maison, je te fiche à la porte », décrète M. Santeuil sous l'œil effaré du domestique[332]. Les deux parents sont solidaires mais cette fois encore, se relaient pour exprimer leur mécontentement. On comprend que c'est l'attitude générale de leur fils qui les exaspère et les inquiète : ils partagent la même religion du travail et à leurs yeux, la frivolité du jeune homme est inséparable de ses fréquentations et de ses mœurs. Dans le roman, la mère écrit elle-même au camarade de son fils pour le décommander. Cet abus de pouvoir révolte Jean. « Vous êtes deux imbéciles », prononce-t-il avant de sortir et de claquer la porte dont la vitre se casse sous le choc. Une fois dans sa chambre, sa colère explose, et il donne libre cours à sa violence. Comme dans un état second, il se saisit d'un verre de Venise offert par sa mère et le jette à terre. Le verre se brise « en miettes qu'aucun regret ne pouvait rapprocher, recomposer et refondre[333] ».

Pleurant et grelottant, Jean se dirige vers son cabinet de toilette et se saisit du premier vêtement qui lui tombe sous la main. C'est un ancien manteau de Mme Santeuil, rangé avec d'autres habits usagés dans son armoire à lui. La douceur du tissu et son odeur ramènent l'image d'une mère jeune et aimante. Avec la conscience déchirante de l'irréversibilité du temps, sa tendresse revient. Il rejoint ses parents dans la salle à manger, et demande pardon à sa mère en tentant de l'embrasser. Mais elle détourne la tête. En se forçant, il en fait autant pour son père, qui « plus faible que sa femme, plus violent et plus mou » ne résiste pas. Il s'assied à table. Mais son père remarque alors le manteau doublé de satin rose qu'il a gardé sur lui : « C'est ridicule, il fait chaud ici, et c'est une chose à ta mère. Ôte cela et tout de suite. »

« Alors, poursuit Marcel Proust, sa mère le regardant d'un regard pur qui semblait remonter aisément toutes les pensées qui l'avaient tenu depuis deux heures, le regarda en souriant. » Il se jette dans ses bras et l'embrasse longuement.

> « Elle, heureuse d'être aimée, mais ne voulant pas qu'il s'énervât et l'aimât avec un excès qui pourrait un jour lui faire de la peine, lui dit doucement en se retirant et en cessant de sourire comme pour moins exciter sa tendresse : "Non, non, voyons, ne sois pas bête, va te remettre à ta place et dînons[334]." »

Que cette deuxième partie de la scène ait alors eu lieu ou non, elle met en lumière le sens profond de la relation entre Marcel et ses parents. Le dénouement n'est pas moins puissant, et cette fois, c'est à Jeanne Proust elle-même que je laisse la parole :

> « Jeudi soir
>
> Mon cher petit,
>
> Ta lettre me fait du bien – ton père et moi étions restés sous une impression bien pénible. [...] Ne repensons plus et ne reparlons plus de cela. Le verre cassé ne sera plus que ce qu'il est au temple – le symbole de l'indissoluble union[335]. Ton père te souhaite une bonne nuit et je t'embrasse tendrement.
>
> J.P.
>
> Je suis pourtant obligée de revenir sur le sujet en te recommandant de ne marcher que *chaussé* dans la salle à manger à cause du verre[336]. »

Les mêmes mots, ou presque, seront repris dans le roman. Tout Jeanne Proust est dans ces lignes : son couple (« ton père et moi ») et le lien indissoluble et sacré, avec son fils ; la référence au judaïsme comme loi et comme symbole – le verre cassé lors du mariage ; le pardon contredit par la mise en garde moqueuse ; et par-dessus tout, l'amour. Elle tait sa probable souffrance devant l'explosion haineuse de son fils et ne dit que le soulagement. « Ta lettre me fait du bien. » C'est par lettre que Marcel a dû présenter ses excuses ; c'est par lettre qu'elle lui répond. L'écriture est déjà un lien entre eux.

Marcel s'engagera à ne garder que trois exemplaires de la photo compromettante, et à remettre les autres à sa mère.

D'autres disputes ont sans doute déjà eu lieu, même si celle-ci, selon Proust, fut la seule grande colère de sa vie. Les dépenses de leur fils exaspèrent les parents qui gèrent leur fortune en bourgeois conscients de la valeur de l'argent. Lui-même supporte mal sa dépendance, il sait qu'il n'est pas près de subvenir à ses besoins. Ses horaires décalés, sa vie mondaine, son refus ou son incapacité à se plier aux heures strictes des repas, son aspiration à la liberté, sa maladie créent des tensions qui rejaillissent sur l'ambiance familiale. C'est Jeanne qui détient l'autorité ordinaire, Adrien n'étant que le recours suprême en temps de crise. Tantôt indulgente avec ce fils malade et si proche, tantôt sévère parce qu'elle essaie d'imposer des règles de vie commune, elle a perdu avec la mort de son père et celle de son oncle le recours symbolique qu'ils constituaient. Et elle n'a plus affaire à un enfant ou un adolescent, mais à un homme de 25 ans qui défend ses choix et, malgré sa culpabilité, saura peu à peu les faire admettre.

Des soucis de santé viennent s'ajouter à ses préoccupations maternelles. Jeanne n'a jamais cessé de souffrir de ces maladies de femme que la médecine échoue encore à soigner. La gynécologie en est à ses balbutiements. Malgré l'invention récente du spéculum, l'examen est encore exceptionnel. Hémorragies, douleurs abdominales, fatigue, ventre gonflé : après Salies-de-Béarn et le Mont-Dore, en 1895, Jeanne tente la cure de Kreuznach, dont les eaux salées ont les mêmes propriétés que celles de Salies mais dont le climat est moins étouffant. Depuis une trentaine d'années, cette petite ville rhénane située dans la vallée de la Nahe a acquis une célébrité européenne. Moins mondaine que Marienbad, Kreuznach va accueillir à deux reprises Jeanne Proust et son fils Marcel, en juillet 1895 et du 11 août au 9 septembre 1897. Lors de son premier séjour, la présence de son ami Robert de Billy et de sa jeune épouse, Jeanne, a un peu distrait Marcel qui donne des conseils littéraires à son ancien camarade de régiment. Les Billy ne sont restés qu'une journée. Mme Proust a accueilli « avec sa bienveillance coutumière » la jeune mariée, fille du régent de la Banque de France[337]. Mais Marcel périt d'ennui durant leur second séjour, décidé subitement, peut-être à cause d'une aggravation de l'état de santé de sa mère. Il ne connaît âme qui vive, et en est réduit à écrire de longues missives à Mme de Brantes qui prend les eaux de son côté à Marienbad. Le temps ensoleillé et sec n'empêche pas son asthme qui ne cédera qu'à la fin du séjour, quand le ciel tournera au froid et à la pluie. Il lit *La Duchesse de Langeais* et *La Muse du département* de Balzac. Et surtout, faute de mondanités, il travaille à son roman *Jean Santeuil*.

Jeanne, elle, avec son application coutumière, prend des bains dans les baignoires à double fond de cuivre et de bois qu'emplit la vapeur. Après les soins, en fin d'après-midi, ils se promènent en barque entre les collines bleues et les vignobles. Quand elle est trop fatiguée, Marcel s'étend seul au fond de la barque en s'arrêtant sous les roseaux, fait quelques pas dans la forêt ou contemple la vallée du Schlossberg. Le soir, dans la salle à manger du Kurhof, ils boivent un vin doré et précieux dans des verres à long pied. Ils se racontent leur journée. Elle lui peint le concert dans le jardin municipal ou lui rapporte les derniers potins de l'établissement de cure ou de l'Orianenhof où ils sont descendus... Qui sait quelle parenté souterraine le nom de cet hôtel entretiendra avec celui d'Oriane de Guermantes, dont la belle-famille est associée aux princes et aux margraves allemands ? Leur culture germanique fait de Kreuznach un séjour presque familier. Encore ignorent-ils probablement que des cousins de Jeanne, les Berncastel, y ont vécu[338].

Un an plus tard, l'état de Jeanne a encore empiré. Il faut l'opérer d'un fibrome[339]. Le docteur Proust choisit la maison de santé des Sœurs du divin rédempteur, rue Georges-Bizet, dans le XVIe arrondissement. On peut s'étonner de voir ce libre-penseur, anticlérical, de surcroît professeur de médecine et chef de service à l'Hôtel-Dieu, choisir une clinique privée tenue par des religieuses. La guerre fait alors rage entre les infirmières laïques et les religieuses, traditionnellement en charge des soins hospitaliers. Dans certains services, on en vient même aux mains ! Aux premières, on reproche leur manque de formation médicale et leur hygiène souvent douteuse, aux secondes leur indocilité face aux médecins. Mais la clinique Bizet a une histoire particulière[340].

En 1887, la supérieure de la communauté des sœurs du Très-Saint-Sauveur, établie depuis 1881 sur la colline de Chaillot, est atteinte d'une péritonite aiguë. Tout espoir semble perdu, quand le médecin qui la soigne décide de faire appel au célèbre professeur Félix Terrier, l'un des pionniers de l'asepsie, cette technique qui consiste à stériliser le matériel médical et à opérer dans des conditions d'hygiène très stricte. Il ne parviendra à l'imposer dans son service de Bichat que deux ans plus tard. Il n'est pas rare alors de voir de grands chirurgiens comme le professeur Péan opérer en tenue de ville ou même de soirée. Une même canule sert aux injections de plusieurs femmes en travail, les pansements sales sont réutilisés, les rats et les punaises infectent certains hôpitaux[341]. C'est dire si Félix Terrier prend toutes ses précautions et ne se rend chez les sœurs qu'accompagné par son anesthésiste et son infirmière. Or, il découvre une équipe qui met déjà en pratique les règles de l'asepsie, et passe même les draps au fer chaud pour les stériliser. Le professeur sauve la supérieure, sœur Théobaldine, et lui demande de mettre à sa disposition deux chambres pour ses propres opérés. Ainsi naît la clinique Bizet, la seule en son genre à cette époque. En 1897, la Préfecture autorise la congrégation à accueillir 30 pensionnaires.

On comprend alors pourquoi le docteur Proust a fait opérer sa femme par le professeur Terrier, le spécialiste de l'hygiène chirurgicale, dans cette clinique qui en respecte à la lettre les règles. L'opération sera longue et délicate. C'est Jules Péan qui, une quinzaine d'années plus tôt, a mis au point la technique d'ablation du fibrome par morcellement.

« L'opération qu'elle a subie a été terrible, écrit Marcel à l'amie de sa mère, Marguerite Catusse, elle a duré près de trois heures et nous nous demandions comment elle pourrait le supporter. » Personne n'en a rien su, précise-t-il. Mais elle va bien, et « mon pauvre papa lui-même, qui était affolé ces jours-ci et ne se laissait pas rassurer par le mieux, est satisfait[342] ». Pauvre Adrien, aussi émotif que lors de la première crise d'asthme de Marcel ou l'accident de Robert !

« Bientôt elle sera comme avant, bien mieux qu'avant, sans ce poids énorme que nous ne comprenions pas qu'elle pût traîner », écrit encore Marcel à Mme Catusse. Le surlendemain de l'opération, Jeanne « a eu quatre ou cinq mots que dans ma partialité de fils, je trouve pleins d'esprit », ajoute-t-il. La famille est rassurée. Toutefois, on ne la laisse pas encore lire et elle doit se reposer. On lui cache la gravité de son état. Du reste, elle n'est pas encore tirée d'affaire : un mois plus tard, survient une complication qui entraîne une nouvelle opération. Le 30 août, elle est toujours alitée. Elle ne sortira de la clinique que début septembre. Dès le 31 août, soulagé, Adrien est parti en cure à Vichy. Quant à Robert, il n'a pu obtenir de sursis et fait ses 28 jours au camp de Châlons. Mais la maladie de sa mère l'a durablement impressionné : il fera sa thèse sur « la chirurgie de l'appareil génital de la femme »...

En attendant, c'est Marcel qui joue les gardes-malades.

Début septembre, Jeanne, toujours couchée, peut enfin recevoir des lettres. On continue à entretenir le secret autour de son opération « à laquelle elle n'aime pas à penser ». L'oubli de soi va jusqu'au déni.

A la mi-septembre, encore faible mais à peu près rétablie, Jeanne peut enfin aller se reposer aux Roches noires à Trouville. L'ascenseur lui permet de quitter sa chambre et de descendre à 4 heures pour lire dans le jardin face à la mer. Marcel l'accompagne avant de laisser la place à Adrien. Début octobre, il fait encore assez beau pour qu'elle s'installe à l'abri sur la plage avec son mari. Gabrielle, sa femme de chambre, leur apporte les lettres de Marcel. Elle les lit au docteur, et les relit pour elle toute seule. « Je vais ADMIRABLEMENT, peux-tu lire ? » écrit-elle à son fils qui se plaint souvent de ne pouvoir la déchiffrer, ajoutant :

> « Je te ferai la concession de ne t'écrire qu'une seule fois chaque jour[343]. »

20

À LA GARDE !

« Cher Monsieur

Je n'ai pas répondu hier à ce que vous m'avez demandé des Juifs. C'est pour cette raison très simple : si je suis catholique comme mon père et mon frère, par contre, ma mère est juive. Vous comprenez que c'est une raison assez forte pour que je m'abstienne de ce genre de discussions. [...] Je suis bien heureux de cette occasion qui me permet de vous dire ceci que je n'aurais peut-être jamais songé à vous dire. Car si nos avis diffèrent, ou plutôt si je n'ai pas indépendance pour avoir là-dessus celles que j'aurais peut-être, vous auriez pu me blesser involontairement dans une discussion[344]. »

Cette lettre pose avec simplicité la situation de son auteur. Adressée à Robert de Montesquiou dont il s'inspirera pour stigmatiser l'antisémitisme hystérique du baron de Charlus, elle dit les liens étroits qui attachent Marcel Proust au judaïsme, et la distance qui l'en sépare. Son attitude lors de l'affaire Dreyfus est indissociable de sa position de fils d'une mère juive et adorée. Elle n'exclut pas l'ambiguïté du regard qu'il porte sur les Juifs dans *A la recherche du temps perdu*. Ce regard critique et parfois ironique reflète exactement celui de Jeanne sur ses coreligionnaires. Mais juive elle était, et juive elle resta.

Jeanne Weil, on l'a vu, est le produit type d'un groupe social, celui des israélites français qui de toutes leurs forces ont cherché l'intégration, voire l'assimilation. Ils ont acquis la citoyenneté un siècle plus tôt. Ils sont les Juifs de la troisième génération. Du côté Weil, pas un seul mariage exogame pour les deux premières générations, celle de Baruch et celle de Nathé. Même chose pour la branche française des Berncastel. « Le judaïsme considère à juste titre les unions mixtes comme une plaie », rappelle en 1891 la revue libérale des *Archives israélites*. Si l'on met à part la conversion secrète d'Amélie Crémieux, il faut attendre la génération née aux environs de 1850 pour voir apparaître les premiers mariages mixtes : Jenny Weil, puis Jeanne et Hélène. Elles sont les seules. Elles ne se sont pas converties et gardent, comme on le sait, des liens étroits avec le reste de la famille[345]. Une famille juive dont les membres et alliés se nomment Neuburger, Leven, Anspach, Lévy, Nathan, puis aux générations suivantes Lange, Eisenschitz, Bergson, Baur, Hauser, Julien-Caïn... ou Dreyfus. Ils sont banquiers, juristes, médecins, officiers, polytechniciens ou normaliens. Ils incarnent la réussite sociale des israélites français, une réussite fondée sur la fortune de leurs pères, le mérite personnel, le travail et la volonté de s'intégrer. Ils ont une loyauté absolue à l'égard de la France qui la première leur a donné le droit d'être citoyens ; ils sont français. « La Révolution française, voilà notre seconde loi du Sinaï », écrit Isidore Cahen dans les *Archives israélites* en 1880. L'assimilation est pour eux « le meilleur moyen – peut-être le seul – susceptible d'assurer la survivance du judaïsme[346] ». Car qu'est-ce qu'être juif pour ces israélites souvent déjudaïsés, qui ne vont à la synagogue que pour les mariages et les *bar-mitzvas*, et, comme Nathé Weil, ne connaissent souvent de la religion que quelques rites de deuil ? Un sentiment d'appartenance. « Un juif était une personne qui n'avait pas quitté le judaïsme », écrit Simon Schwarzfuchs. « Angélique va croire que je me convertis – et Mme Raimbert sera pleine d'espoir ! » plaisante ainsi Jeanne un vendredi où elle fait préparer par la cuisinière un dîner maigre pour un couple d'invités[347]. Comme Geneviève Straus, elle a « trop peu de religion pour en changer. »

Les israélites n'en sont pas moins attachés à leurs origines. Le service de l'État ne les empêche pas de perpétuer un minimum de traditions dans le privé, quelques mots de yiddish ou comme Louis Weil, des dons en argent à la communauté. On emploie çà et là « un de ces termes comme on en a dans les familles pour désigner certaines choses [...] sans être compris. Ce genre d'expression est en général un reliquat d'un état antérieur de la famille. Dans une famille juive, par exemple, ce sera un terme rituel détourné de son sens et peut-être le seul mot hébreu que la famille, maintenant francisée, connaisse encore[348] », remarque Marcel Proust. Ainsi lui-même connaît-il le terme *meshores* qui désigne un serviteur ou celui de *Schlemihl*, si courant dans les familles d'origine alsacienne, tiré du « dialecte mi-juif, mi-allemand dont l'emploi ravissait M. Bloch dans l'intimité mais qu'il trouvait vulgaire et déplacé devant des étrangers[349] ».

Cette fidélité à un double héritage assortie d'une volonté de se fondre dans la masse, on les retrouve intactes chez Jeanne et les siens. Comme Michel Bréal ou Henri Bergson[350], ses cousins, comme Joseph Halévy, comme Théodore et Salomon Reinach, tous brillants intellectuels qui font partie des mêmes cercles qu'eux, ils ont coupé les liens avec le judaïsme religieux. Ils sont les tenants du franco-judaïsme, « fusion des traditions juives avec les idéaux de la nation[351] ». Tout ce qui peut les distinguer des autres Français a disparu. Ils appartiennent aux élites de la République. Les quelques bastions qui leur sont encore interdits – certains salons ou le Jockey Club, par exemple – devraient céder avec le temps, pensent-ils... Ils évitent les Juifs trop voyants, les Bloch ou les Nissim Bernard[352] qui n'en sont qu'aux premières étapes de leur ascension dans la société française. Comme les milliers de misérables réfugiés juifs venus de Russie, ne leur renvoient-ils pas l'image déplaisante de ce que leurs ancêtres furent un jour ?

> « Une personne que je connais dit quelquefois à son fils : "Cela me serait bien égal que tu épouses une femme qui ne saurait pas ce que c'est que Ruskin, mais je ne pourrais pas supporter que tu épouses une femme qui dirait 'tramway' (au lieu de prononcer tram*o*uay)" »,

écrit Proust dans une note de *Sésame et les Lys*[353]. Qui, sinon Jeanne Weil, pourrait ainsi stigmatiser la prononciation judéo-allemande d'un mot anglais ?

En résumé, les israélites français « se voulaient juifs mais ils redoutaient qu'on leur rappelle[354] ».

L'affaire Dreyfus va s'en charger.

L'antisémitisme moderne s'est développé depuis les années 1880, et a trouvé son héraut en la personne d'Édouard Drumont. Le terme lui-même est employé pour la première fois par l'Allemand Wilhelm Marr, l'un des fondateurs du premier parti antijuif en 1878. En 1886, l'ouvrage de Drumont *La France juive* va rencontrer un succès foudroyant : un an plus tard, le livre en est déjà à la 145e édition. En quelques années, l'antisémitisme est devenu une véritable idéologie. Drumont lance en 1892 son journal *La Libre Parole* qui à coups d'invectives et de polémiques fait de la « tribu des nez crochus » une menace pour l'intégrité française. « Hors d'ici les Juifs ! La France aux Français » sont ses principaux slogans déclinés sur tous les tons. Le krach de l'Union générale, le boulangisme, le scandale de Panama, le socialisme contribuent à alimenter la polémique contre « la finance juive » et les politiciens. Au congrès catholique de Reims, en 1896, Albert de Mun martèle : « N'achetez rien aux Juifs ! » Les journaux catholiques appuient ce boycott en publiant des listes de Juifs et de francs-maçons.

Mais les israélites français s'emploient de toutes leurs forces à minimiser l'antisémitisme, produit d'importation allemande. Une France antisémite ? Impossible. Au livre de Drumont, ils opposent, selon le mot de Théodore Reinach, « le silence du dédain ». La seule façon de se défendre est d'être de « bons Français ». Au pire, ils répondent sur le terrain personnel en ayant recours au code de l'honneur : le duel. N'est-ce pas le meilleur moyen de montrer leur courage[355] ? Ainsi la mort d'Armand Mayer, jeune polytechnicien tué en 1892 par le marquis de Morès, soulève-t-elle une grande émotion. Son enterrement suivi par une foule immense de Parisiens semble donner raison aux optimistes. « Il n'y a pas de question juive, du moins en France, écrit fermement Lazare Wogue en 1893, et nous espérons bien qu'il n'y en aura jamais[356]. »

Un homme se dresse cependant contre l'antisémitisme ; cet homme, c'est Émile Zola, déjà. Dans un article du *Figaro*, visant Drumont sans jamais le nommer, il prend le 16 mai 1896 la parole « Pour les Juifs ». Dans ce texte vibrant, il démonte un par un les arguments de l'antisémitisme, « monstruosité », qui nous ramène « des siècles en arrière ». Reprenant la thèse de l'assimilation, il explique, bien avant Sartre, que c'est l'antisémite qui fait le Juif. La sauvegarde des Juifs, c'est l'assimilation totale, autrement dit, leur disparition en tant que tels. Les revues juives se font l'écho de ce plaidoyer, qui coûtera à Zola sa collaboration au *Figaro* et son élection à l'Académie française.

S'il a longtemps partagé ce point de vue, le journaliste libertaire Bernard Lazare, lui, va s'élever contre le silence de la communauté israélite : « Ils eussent dû se lever, se grouper, ne pas permettre qu'on discutât une minute leur droit absolu de vivre[357] », affirme-t-il. Lui-même se bat en duel contre Édouard Drumont, et développe la notion d'un nationalisme juif – qui rencontrera les idées du fondateur du sionisme, le journaliste viennois Théodore Herzl, envoyé à Paris pour rendre compte de l'affaire Dreyfus. Pour Bernard Lazare, il n'y a pas de doute : Dreyfus a été accusé parce qu'il est juif.

En faisant du capitaine Dreyfus, issu d'une famille d'industriels du textile de Mulhouse, un traître à la France, l'Affaire touche donc les israélites dans ce qu'ils ont de plus cher : leur identité française. Qui peut être plus dévoué à la patrie que les Alsaciens qui composent la grande majorité des israélites parisiens en cette fin du XIXe siècle ? Ainsi, on ne peut pas être à la fois juif *et* français ? C'est un siècle entier de « régénération », pour reprendre le langage des Lumières, qui est remis en cause. Une véritable blessure dont Marcel Proust se fera à de multiples reprises l'interprète. Ce n'est pas un hasard s'il accorde une telle place à l'Affaire dans *Jean Santeuil* et dans *A la recherche du temps perdu*. Elle le fait vaciller au plus profond de sa double identité.

> « "Vous n'avez pas tort, si vous voulez vous instruire (...) d'avoir parmi vos amis quelques étrangers", dit Charlus au narrateur. "Je répondis", poursuit celui-ci, que Bloch était français. "Ah ! dit M. de Charlus, j'avais cru qu'il était juif[358]." »

Comment Jeanne ne se sentirait-elle pas impliquée ? Le parallèle entre les Dreyfus et les Weil est évident, même si ces derniers sont parisiens depuis plus longtemps. Comme Baruch Weil, Raphaël, le père, a fondé une entreprise. Comme l'oncle Alphonse, Alfred Dreyfus a choisi l'armée. Il a entamé une brillante carrière militaire qui lui a valu d'être à 35 ans stagiaire à l'état-major. Il a épousé Lucie Hadamard, la fille d'un diamantaire, et il habite avenue du Trocadéro, dans l'un de ces nouveaux quartiers, symboles de la réussite. Les Weil et les Dreyfus appartiennent bien au même monde.

Lectrice attentive de la presse, Jeanne a suivi les différentes étapes de l'Affaire : l'arrestation de Dreyfus le 15 octobre 1894, sa dégradation, sa déportation à l'île du Diable. La plupart des Juifs français acceptent la condamnation de Dreyfus. « J'ai longtemps cru à la culpabilité de mon coreligionnaire », reconnaîtra Bergson[359]. Ils redoutent par-dessus tout de marquer une solidarité qui serait interprétée comme un soutien sectaire à l'un des leurs. En 1897, rappelle Léon Blum, seule une poignée croit en l'innocence de Dreyfus : sa famille, Bernard Lazare et le linguiste Michel Bréal, cousin des Weil, convaincu qu'un Juif alsacien dont la famille a choisi la France en 1870 ne peut être un traître. Pourtant, si l'on en croit Maurice Duplay, Marcel et Jeanne douteront dès le début de la culpabilité de Dreyfus.

Maurice est encore lycéen à Condorcet quand le 5 janvier 1895, soir de la dégradation du capitaine, ses parents donnent un grand dîner auquel sont conviés les plus illustres médecins et leurs épouses, dont le docteur Proust et sa femme. L'adolescent a lu dans le journal du soir le compte rendu de la sinistre cérémonie et été frappé par l'accent de sincérité de l'accusé. Un peu rebelle, il lance à table : « Et si Dreyfus était innocent ? » Scandale. Son père le foudroie du regard en qualifiant son propos de « stupide enfantillage », et le jeune garçon baisse le nez dans son assiette.

> « Mais après dîner, raconte Maurice Duplay, Mme Proust qui m'avait toujours montré de la tendresse et gâté de toutes les manières, me prit à part, dans un coin du salon :
>
> — Ainsi, tu aurais des doutes sur la culpabilité de Dreyfus ? Eh bien ! figure-toi que Marcel pense comme toi. Il a lu le compte rendu dans *Le Temps*, et prétend que Dreyfus n'avait pas l'air d'un coupable[360]. »

Le ton moqueur sur lequel Jeanne parle en octobre 1896 du « récit de l'arrivée à l'île du Salut par un déporté[361] », s'il s'adresse à un Marcel désespéré dans sa chambre de Fontainebleau, ne doit donc pas nous tromper. Elle a dès le départ pris fait et cause pour Dreyfus.

C'est par l'intermédiaire de l'un des tout premiers

dreyfusards, Joseph Reinach, que Marcel et Jeanne Proust vont acquérir la certitude de l'innocence de Dreyfus. Né en 1856, ce parlementaire fort en gueule est un proche de Gambetta, l'ancien protégé d'Adolphe Crémieux. Député du parti opportuniste, il a pris la tête de l'opposition au boulangisme. Son héros, c'est Disraeli, le Premier ministre anglais, « deux fois étranger à l'Angleterre comme Vénitien et comme Juif », mais « du premier au dernier jour de sa vie publique, le plus Anglais des Anglais ». Joseph Reinach va devenir, après Dreyfus et Alphonse de Rothschild, le Juif le plus haï de France. Pourtant, à ses yeux, le dreyfusisme est essentiellement un combat républicain. Prendre parti pour Dreyfus, c'est prendre parti pour la République.

Il a fait part de sa conviction à Mme Straus, dont il est l'un des adorateurs, en août 1897 au Clos des Mûriers à Trouville. En octobre, celle-ci réunit ses habitués dans son salon, où Reinach développe son argumentation. Dès lors, Marcel est convaincu. Il se vantera plus tard d'avoir été « le premier des dreyfusards », faisant allusion à son rôle lors de la pétition en faveur de Zola en janvier 1898, juste après le coup d'éclat du *J'accuse*. Il aurait le premier obtenu l'adhésion d'Anatole France. Récoltant des signatures avec Daniel et Élie Halévy, assistant au procès de Zola comme Jean Santeuil et Bloch « avec quelques sandwiches et un peu de café dans une gourde et y restant, à jeun, excité, passionné, jusqu'à cinq heures », Marcel s'engage dans l'Affaire. C'est un lien de plus avec sa mère.

Du reste, Jeanne Proust a la satisfaction de voir ses deux fils à ses côtés. Car Robert n'est pas le moins passionné, et à l'inverse de la majorité des étudiants en médecine engagés du côté des antidreyfusards, il se joint aux partisans de Dreyfus dans les bagarres de rues qui mettent le Quartier latin en ébullition. « Conseille le calme à Robert », recommande Marcel à sa mère le 10 septembre 1899, au lendemain de la deuxième condamnation de Dreyfus lors du procès de Rennes. « Qu'il songe que tout encouragement au trouble causerait un embarras extrême au gouvernement qui serait obligé de frapper ses amis[362]. » Chacun des frères agit selon son tempérament : à Robert l'action, à Marcel les relations. Comme tous les partisans de Dreyfus, leur déception est à la mesure de leur certitude de voir son innocence reconnue. « Ne t'attriste pas trop sur l'arrêt », écrit-il aussi dans cette même lettre, à l'intention de sa mère dont l'émotion est extrême. Passant la presse en revue, il échange information sur information avec elle. Il ajoute : « J'ai frémi en pensant combien tu avais dû te livrer devant Antoine quand il t'a annoncé la nouvelle. » Si Jeanne, toujours si maîtresse de ses sentiments, est susceptible de s'être « livrée » devant le concierge de l'immeuble, c'est bien qu'elle est profondément bouleversée.

Et Adrien Proust ? Il est de l'autre bord. Il y a là sans aucun doute une souffrance pour Jeanne. Il suit en cela la majorité de l'opinion et se conforme en outre à sa classe et à sa position de médecin et de grand bourgeois. En charge de responsabilités officielles, il est du côté du pouvoir et de la chose jugée. Le gouvernement et l'armée ne peuvent pas se tromper. Jeanne, entourée de sa famille et de ses fils, doit d'autant plus sentir le fossé qui la sépare de son mari. Quant à son beau-frère d'Illiers, Jules Amiot, à sa lecture de *L'Intransigeant*, il a ajouté celle de *La Libre Parole* de Drumont, ce qui en dit long sur la façon dont l'épouse juive d'Adrien a pu être perçue dans sa belle-famille[363]. Il y a sans doute eu quelques repas animés autour de la table..

À la garde !

L'affaire Dreyfus ne remet pas seulement en cause l'idée de justice et la responsabilité de l'État français. Elle fait émerger, à la stupéfaction des intéressés, un profond sentiment de haine et de rejet à l'égard des Juifs. A Marseille, Lyon, Rennes, Versailles, Clermont-Ferrand, La Rochelle, Poitiers, Angoulême, Saint-Flour, des foules défilent au cri de « Mort aux Juifs ». Les manifestations tournent à l'émeute. Des magasins sont pillés, des vitrines brisées, des synagogues saccagées. A Paris, des bandes antisémites sèment la terreur sous la conduite de Jules Guérin [364]. En Algérie, les émeutes se révèlent sanglantes. Des Juifs sont battus à mort. Les élus sont dépassés par la situation. Le 29 avril 1898, Gaston Thomson, député de Constantine et cousin de Jeanne [365], est attaqué par des antisémites. Elle ne peut que se sentir concernée par des événements qui la touchent d'aussi près. A-t-elle regretté fugitivement de ne pas avoir épousé un israélite ? Ou s'est-elle sentie au contraire rassurée d'avoir fait baptiser ses fils ?

Mais n'est-elle pas prise aussi dans ses propres contradictions ? Elle est très liée, par exemple, à Mme Félix Faure et à ses filles, Antoinette et surtout Lucie. Elle fréquente son « jour » à l'Élysée, où « dans une atmosphère de parfait ennui, la conversation roule sur la santé des parents, enfants, cousins et cousines des visiteurs [366] ». Or, Félix Faure, alors président, est farouchement opposé à la Révision. Jeanne est conviée avec son mari à l'Élysée ou dans la loge présidentielle à l'Opéra. En octobre 1897, les Proust sont les hôtes de Félix Faure à Rambouillet. Marcel, cette même année, invite son ami Constantin de Brancovan dans la tribune du président de la République à la Chambre des députés. Certains traits rapprochent du reste les Proust et les Faure. Comme Adrien, Félix Faure est d'origine modeste. Fils d'un petit fabricant de fauteuils du faubourg Saint-Denis, il a même été quelque temps en apprentissage chez un tanneur. Autodidacte, il a fait son chemin seul, d'abord dans les affaires au Havre, puis dans la politique. Bourgeois fortuné à la vitalité et à la virilité jamais en repos, il est décidé à redonner à la fonction qu'il occupe un faste digne de la France. Les caricaturistes le nomment « Félix le Bel » pour son goût de l'apparat, du protocole et du luxe. Franc-maçon, libre-penseur et anticlérical, il est aussi un farouche défenseur de l'armée. Pour lui, l'innocence de Dreyfus compte moins que l'image de marque de l'armée. Antidreyfusard, il condamne cependant les excès de ce qu'il nomme « le parti chauvin ».

Son épouse, brave femme un peu naïve, dit-on, a, elle, de bonnes raisons d'en vouloir personnellement à Drumont qui a tenté de causer un scandale en rendant publique la condamnation à vingt ans de prison par contumace de son père, avoué véreux.

L'antidreyfusisme du docteur Proust doit cependant être assez modéré, plus proche d'une position de principe que d'une conviction intime. C'est à lui que Marcel écrit, en pleine Affaire : « Et maintenant un potin. Le peintre Rolle, ami de l'Élysée, affirme que Mme Faure très dreyfusarde, s'enferme avec lui pour lire les bons journaux, mais que M. Faure et Lucie sont très contre[367]. » Il est vrai que quelques semaines plus tôt, les faux du colonel Henry qui, ajoutés au dossier de Dreyfus, avaient entraîné sa condamnation, ont été rendus publics. Adrien Proust a alors rejoint le camp des révisionnistes. Marcel peut demander à sa mère : « Que Papa tâche de savoir par Pozzi si Dreyfus est vraiment mourant, ce qu'il a, s'il (Pozzi) est toujours convaincu de son innocence et les noms des deux officiers qui ont voté l'acquittement[368]. »

Durant toute cette période, l'Affaire est donc ainsi au centre des préoccupations de Jeanne et de son fils comme en témoigne leur correspondance. Même les domestiques sont concernés :

> « Dis bien des choses à Eugénie et aux Gustave et que je ne les ai pas trompés dans l'Affaire, que si Dreyfus était un traître ces juges si hostiles ne seraient pas revenus sur la condamnation de 94... »,

écrit par exemple Marcel à sa mère[369].

Toutes leurs relations sont passées au crible du dreyfusisme et de la question juive. Car les deux ne vont pas forcément ensemble, comme en témoigne cette remarque indignée de Mme Sazerat dans *A la recherche du temps perdu* : « M. Drumont a la prétention de mettre les révisionnistes dans le même sac que les protestants et les Juifs. C'est charmant cette promiscuité[370] ! » Il y a ceux qui sont « bien » ; ceux qui, comme l'ancien notaire M. Cottin et sa femme, ne se compromettent pas mais dont « il est clair qu'ils sont anti[371] » ; et ceux qui « ont le préjugé », selon l'expression de M. Bloch père... Le père de son ami Pierre de Chevilly est ainsi qualifié par Marcel de vieillard abruti et de fou brutal ! Chez les Daudet, il tâche de « ne pas renverser trop d'anti dans l'escalier ». Ils sont, il est vrai, à la pointe de l'antidreyfusisme – ce qui n'empêche pas Marcel de fréquenter Léon Daudet, antisémite forcené, et de s'extasier platement sur son génie de romancier.

Est-ce à dire que les Juifs sont mieux traités ? Pas forcément. Si le chasseur de l'ascenseur, obligé de démissionner parce que son dreyfusisme lui fait trop d'ennemis dans l'hôtel de luxe où il travaille – « je crois que c'est un coreligionnaire », ajoute Marcel à l'intention de sa mère –, a toute sa sympathie, le regard que portent Jeanne et son fils sur les Juifs est souvent piquant, c'est le moins qu'on puisse dire. Il témoigne de leur complicité et de leur goût commun pour le second degré : « le syndicat [372] », « l'élément sémite » sont à prendre en ce sens.

« L'élément sémite est ici représenté outre les Weisweiller par les Paul Heilbronner, les Mayer (...) et les Levylier dont paraît-il nous sommes affligés depuis hier soir sans que je les aie encore rencontrés. Le temps de défaire les malles mais après ! » écrit Jeanne d'Évian en 1900 [373]. A quoi fait écho l'« arrivage de syndicat » dont lui fait part son fils [374].

Cette distanciation, ce regard critique porté sur soi est caractéristique. Difficulté à se voir en miroir dans le regard des autres ou *Selbsthasse* [375], le phénomène est connu. « Tout Juif vieillissant tourne soit au prophète soit au mufle », confie Proust à Emmanuel Berl [376]. Bloch, lui aussi, a « l'habitude de prononcer des phrases ironiques sur ses origines juives, sur son origine qui tenait un peu au Sinaï [377]. » Ainsi, le grand-père du narrateur s'écriant : « A la garde ! à la garde ! » chaque fois que son petit-fils invite un camarade juif à la maison, évoque-t-il irrésistiblement Nathé Weil qui devait réagir ainsi quand Marcel rentrait à la maison avec un Robert Dreyfus ou un Daniel Halévy. Le comique de la scène réside dans le fait que la phrase est justement tirée de *La Juive* de Fromental Halévy, l'oncle de Daniel !

Baptisé mais membre d'une imposante famille juive, Marcel a, en garçon bien élevé, assisté à des mariages, fêté des *bar-mitzvas*, veillé des morts. Il est allé à la synagogue, rue de la Victoire ou rue Notre-Dame-de-

Nazareth, pour le mariage de ses cousins ou celui de son oncle Georges. Sa familiarité avec les rites juifs est évidente comme en témoigne par exemple sa remarque après la mort du cousin de sa mère, Daniel Mayer : « Il n'y aura pas de prières à la maison et quelques mots seulement au cimetière[378]. » Comment imaginer une seule seconde que son engagement dans l'Affaire puisse ne rien à voir avec ses origines juives ? Ses flagorneries à l'égard de Daudet, de Barrès ou de Montesquiou n'y pourront rien changer : la *tache*[379] ne s'efface pas comme ça. Il est piquant de constater qu'à eux deux, Rachel, prostituée juive devenue théâtreuse, et Bloch, archétype du Juif insupportable, composent le nom de son arrière-grand-mère paternelle, Rachel Bloch !

Dans une lettre à Robert Dreyfus, Marcel Proust rappellera que *La Libre Parole* l'avait jadis cité parmi « les jeunes Juifs » manifestant contre Barrès.

> « Pour rectifier, il aurait fallu dire que je n'étais pas juif et je ne le voulais pas »,

ajoute-t-il fermement[380].

« Je n'avais pas encore fait ma 1re communion que les dames bien-pensantes avaient la stupéfaction de rencontrer en visite une Juive élégante », écrit-il dans *A la recherche du temps perdu.* Jeanne sait aussi bien que lui « la difficulté d'être reçu quand on est juif ». Elle aussi a été, *est* confrontée à ce que Bernard Lazare appelle « le ghetto moral ».

> « Cette animosité se dissimule communément et cependant le juif intelligent la perçoit. Il sent une résistance devant lui, il a l'impression d'un mur que des adversaires ont dressé entre lui et ceux au milieu desquels il vit[381]. »

Jeanne a entendu des jeunes filles dire comme Albertine d'un ton pincé : « On ne me permet pas de jouer avec des israélites. » Son mariage avec Adrien Proust a pu lui donner l'illusion qu'elle était une Française comme les autres. Mais l'affaire Dreyfus a levé le voile :

> « Forcheville qui, comme le moindre noble, avait puisé dans des conversations de famille la certitude que son nom était plus ancien que celui de La Rochefoucauld, considérait qu'en épousant la veuve d'un juif il avait accompli le même acte de charité qu'un millionnaire qui ramasse une prostituée dans la rue et la tire de la misère et de la fange[382]. »

C'est dire le jugement du grand monde sur les « coreligionnaires » de sa mère...

Chez certains israélites français, cette vague d'antisémitisme suscitera un sursaut identitaire. Nul ne l'a mieux montré que Marcel Proust, à travers les personnages de Bloch et de Swann dont le dreyfusisme finit par brouiller tout jugement critique. Dans un parallèle célèbre entre l'homosexualité et la judaïté, Marcel Proust fait du juif honteux la métaphore de l'inverti. Bien qu'obsédé par l'une comme par l'autre, avouer son inversion lui fut tout aussi impossible que reconnaître la part juive en lui. Il ne la renia pas pour autant :

> « Neuf fois sur dix, quand on trouve en moi un trait de caractère juif, c'est de mon père que je le tiens, et c'est de ma mère quand il s'agit d'un caractère chrétien »,

confiera-t-il à Emmanuel Berl, son lointain petit-cousin[383]. Pour Jeanne, ce fut sans doute plus facile. Elle savait qui elle était, et l'acceptait avec son réalisme coutumier. Elle était la mère juive de fils catholiques. « Et la paysanne la plus bigote aurait senti que l'âme d'une telle juive était un parfum plus agréable à Notre-Seigneur que toutes les âmes des chrétiens, des curés et des saints[384]. »

Jeanne Weil n'oubliera jamais Esther, « cette Esther qu'elle préfère à tout » et dont Reynaldo Hahn mettra les chœurs, *Il s'apaise, il pardonne*, en musique. Il la chante pour la première fois au piano chez les Proust, près de la cheminée. Marcel, malade, est couché. Adrien est arrivé en retard, et sans bruit, s'est assis sur un fauteuil. Jeanne est restée debout. Elle « essayait timidement un air du chœur, comme une des jeunes filles de Saint-Cyr essayant devant Racine. Et les belles lignes de son visage juif, tout empreint de douceur chrétienne et de courage janséniste, en faisaient Esther elle-même... » écrira son fils[385].

Héroïne juive et vierge chrétienne.

21

L'ÂME DE VENISE

Jeanne Proust est la première lectrice de son fils. Il est désormais acquis que Marcel sera écrivain. Certes, son livre *Les Plaisirs et les Jours* publié en 1896 n'a pas fait grand bruit et l'on est encore bien loin de reconnaître son talent. Depuis 1895, il travaille à son roman *Jean Santeuil*, mais peine à donner une forme aux feuillets qu'il amasse. Il en fait lire des extraits à sa mère Sans doute est-elle sensible à l'essence de ces évocations qui restituent sous un déguisement transparent des moments de leur vie. Mais sa formation classique l'aide aussi à percevoir le caractère touffu et inachevé de l'ouvrage. Marcel écrit des articles, il butine. Il sort beaucoup. Elle l'encourage à travailler plus régulièrement. Comme Mme Santeuil, elle a peut-être rêvé d'un autre destin pour son fils. Mais : « Elle se rendait compte, maintenant qu'il ne faisait plus que faire des visites, aller dans le monde, que se recueillir, imaginer, écrire, c'était encore plus que ce qu'il faisait en ce moment Et si c'était tout ce qu'elle pouvait obtenir de lui maintenant, du moins devait-elle essayer de l'obtenir[386]. » Elle fera de son fils un véritable écrivain.

Il s'intéresse depuis quelques années à l'œuvre du philosophe anglais John Ruskin, découvert à travers des articles de revue. En 1897, il a lu dès sa parution l'étude que lui a consacrée Robert de la Sizeranne, *Ruskin et la Religion de la Beauté*, et dans les mois qui ont suivi, s'est entretenu de son esthétique avec son ami Robert de Billy, diplomate à Londres. Cet intérêt va se transformer en une véritable passion, qui comme le remarque Painter, suivra « exactement le même processus que ses aventures amoureuses et ses ardentes amitiés », à ceci près que la joie qu'elle lui apportera ne sera « ternie par aucune souffrance[387] ». La position de Ruskin est celle d'un esthète, à la bibliographie imposante de cent soixante titres[388]. En traduisant Ruskin, Marcel Proust se voudra le passeur du philosophe en France. En fait, John Ruskin sera le passeur de Marcel Proust vers lui-même.

Jeanne est inséparable de cette aventure. Sa collaboration au travail de son fils est à la fois un geste d'amour, de maternité et de compréhension profonde. En l'encourageant, en participant à son travail, elle tend autour de lui le filet serré de contraintes, d'effort soutenu, de rigueur, d'ascèse que suppose toute entreprise d'envergure. Pour la première fois, Marcel expérimente une véritable discipline de travail. Sa mère l'accompagne. Les heures passées ensemble sur les textes de Ruskin ont certainement compté parmi les plus heureuses de la vie de Jeanne. Elle a eu le sentiment d'être utile, de participer à l'œuvre en cours. Ce travail a permis aussi à cette mère qui n'a jamais cherché à sortir du rôle habituel des femmes de son époque, de nous laisser entrevoir ce qu'elle aurait pu être, en un autre temps. N'en déduisons pas pour autant une quelconque insatisfaction. Dans son travail sur Ruskin, Jeanne ne voit pas l'ébauche d'un destin personnel mais le bonheur de collaborer avec son fils. En cela, elle ressemble bien à son auteur favori, Mme de Rémusat, qui « semble avoir dit oui à tout et tout intériorisé de la représentation canonique des femmes[389] », mais veille sur l'éducation et les lectures d'un fils qu'elle adore.

On se rappelle que comme son frère Georges, Jeanne Weil possède parfaitement la langue anglaise. Il n'en va pas de même pour Marcel. « Comment faites-vous, Marcel, puisque vous ne savez pas l'anglais ? » s'étonne son ami Constantin de Brancovan en apprenant son projet de traduire *La Bible d'Amiens*. C'est Jeanne qui, à partir de décembre 1899, va effectuer la première traduction du texte de Ruskin, un mot à mot que son fils reprendra pour lui donner une forme plus littéraire. Car si selon Georges de Lauris, Marcel « eût été fort embarrassé pour commander une côtelette dans un restaurant anglais » (ce qu'il n'eut, du reste, jamais à faire !), il « connaissait l'anglais de Ruskin dans toutes ses nuances ». Dans les cahiers d'écolier aux couvertures jaunes, vertes et rouges, les deux écritures s'entremêlent, les corrections du fils s'insérant dans la trame de la traduction de la mère[390].

Tantôt les écritures se mêlent – les jambages un peu rigides de Jeanne, l'élan plus désordonné de Marcel – tantôt elles se superposent. Certaines pages sont entièrement réécrites, d'autres à peine retouchées. Parfois Jeanne bute sur un terme technique d'architecture, parfois sur l'anglais obscur de Ruskin. Mais sa traduction est fidèle, et couvre l'ensemble du texte.

> « La date réelle à se rappeler est 481 alors que Clovis lui-même arrive au trône, jeune homme de 15 ans » devient ainsi sous la plume de Marcel : « La vraie date à

se rappeler est 481 qui est celle de l'avènement au trône de Clovis à l'âge de 15 ans[391]. »

Jeanne ne se contente pas de traduire *La Bible d'Amiens*, des extraits de *Sésame et les Lys* ou de *Mornings in Florence*, elle prend des notes, recopie des extraits d'ouvrages empruntés à la bibliothèque, tel celui de Collingwood, ou en résume le plan. On devine en elle la collaboratrice zélée, tout entière absorbée par sa tâche. Un feu brûle dans la cheminée de la salle à manger aux reflets d'acajou. Sur la grande table ovale recouverte d'un tapis rouge, mère et fils se penchent à tour de rôle sur les papiers et les livres. Elle travaille le jour, il écrit la nuit, à la clarté douce d'une lampe à huile. Une chaise longue lui permet de se reposer. Parfois, Jeanne somnole dans un fauteuil en veillant à côté de lui. Avant d'aller se coucher aux premières lueurs du jour, Marcel laisse à sa mère des instructions par écrit. Dans ces billets, considérations domestiques et consignes de travail se mêlent, reflétant le caractère intime de leur collaboration.

« Ma chère petite Maman,

De minuit à minuit 1/4 j'ai fait la faction devant ta porte, entendant papa se moucher mais non lire le journal de sorte que je n'ai pas osé entrer.

Tu serais bien gentille demain matin de me traduire sur des feuilles du format que tu trouveras (plutôt grand) sans écrire au dos, sans laisser aucun blanc, en serrant ce que je t'ai montré des Sept Lampes...

D'autre part tu me rendrais également service en copiant la page ci-jointe entourée de crayon bleu (j'avais commencé à entourer de crayon bleu le dos mais cela ne compte pas). Tu commenceras au premier mot (qui est : à notre pensée), finiras au dernier (qui est : pour te rechercher, pour) sans t'occuper que le sens soit interrompu, ne copie rien de ce qui est au dos. Mais garde-moi non seulement ta copie, mais la page ci-jointe dont je me servirai.

Il me semble que je vais mieux et en tout cas fume infiniment moins. Je me couche sans rien prendre. C'est moi qui ai débouché la bouteille de Vichy.

Mille tendres baisers,

Marcel[392]. »

De même, dans cette autre lettre, écrite alors qu'ils travaillent à la traduction du quatrième chapitre de *La Bible d'Amiens* :

« Ma chère petite Maman,

Fais la fin de la Bible comme tu sais et au net. Au contraire les prophètes et les mois de l'année en brouillon.

[...] Je te mets les feuilles près de mon mot. Je laisse tout au salon excepté mon manuscrit copié que j'emporte chez moi pour que les pages ne puissent plus être déplacées. [...] T'ayant sorti tes feuilles, ton livre et ton dictionnaire, tu feras aussi bien de ne pas toucher au fouillis du salon ou de chez Robert, il n'y a pas davantage.

Mille tendres baisers,

Marcel[393] »

Même quand d'autres collaborateurs viendront en aide à Marcel et relaieront Jeanne, elle ne cessera de lui apporter son aide, de soutenir son effort et de lutter pour qu'il le mène à son terme, une fois évanoui l'enthousiasme du début. Elle-même aura passé des jours et des jours sur la traduction de centaines de pages. Des jours heureux, n'en doutons pas, quand, dans le grand salon de la rue de Courcelles ou dans la salle à manger du boulevard Malesherbes, ils échangent leurs points de vue sur un détail de la traduction, ou relisent une page de Ruskin Dans cette entreprise, Jeanne ne se veut rien de plus qu'une modeste technicienne de la langue qui facilite le travail de son fils. Il est le maître d'œuvre, et sait, de Marie Nordlinger à Robert d'Humières, le traducteur de Kipling, reconnaître et utiliser les compétences de ses relations. Mais sans le travail de base effectué par Jeanne, sans son concours immédiat, favorisé par leur proximité, sans la discipline que par son exemple elle lui apporte, se serait-il seulement lancé dans cette tâche et l'aurait-il menée à bien ? Ce travail de mot à mot, qui aurait pu le faire aussi longtemps qu'elle ? Le rôle de Jeanne Proust a été indispensable.

> « Du roman à la traduction de Ruskin, [...] l'association esthétique de la mère et du fils se renforce : elle veille sur l'écriture comme sur le sommeil du petit garçon[394] »,

note Jean-Yves Tadié.

Elle y veillera jusqu'à sa mort, sachant que le salut de son fils réside dans ce travail régulier de l'écriture. Elle ne confond point traduction et création – mais elle sait qu'il y a là un effort structurant dont il a besoin. L'organisation de son travail oblige Marcel à se donner des horaires. Le carcan inhérent à la traduction est une contrainte moins ludique mais aussi formatrice que celui du pastiche dans lequel il excellera. « Je ne souhaite pas que mon fils soit un artiste de génie », avait fait dire le jeune Proust à Mme Santeuil. A moins d'imaginer, comme Buffon, que le génie soit une longue patience... Aux yeux de Jeanne Proust, les qualités qui manquent le plus à son fils sont la volonté et la persévérance. Elle ne renoncera jamais à les lui faire acquérir. Les traductions de Ruskin seront à cet égard un excellent entraînement. Jamais elle n'a douté du talent de son fils. Désormais, elle va non seulement encourager sa vocation mais s'employer à ce qu'il s'y consacre pleinement. Sa foi en lui, sa confiance, son attention vigilante, son intelligence, son exigence et son amour sont le creuset où s'est forgée la force d'airain qui permettra un jour à Marcel Proust d'aller jusqu'au bout de lui-même. Mais elle ne verra jamais le couronnement de ses efforts. Quelle n'aurait pas été sa fierté de constater l'acharnement que mit Marcel à mener à bien son œuvre ultime ! Et son désespoir de le voir y laisser sa vie. L'eût-elle permis ? Sa présence fut indispensable ; sa disparition peut-être tout autant.

Marcel Proust trouvera chez John Ruskin la matière d'une réflexion féconde sur l'art et la religion qui servira de fondement à sa propre recherche esthétique et spirituelle. Loin d'être une perte de temps, son travail de traduction ainsi que les préfaces de *La Bible d'Amiens* et de *Sésame et les Lys* dans lesquelles il le présentera, sont des étapes essentielles dans la maturation de sa pensée et dans l'élaboration de son œuvre personnelle. D'innombrables notes font état de ses lectures, et sa correspondance confirme que pendant deux ans environ, Ruskin est le pivot de sa vie intellectuelle et le mobile de la plupart de ses déplacements.

En décembre 1901, Marcel Proust remet enfin le manuscrit de sa traduction à son éditeur Ollendorff. Il a 30 ans.

Dans l'hommage qu'il rend à ses différents traducteurs, sa mère n'est pas citée. Sans doute ne l'a-t-elle pas voulu. Le nom de son fils ira à la postérité sans elle.

Mais c'est ensemble qu'ils se rendent à Venise, au mois de mai 1900. Depuis mars, Marcel est définitivement déchargé de son poste à la bibliothèque Mazarine, qui, avouons-le, ne l'a jamais beaucoup occupé. Devant ses absences (en 1896, il y a mis une fois les pieds pour offrir *Les Plaisirs et les Jours* à ses collègues, se contentant de renouveler consciencieusement sa demande de congé chaque année en décembre !), l'administration l'a forcé à démissionner. Voilà qui l'arrange. Même son père ne peut plus être dupe.

Jeanne est plus soucieuse que jamais de la santé de son fils. Au mois d'avril, de violentes crises d'asthme l'ont à nouveau terrassé, le tenant éveillé des nuits entières, suffocant. Au petit matin, il lui écrit, exténué :

> « Tu peux rester un instant devant moi il me semble que cela me fait moins étouffer. Je suis dans un état terrible[395]. »

Jeanne au pied du lit, les yeux pleins de larmes... Au moins espère-t-elle le soulager par sa présence. Il est loin le temps où elle tentait de l'endurcir. Que simplement, elle parvienne à l'apaiser un peu.

La maladie de Marcel, à laquelle s'est ajoutée une grippe, ne l'empêche pas de continuer à travailler à son projet sur Ruskin, et d'écrire à ce propos à la charmante Marie Nordlinger, une cousine anglaise de Reynaldo Hahn. Ils se connaissent depuis quatre ans. Elle est née à Manchester où elle a suivi les cours de l'Ecole des Beaux-Arts, et a passé deux ans en France afin de poursuivre ses études de peinture. Très cultivée, elle partage son admiration pour l'auteur de *La Bible d'Amiens*. En avril, il lui envoie la revue du *Mercure de France* dans laquelle a paru son article « Ruskin à Notre-Dame-d'Amiens », auquel elle a collaboré en lui traduisant des textes. Elle est en Italie. Justement, lui aussi envisage de se rendre peut-être à Venise. Le guide Baedeker recommande la ville aux malades des bronches en raison de l'absence de poussière mais la déconseille aux rhumatisants... Tant pis pour Jeanne. Elle sera, du reste, à leur retour, clouée au lit par une crise de rhumatismes. Dans *A la recherche du temps perdu*, Proust attribuera l'initiative de ce voyage à sa mère. Le docteur ne les accompagne pas. Venise est pour lui la ville des conférences internationales. Il y est venu deux fois, en 1892 et en 1897, pour défendre ses idées sur la coopération en matière de santé publique, et a même sacrifié au rite des pigeons de la place Saint-Marc ! Il s'est félicité que la ville soit désormais alimentée en eau potable. Mais on voit mal ce qu'il irait faire dans ce pèlerinage esthétique. Prudemment, il s'abstient. A 65 ans, il a pris, quelques mois plus tôt, sa retraite de ses fonctions hospitalières à l'Hôtel-Dieu, et des calculs rénaux le font souffrir. Mère et fils communieront donc sans lui dans leur ferveur ruskinienne.

Le temps d'étudier soigneusement les horaires de chemin de fer, de préparer malles et sacs de voyage, et début mai, Jeanne et Marcel Proust montent à bord du train qui *via* Turin et Padoue, les conduira à Venise par le Mont-Cenis [396]. Ils ont sans doute pris un train de nuit. Vingt-quatre heures de voyage dans des wagons mal suspendus même en première classe, dans les vapeurs noires du charbon, sont une épreuve pour le jeune homme asthmatique qui sort de crise. Jeanne s'occupe de lui comme s'il avait 10 ans. Elle a prévu des œufs durs, des bouteilles d'eau, des journaux, des livres dont elle lui ménage la surprise pour le distraire. Juste avant d'arriver à Venise, alors que le train a déjà dépassé Mestre, elle lui lit un passage de *The Stones of Venice* dans lequel Ruskin compare la ville au corail de la mer des Indes et à une opale. John Ruskin les guidera « comme la colonne de feu qui marchait devant les Israélites [397] ».

Ils descendent à l'hôtel Royal de Danieli, à deux pas de la place Saint-Marc, comme l'atteste cette note de Marie Nordlinger :

> « D'une fenêtre de sa chambre d'hôtel au Danieli (de l'autre côté on apercevait la Riva dei Schiavoni) l'ange d'or du Campanile de Saint-Marc lui tend les bras[398]. »

La chambre de Marcel est donc probablement située à l'angle de l'hôtel, comme aux Roches noires de Trouville[399]. Cet établissement de luxe, installé depuis 1822 dans le palazzo Dandolo, l'ancien siège de l'ambassade de France auprès de la Sérénissime, avait abrité les amours tumultueuses de George Sand et Musset, mais aussi le séjour plus calme de Charles Dickens.

Peu de temps après leur arrivée, ils rencontrent Marie Nordlinger, chaperonnée par une tante, et son cousin Reynaldo Hahn. Ils sont, eux, descendus au palazzo Fortuny Madrazzo, un fief familial. Marcel et Jeanne découvriront Venise en leur compagnie.

Bien que toujours très souffrant, Marcel se lève à des heures plus raisonnables qu'à Paris. On vient ouvrir ses volets dès 10 heures du matin. Jeanne se réjouit de le voir sortir, un peu plus tard, dans la lumière vénitienne. Pour sa part, elle reste volontiers chez elle le matin, par convenance et par goût. Elle flâne, écrit sa correspondance, prend un livre, étudie le plan de la ville. Elle aime l'attendre sur son balcon, sa robe noire éclairée par un chapeau plus estival, le visage enveloppé

> « d'une voilette en tulle d'un blanc aussi déchirant, écrira Marcel Proust, que celui de ses cheveux pour moi qui sentais que ma mère l'avait, en cachant ses larmes, ajoutée à son chapeau de paille moins pour avoir l'air "habillé" devant les gens de l'hôtel que pour me paraître moins en

deuil, moins triste, presque consolée de la mort de ma grand-mère[400]... »

Portrait d'une *mater dolorosa* qui doit beaucoup à l'inspiration romanesque, puisque Jeanne, qui vient d'avoir 51 ans n'a pas les cheveux blancs et que sa mère est morte depuis dix ans.

Mais Marie Nordlinger évoquera elle aussi la silhouette de Jeanne Proust se détachant dans l'encadrement de la fenêtre, lisant en attendant son fils, son châle posé sur la balustrade de marbre, cette « mère qui de sa vie fut la cariatide, l'unique[401] ». Ce visage maternel tendu vers lui alors que sa gondole vient à peine de dépasser Saint-Georges-le-Majeur[402], lorsque des années plus tard, Marcel Proust le rappellera à sa mémoire, encadré comme une miniature orientale par l'ogive de la fenêtre illuminée par le soleil de midi, il lui donnera la douceur et le rayonnement de ce qu'il appelle ailleurs « l'âme de Venise ».

Mais si elle laisse parfois son fils se promener en gondole ou visiter sans elle églises et musées, c'est peut-être pour ne pas s'imposer dans son tête-à-tête avec Marie. Le visage ovale, la bouche charnue et les yeux bruns de la jeune fille, son air réfléchi, sa gentillesse, ses goûts si proches de ceux de Marcel, sa culture, ses bonnes manières sous ses allures un peu libres en font une si parfaite candidate au mariage ! Ils s'entendent si bien ! Je ne peux croire que Mme Proust n'ait pas rêvé un jour ou l'autre d'une union entre son Marcel et la jeune Anglaise... Ainsi cette après-midi d'orage où pour échapper à la pluie et aux éclairs, les jeunes gens se sont réfugiés dans le baptistère pour lire *Stones of Venice* que Marie lui a traduit... Mais Marie restera une amie, rien de plus.

A l'heure du déjeuner, Jeanne rejoint son fils dans le hall, véritable débauche de marbres et de lustres en cristal où trône un monumental escalier à arcades.

L'après-midi, ils « appellent une gondole et partent en ces randonnées par les *campi*, les canaux, les quais et les lagunes, randonnées amarrées dans les pages d'*Albertine disparue* », comme l'écrit Marie Nordlinger. Elle-même se joint souvent à eux durant les dix jours de sa villégiature. On visite Venise sur les traces de Ruskin : les mosaïques et les inscriptions du baptistère, les Carpaccio de San Giorgio degli Schiavoni, les palais du Grand Canal voient en eux des amateurs d'art attentifs au moindre détail, allant un jour jusqu'à demander une échelle pour distinguer un relief dont Ruskin a signalé l'importance. Les gondoles les portent d'un palais à l'autre, des églises « à ces demeures, à demi dressées, délicieuses et roses, hors des eaux où elles plongent ». Dans la fraîcheur de la basilique Saint-Marc, ses cahiers de notes sous le bras, Marcel s'absorbe dans la contemplation des mosaïques représentant le baptême du Christ. Jeanne, craignant qu'il ne prenne froid, lui jette un châle sur les épaules. Il écrira plus tard :

> « Une heure est venue pour moi où, quand je me rappelle ce baptistère, devant les flots du Jourdain où saint Jean immerge le Christ, tandis que la gondole nous attendait devant la Piazzetta il ne m'est pas indifférent que dans cette fraîche pénombre, à côté de moi, il y eût une femme drapée dans son deuil avec la ferveur respectueuse et enthousiaste de la femme âgée qu'on voit à Venise dans la *Sainte Ursule* de Carpaccio et que cette femme aux joues rouges, aux yeux tristes, dans ses voiles noirs, et que rien ne pourra plus jamais faire sortir pour moi de ce sanctuaire doucement éclairé de Saint-Marc où je suis sûr

de la retrouver parce qu'elle y a une place réservée et immuable comme une mosaïque, ce soit ma mère[403]. »

Journées vénitiennes, où, achevée la visite des musées et des églises, on se repose à la terrasse du Florian en dégustant une *limonata*, des sorbets ou un chocolat crémeux. On rencontre des connaissances, on se salue. Les mondanités reprennent leur droit. Des marchandes de fleurs offrent des bouquets. Marcel refuse en détournant la tête. Il préfère peut-être les banquettes de velours rouge, le marbre et les boiseries acajou des salons où Jeanne retrouve le souvenir de George Sand et de Musset. Sont-ils allés saluer la petite pension où John Ruskin, délaissant le Gritti, écrivit la deuxième partie des *Stones of Venice*, au bord du canal de la Giudecca ? Le philosophe obtint du propriétaire de ce simple bar qu'il fréquentait la faveur de louer une chambre, puis une deuxième pour un ami.

Ils se rendent aussi un jour à Padoue où, dans la chapelle de l'Arena, ils découvrent les fresques de Giotto dans lesquelles figurent ces Vertus et ces Vices que Charles Swann offrira en reproduction au narrateur de Combray.

Jeanne et Marcel dînent le plus souvent à l'hôtel, à moins qu'il ne leur arrive de goûter la cuisine réputée d'un autre palace et d'y déguster rougets et risotto comme la marquise de Villeparisis et son vieil amant M. de Norpois. Marcel sort ensuite pour rejoindre ses amis ou explorer les ruelles obscures de Venise. Jeanne, restée seule, lit un peu et se couche.

Une ombre planera cependant sur le souvenir de ce séjour, qu'elle ait son fondement dans la réalité ou seulement dans la sensibilité exacerbée de Marcel Proust. Hormis la rédaction répétitive de la scène que nous allons évoquer[404], rien ne permet d'en avoir la certitude. Mais elle est révélatrice de la relation qu'entretiennent mère et fils à cette époque de leur vie et c'est à cet égard qu'elle nous intéresse.

Dans le roman, elle survient juste après que Marcel a entrevu la possibilité de certains plaisirs charnels à l'issue de ses dérives nocturnes dans les *calli* étroits de la ville, et de l'arrivée d'une femme dont la seule pensée excite son désir. Or, ils doivent justement quitter Venise. Il demande à sa mère de retarder leur départ. Elle refuse sans paraître accorder la moindre importance à sa demande. Il s'obstine, repris par « ce vieux désir de résistance à un complot imaginaire tramé contre [lui] par [ses] parents ». Elle ne lui répond même pas. Au moment où elle part, escortée par leurs bagages, il s'installe sur la terrasse et se fait porter une consommation. Le défi ne débouche sur aucun affrontement. La mère sans un mot se rend à la gare, renvoyant du même coup la tentative de résistance de son fils au néant des enfantillages.

Resté seul, Marcel voit le soleil décliner, et la perspective de rester sans elle à Venise, de la savoir peinée par lui et incapable, par son absence, de le consoler, le fait sombrer dans une déréliction qui transforme la magie de la ville en une vision infernale. Comme à la piscine Deligny où jadis elle nageait sans lui, l'eau noire des canaux le remplit d'effroi. Il est incapable de bouger, de prendre la moindre décision. En face de l'hôtel, un musicien chante *O sole mio*. Mais la romance solaire résonne comme un chant de désespoir. C'est sa solitude irrévocable qu'elle proclame, dans une ville en miettes. Sans sa mère, « l'âme de Venise s'en [est] échappée ».

Enfin, dans un sursaut, il s'arrache à sa paralysie,

prend les jambes à son cou, et rejoint la gare. Les portières du train sont déjà fermées, sa mère rouge d'émotion, se retient pour ne pas pleurer. Elle pensait qu'il ne viendrait plus.

Ce que nous dit cet épisode si habilement dramatisé[405], c'est, une fois de plus, l'impossible séparation de la mère et du fils et les entrelacs de leurs sentiments, aussi mêlés que les eaux de la lagune.

« Le souvenir intolérable du chagrin que j'avais fait à ma mère me rendit une angoisse que sa présence seule et son baiser pouvaient guérir », conclut le narrateur. « Car parfois la haine serpente au milieu du plus immense amour où elle semble comme perdue[406]. »

Au mois d'octobre 1900, Marcel Proust se rendra seul à Venise et descendra à l'hôtel de l'Europe[407], dans le palais Giustiniani, face à l'église de la Salute. Qui sait ? Ce ne sera peut-être pas seulement l'âme de la ville qu'il tentera cette fois de saisir...

22

LE CARNET DE JEANNE

C'est un carnet aux coins rouges, marbré de brun. Il a été acheté chez le papetier Schneider, boulevard Haussmann. Sur le papier ligné, les noms et les adresses se succèdent, classés par jour de réception. Les rhumatismes et le gonflement dû à la maladie ont déformé l'écriture au fil du temps. Quelques noms sont tracés au crayon noir. Certains sont barrés, une mention précise çà et là un décès, un changement d'adresse. Les feuillets sont jaunis, parfois détachés, l'encre noire a pâli[408]...

Il comporte 430 noms, et nous donne un aperçu des fréquentations de Jeanne et Adrien Proust aux environs de 1900. Jeanne l'a en effet rempli vers la fin de l'année 1899[409]. Peut-être en prévision du nouveau siècle ? Il est un témoignage de son caractère organisé et prévoyant, de son souci des conventions sociales, de son rôle d'épouse et de mère. Il nous plonge dans les cercles feutrés de la bourgeoisie de la Troisième République, où relations mondaines, politiques, professionnelles et familiales s'imbriquent pour former un réseau stable, se prolongeant parfois sur plusieurs générations. L'homogénéité sociale est la règle. On ne fréquente pas plus le peuple que le faubourg Saint-Germain. Un baron, une comtesse, un vicomte, les quelques grands noms appartenant à ce monde – les Chimay, les Noailles – sont des relations de Marcel.

En bonne épouse de médecin, Jeanne a soigneusement noté les coordonnées d'au moins une soixantaine de collègues de son mari. C'est de loin la catégorie la plus représentée : la vie sociale de l'épouse est bien souvent le prolongement de la vie professionnelle de son conjoint. Nombre d'entre eux sont membres de l'Académie de médecine à laquelle appartient le docteur Proust depuis 1879. Le professeur Brissaud, « beau et charmant », auteur de l'*Hygiène des asthmatiques* « qu'il faut battre pour le faire parler médecine[410] », modèle du docteur du Boulbon qui examine la grand-mère du narrateur dans *A la recherche du temps perdu* ; le professeur Dieulafoy, qui vient constater son décès ; le sémillant Samuel Pozzi qui mourra assassiné par l'un de ses malades ; les professeurs Trousseau et Fernand Widal, le docteur Robin, célèbre pour sa liaison avec Liane de Pougy sont quelques-uns des noms figurant sur le carnet. On se reçoit à dîner entre pairs, ces dames déposent une carte chez les autres épouses ou passent quelques instants, le temps de grignoter deux ou trois petits fours et d'échanger les potins du jour. Ainsi, Mme Brissaud reçoit-elle le mardi dans son appartement du 5, rue Bonaparte, tout comme l'épouse du docteur Georges Brouardel, rue de Lille... à ne pas confondre avec la femme du professeur Brouardel, qui, elle, a son « jour » le vendredi, rue de l'Université !

Faut-il imaginer Jeanne comme l'épouse du professeur Cottard, qui n'hésite pas à monter les étages de vingt-cinq maisons en une seule journée et tend à

Swann, rencontré dans l'omnibus, sa main gantée avant d'enfiler « courageusement la rue Bonaparte, l'aigrette haute, d'une main relevant sa jupe, de l'autre tenant son en-tout-cas [...][411] » ?

Les fonctions officielles du docteur Proust l'amènent aussi à fréquenter hauts fonctionnaires, ministres et personnages de premier plan. Une trentaine de noms figurent dans le carnet, souvent accompagnés des titres ou des fonctions, peut-être pour ne pas commettre d'impairs ou d'oublis. Parlementaires, conseillers d'État comme le jeune Jacques Helbronner qui en 1939 sera à l'origine d'un décret condamnant l'antisémitisme, consuls ou gouverneurs, ministres plénipotentiaires des Pays-Bas ou de la Suède, diplomates comme Camille Barrère, ambassadeur de France à Rome, préfet comme Jules Lépine, anciens ministres comme Jules Siegfried, Alexandre Ribot qui fut président du Conseil en 1895 ou Jean Casimir-Perier, l'ancien président de la République, ne le cèdent qu'aux ministres en exercice tels que Georges Leygue à l'Instruction publique, Waldeck-Rousseau, le président du Conseil, Armand Fallières, le président du Sénat ou le président de la République lui-même, Émile Loubet, élu le 18 février 1899. Quant à Félix Faure, il est décédé dans les conditions que l'on sait quelques jours plus tôt. Jeanne continue à rendre visite à sa veuve, l'une de ses meilleures amies, qui a quitté l'Élysée pour l'avenue d'Iéna et reçoit le samedi, un jour très chic qu'ont aussi choisi la baronne James de Rothschild, le prince et la princesse de Caraman-Chimay et Madeleine Lemaire. Notaires, avocats, juristes, président de la compagnie des chemins de fer de l'Est comme M. van Blarenberghe dont la femme sera assassinée par leur fils Henri qui se suicidera ensuite[412], présidents du tribunal de Limoges ou de Besançon (une relation de cure), conseillers à la Cour des comptes, banquiers achèvent ce tableau d'une sociabilité de bon aloi, fidèle à la définition que donne l'annuaire du *Tout-Paris* de la Société parisienne en 1886 :

> « Aristocratie, colonie étrangère, fonctionnaires, corps diplomatique, monde politique, magistrature, armée, clergé, sciences, lettres, beaux-arts, haute finance, propriétaires rentiers etc.[413]. »

Il faut entretenir ces réseaux et il revient à Mme Proust d'y contribuer : dîners, visites, « jours », vœux, services rendus, cadeaux, envois de fleurs, remerciements, condoléances forment un écheveau savant de mondanités et de menues obligations sociales auxquelles on ne saurait se soustraire. Elle excelle notamment dans l'exercice de la lettre de condoléances, qui semble être une spécialité familiale... Tables aux nappes damassées, cristaux, argenterie, porcelaine de Saxe, décorations florales de chez Dechaume, maître d'hôtel en livrée et extras venus l'assister : les réceptions se déroulent selon un protocole impeccable. Comme à M. de Norpois, le diplomate de *A la recherche du temps perdu*, on sert peut-être aux hôtes de marque le bœuf aux carottes à la gelée et la salade d'ananas et de truffes suivie d'un pudding à la Nesselrode à base de marrons et de fruits confits, véritable « festin de Lucullus » ! Le marquis n'aura pas trop de sa cure de Carlsbad pour s'en remettre ! A moins que Félicie n'ait préparé ce soir-là l'un de ses soufflés aériens et son jambon d'York, qu'elle a « envoyé dès la veille cuire dans le four du boulanger, protégé de mie de pain comme du marbre rose ». La presse mondaine se fait l'écho de ces dîners, comme pour cette soirée du lundi 24 avril 1899 où les Proust reçoivent les amis de leur fils, Anatole France et Mme Arman de Caillavet, Madeleine Lemaire, l'un des modèles de Mme Verdurin, le comte et la comtesse Mathieu de Noailles – autrement dit la poétesse Anna de Noailles, véritable idole de la Belle Époque –, dîner littéraire au sommet s'il en est. Ce bout de femme aux yeux immenses sous sa frange brune, est comme à l'ordinaire étourdissante d'esprit et de bavardage hystérique, ses « petites mains ouvertes, projetées d'elle comme d'une fronde, ses gestes jonchant le sol de voiles, d'écharpes, de colliers, de chapelets arabes, de manchons[414] ». Quant à son mari, « grand, mince, la moustache blonde effilée, parfaitement racé, il ne souffle mot, mais sourit[415]... ». Laparcerie récite des vers d'Anatole France, de Mme de Noailles et de Robert de Montesquiou... *Le Matin* ne précise pas, cependant, si le docteur Proust a passé une bonne soirée !

Le docteur Proust et sa femme ont régulièrement les honneurs du carnet mondain, leur présence est mentionnée à leur arrivée en villégiature ou dans les soirées où ils côtoient le meilleur monde : ainsi, en ce mardi 14 avril 1896, le couple a assisté chez les amis de Marcel, Georges et Jeanne Arman de Caillavet, à la représentation de *L'Orme de Lucrèce*, une « charmante pièce », nous dit *Le Figaro,* de Dufresny.

Sans être mondaine, Jeanne sacrifie aux obligations sociales de son milieu. Elle connaît beaucoup de monde et adore potiner avec son fils qui a parfois recours à elle pour une « biographie complète[416] ». Mme Derbanne et Mme de Saint-Marceaux, deux célèbres hôtesses, sont sur ses tablettes. Même si c'est pour favoriser la carrière de son mari ou de ses fils, rien n'indique qu'elle le fasse à contrecœur. On la voit dans une soirée à l'École

Centrale, à l'Opéra, à l'Élysée, présentée par Marcel à Venise à la sœur d'Anna de Noailles, Hélène de Brancovan, princesse de Caraman-Chimay, ou invitée avec Adrien à une chasse présidentielle à Rambouillet...

Mais la maladie et les deuils vont peu à peu limiter cette vie mondaine. Jeanne est d'une fidélité religieuse à ceux qu'elle aime. Famille et amis occupent une place de choix dans le carnet d'adresses. Les plus vieux amis du couple, les Bénac, reçoivent le jeudi[417]. Une trentaine de parents y figurent, aussi bien du côté Weil que Berncastel ou Crémieux, sans oublier les Amiot, soigneusement notés à la page « Hors Paris », Jules à Illiers, Fernand au Binic et Alphonse à Alger. Toute la parentèle est répertoriée, y compris les familles alliées comme les Oulman et les Hecht. Le seul absent est Gustave Neuburger, peut-être parce que son épouse Laure Lazarus, la cousine de Jeanne, est morte en 1898, et qu'elle n'a pas gardé de contacts avec le banquier. De nombreux patronymes d'origine israélite attestent aussi des relations des Proust avec ce milieu. Les Nathan y figurent. On se souvient peut-être que Laure, née Rodrigues-Ély, est l'une des meilleures amies de Jeanne. Cette grande femme brune, à la forte personnalité, pleine d'humour, restera proche d'elle jusqu'à la fin. Sans enfants, elle étend son affection à ses neveux et petits-cousins. Pour tous, elle est « Tante Laure ». Les Helbronner, Weisweiller, Heyman, Oulif, Lévy, Lévyher, Oppenheim, Revel, Cohn, Dreyfous, Lippmann et autres Halphen côtoient les grands noms de la finance, Finaly, Romilly, Pereire ou Rothschild, montrant que Jeanne a gardé des liens, parfois très anciens, comme avec Mme Levi Alvarès[418], avec l'« élément sémite ».

Certaines de ces relations se sont formées lors de la cure annuelle qui conduit les Proust aux eaux. Si chaque année, le docteur se rend seul à Vichy, à partir de 1899, il séjourne aussi avec Jeanne à Evian, sur la rive méridionale du lac Léman. Ils partent vers la mi-août et restent trois semaines, durée réglementaire des cures thermales. La beauté du site, le modernisme des installations attirent les curistes fortunés et célèbres. Robes blanches et larges chapeaux à voilette, ombrelles à la main, les élégantes déambulent sur la jetée ou dans les jardins du casino au côté de messieurs moustachus à canotier de paille.

L'hôtel Splendid où Jeanne et Adrien descendent est le plus luxueux d'Evian. Inauguré deux ans plus tôt, sa façade classique surplombe le lac, au milieu d'un immense parc. La lumière électrique, un ascenseur, plus d'une centaine de chambres aux cloisons minces en font un séjour confortable mais bruyant, que Jeanne déconseille – en vain – à son fils. Des nuées de chasseurs se pressent, aux ordres d'une clientèle exigeante et snob dont les pourboires sont rarement aussi généreux que ceux de Marcel. Les Proust y retrouvent chaque année amis et relations, tels maître Cottin, le notaire qui les a mariés, et son épouse, surnommée Anne de Bretagne par Jeanne, ou ce docteur Cottet qui un an plus tôt s'est montré « tout à fait emballé » sur le compte de Marcel.

> « Bien entendu (et je n'ajoute cette remarque stupide qu'à cause de l'imagination de ma mere) je dis emballé dans un bon sens et ne va pas t'imaginer que c'est une mauvaise relation, grand dieu [419] !!!!!! »,

a précisé Marcel, prouvant une fois encore que le non-dit entre eux est tout relatif et n'exclut pas l'humour...

Jeanne donne aussi libre cours à son esprit malicieux dans ses lettres qui « amusent et enchantent » son fils, faisant des révélations « stupéfiantes » sur le ménage Oulif, d'apparence si sérieuse, ou brossant un portrait sans pitié de Nisard, le vieil ambassadeur près du Saint-Siège, « très aimable mais très sourd. Il n'entend rien de ce qu'on lui dit et comme il parle tout bas on n'entend rien non plus de ce qu'il dit ». Quant à Mme Armand Brun, épouse d'un clubman croisée en 1903, « si elle est aussi irréprochable dans sa vie que dans ses costumes – c'est une femme de choix[420] » ! Il lui arrive de demander à son tour des précisions à Marcel :

> « Qu'est-ce que Lepneveu comme compositeur : Dieu table ou cuvette ? Je ne sais rien de lui – ma mémoire me dit vaguement Cantate – pour l'arrivée du Czar ? – dis-m'en quelque chose pour que si je me trouve auprès de lui – et c'est un miracle que ce ne soit pas encore arrivé (il fait partie du groupe Ployer, Silhol, Chauveau etc. –) je puisse dire "Est-il rien de plus beau que vos...[421] ?" – »

En ce qui la concerne, ils ne sont avec Adrien « inféodés à aucun groupe » et forment avec leurs amis Duplay « le parti républicain indépendant[422] ». « En politique, je suis comme toi, du grand parti "conservateur libéral intelligent" », écrivait-elle déjà à son fils de 18 ans[423]. On lit la presse parisienne guettée chaque jour au kiosque, on commente l'actualité : en 1899, c'est l'Affaire, en 1900, l'attaque à Pékin de la colonie européenne. On joue aux dominos avec les Duplay qui s'amusent beaucoup de la passion qu'y met le docteur Proust. Le soir, on se rend au théâtre par le funiculaire électrique qui relie l'hôtel Splendid à la station thermale.

Jeanne ne néglige pas pour autant la cure, et rentabilise son séjour en accompagnant son mari qui a été opéré en juin d'une douloureuse extraction de calculs. Tandis que le docteur Proust appelle « toute son attention sur les ombres et les clairs de son urine », elle s'installe pour écrire à son fils à la Buvette Cachat où les curistes remplissent leur verre à la fontaine d'eau minérale :

> « Ta maman – utilisation en grand – prend un bain tous les deux jours. Ce matin je l'ai pris à 9 heures et avant j'ai bu à la source – J'en sors à 10 heures – et ai bu un second verre – et enfin je m'assieds à une des tables où sont papiers encre etc. – (troisième utilisation) et en écrivant à mon fils le deuxième verre va avoir le temps de faire place à un troisième[424]. »

Le ton léger et sa gaieté parfois un peu factice ne peuvent faire illusion. Son souci majeur reste son loup dont elle attend les lettres avec impatience. Chaque matin, elle lui écrit avant le courrier de 11 heures. Lorsqu'il la rejoint, en 1899, leurs « embrassades sur la terrasse » ont en Adrien un « témoin ironique et sévère[425] ». Agacement d'un époux qui juge puériles et déplacées ces manifestations de tendresse en public (et sans doute en privé !). En août 1902, les protestations de Marcel : « Vous ne me manquez pas » n'y pourront rien changer. Il est vrai qu'elles s'accompagnent de gémissements si pathétiques – il est seul, abandonné et malade – qu'il faudrait un cœur de pierre pour résister. A Antoine Bibesco, il confie : « Depuis que Maman est partie que je suis seul et si triste... »

Mais l'année suivante, le docteur Proust et sa femme pousseront leurs excursions d'été jusqu'à Zermatt, en

Suisse, où ils séjournent à l'hôtel du Mont-Cervin. Jeanne marche dix heures par jour dans l'espoir de maigrir ! En 1903, c'est à Interlaken qu'ils se rendent avant de revenir par Ouchy (« L'hôtel d'Ouchy est à celui-ci ce que la garde-robe de Mme Cahen d'Anvers peut être à la mienne ») à Evian où ils retrouvent leurs relations habituelles. Mère adorable et insupportable ! A peine arrivée, elle s'enquiert :

> « Veux-tu mon chéri me répondre à mes questions de ménage :
>
> Toutes tes affaires de la tête aux pieds inclusivement sont-elles en parfait état ? Ce qui était à laver – à nettoyer – à visiter – à ressemeler – à marquer – à repriser – à border – à changer les cols – boutonnières etc. En retirant les jours de fête Marie a eu pour cela six journées. J'aimerais savoir si elles ont été appliquées utilement – Tâche que toute chose se passe avec un peu d'ordre (Je sais que sans prêcher d'exemple tu es très capable de diriger). [...]
>
> Je t'embrasse mille fois – mais gantée – ce qui me rend plus illisible.
>
> Mille ten[dres] bai[sers][426]. »

On comprend que son fils de 32 ans lui ait demandé de prévenir, au moins approximativement, de sa date de retour ! Mais, raconte Maurice Duplay,

> « un soir, vers l'heure du dîner, tandis que smokings et robes du soir se rassemblaient sur la terrasse, l'omnibus de l'hôtel amena de nouveaux clients et, parmi eux, un jeune homme emmitouflé comme le plus frileux au cœur du plus rude hiver. Cet arrivant était Marcel Proust[427]. »

Il valait encore mieux pour lui être sur place.

23

UN MARIAGE ET UN ENTERREMENT

Jeanne a 52 ans. Sa silhouette s'est alourdie et dans sa chevelure brune relevée en chignon à coques, quelques fils d'argent disent le temps qui passe. Son élégance est restée discrète. Sur une photographie de 1904, elle porte sous un ensemble de crêpe noir, une blouse de soie imprimée avec un jabot de dentelle, des brillants aux oreilles, un collier d'argent ancien à médaillon. Son regard, son visage aux formes pleines, expriment une tristesse sereine. Le pli de la bouche a gardé sa noblesse. Nulle amertume chez elle. Mais des soucis, oui, certainement. Elle se sent fatiguée, vieillie depuis son opération. Elle est atteinte de crises de rhumatismes que les cures ne soulagent plus. Elle commence à souffrir d'urémie, le mal qui a emporté sa mère. Ses pieds et ses mains sont enflés, elle a du mal à marcher et, certains jours, elle peine à tenir la plume ou à jouer du piano.

Elle est toujours inquiète pour Marcel dont la maladie ne saurait excuser à ses yeux le mode de vie fantaisiste et les horaires incompatibles avec une vie de famille. Que deviendrait-il si elle disparaissait ? Même si leurs relations se sont tendues ces derniers temps, elle sait combien il a besoin d'elle. Si encore elle avait pu espérer pour lui une épouse qui veillerait un jour sur son bien-être...

Mais c'est Robert qui va se marier. Et ce mariage est lui aussi source de chagrin pour sa mère. Son second fils a toujours eu des facilités : sérieux dans ses études, séduisant – on l'appellera « le beau Proust », quand Marcel restera longtemps « le petit Proust » –, amateur de femmes et d'exercices physiques en tout genre, il est devenu médecin comme son père. Ou plus exactement, selon le désir de son père. Il aurait préféré être mathématicien ou architecte. Mais cette fois, Adrien n'a pas cédé. Il a fait de lui son héritier de cœur. Le cadet s'est retrouvé en posture d'aîné. Quand Jeanne regarde Robert, son allure dégagée, son port plein d'assurance, il lui semble revoir son mari plus jeune. Il se tient comme son père, parle comme lui, même si ses grands yeux sombres et ses cheveux très noirs sont Weil, indéniablement. En 1901, il a été le premier chirurgien en France à pratiquer l'ablation de la prostate. Il passera l'agrégation en 1904 et une thèse sur la chirurgie de l'appareil génital de la femme. Il s'intéressera également à l'androgynie. Robert console Adrien de Marcel. Le professeur Proust est fier de son fils.

Comment Jeanne ne le serait-elle pas aussi ? Malgré son caractère coléreux, Robert est, à sa façon, plus docile que Marcel qui dit toujours oui et n'en fait qu'à sa tête.

Trop docile ?

Le futur mariage de Robert est aussi l'œuvre d'Adrien Proust. Son fils épousera Marthe, la fille de Mme Suzanne Dubois-Amiot avec laquelle le professeur entretient dit-on des rapports très... personnels[428].

Nathé Weil a fait des affaires avec le père de celle-ci, M. Favier, un banquier, et Adrien a été appelé à son chevet quand elle a été malade[429]. Une connaissance de famille, en quelque sorte... Ce mariage arrangé avec une jeune fille fortunée ne pourra que servir la carrière de son fils, pense sans doute Adrien. Pour Jeanne, cette alliance concoctée dans le boudoir de l'une des maîtresses de son mari est un camouflet et une blessure. Elle sait, à n'en pas douter. Devine-t-elle aussi que ce mariage ne sera pas heureux ?

Si l'on en croit Marcel, cette union a été conçue dans le plus grand secret, à l'insu même du frère de la jeune fille, Louis. Le 24 janvier 1903, le repas de fiançailles a lieu chez les Proust, installés depuis trois ans dans un très bel appartement, 45, rue de Courcelles. D'abord prévu pour le 1er mars, le mariage est avancé au 2 février. Pourquoi cette précipitation ? Les soucis s'accumulent. La moitié des lettres de faire-part s'égare. Il y a de l'énervement dans l'air. A cause d'un deuil du côté Amiot, la signature du contrat se fait en famille. Des modifications de dernière minute sont apportées, Robert se trouvant doté de 3 000 francs de rente et de 100 000 francs à titre d'avance sur l'héritage. Cette somme est prélevée sur les revenus de la dot de Jeanne Weil, avec son accord bien sûr, comme l'atteste une lettre de sa main au notaire[430]

Mais clouée au lit par des rhumatismes, Jeanne ne peut assister au mariage civil le 29 janvier. Marcel non plus. Les corps parlent. Souffrance morale, souffrance physique. Et c'est en ambulance qu'on conduit la mère du marié à l'église Saint-Augustin où doit avoir lieu la cérémonie nuptiale, en présence d'une assistance nombreuse. Robert, athée comme son père, se marie religieusement. Le lien avec les Weil est bien coupé.

Marcel, obsédé par la peur d'attraper un fou rire, ne dort plus depuis trois jours. Il vit cette cérémonie comme une épreuve. Il doit être le chevalier servant de sa cousine Valentine Thomson (arrière-petite-fille d'Adolphe Crémieux) au moment de la quête. La jeune fille, pimpante dans sa robe de fête et toute fière du bouquet d'orchidées offert par Jeanne, découvre avec horreur un mort-vivant, livide, enveloppé dans trois pardessus, le plastron rembourré de ouate et le cou enfoncé dans des écharpes de laine ! Il ne parvient même pas à passer entre les rangs. Elle décide de quêter seule. Il la suit dans l'allée, et à chaque rang, gémit et se justifie à voix haute de son accoutrement.

Pauvre Marcel ! Il lui faudra dix jours pour se remettre. Le mariage de Robert l'a « à la lettre tué[431] ». Bref, conclut-il, marier un frère est presque aussi fatigant que se marier soi-même[432].

Pour Jeanne, son état la dispense sans doute d'assister à la brillante réception et au lunch que les Dubois-Amiot donnent dans leur appartement de l'avenue de Messine. Les relations entre Marthe et sa belle-famille resteront distantes. Marthe, à la mort de son mari, se débarrassera des papiers de Marcel Proust, en brûlant certains, en vendant d'autres.

Est-ce le cap de la trentaine ? Marcel semble prêt à prendre un peu d'indépendance. Demeuré seul avec ses parents, peut-être ressent-il davantage le poids de leur autorité sur sa vie. C'est une seconde adolescence. Dans ses lettres à sa mère, il laisse affleurer une agressivité qui n'est pas nouvelle mais ne s'est jamais exprimée aussi nettement. Ce sentiment est réciproque. Jeanne est parfois excédée par ses plaintes. Bien des gens souffrent et sont obligés de travailler pour nourrir leur famille, lui fait-elle remarquer. Une fois de plus, elle lui reproche sa frivolité et ses sorties nocturnes. Son rythme de vie irrégulier ne peut que nuire à sa santé. Par moments, le ton s'aigrit, et elle désespère de lui faire entendre raison. Elle est fatiguée aussi de ses promesses de se mettre au travail, de réformer son mode de vie. Il lui arrive d'être ironique, et même vexante.

Des conflits incessants ont pour objet la vie domestique. Jeanne veut forcer Marcel à respecter les horaires de la maison. Or, il se couche le matin et se lève en fin d'après-midi, ou parfois même le soir. Il est interdit de faire le moindre bruit ou même d'ouvrir les fenêtres. Encore plus de le déranger.

> « — Ma petite Maman, tu vois qu'il est tard : je n'ai pas besoin de te faire de recommandation pour le bruit. [...]
>
> Peut-être ferais-tu bien de laisser un petit mot à Robert dans la crainte, s'il sait, qu'il n'entre directement chez moi.
>
> — Entrer directement chez toi !
>
> *Peut-il donc ignorer quelle sévère loi*
> *Aux timides mortels cache ici notre roi,*
> *Que la mort est le prix de tout audacieux*
> *Qui sans être appelé se présente à ses yeux ?* »

Notons au passage que Robert est suspecté de venir volontairement le réveiller. Mais tel Assuérus, Marcel ne daigne tendre son sceptre d'or qu'à son Esther-Maman :

> *Que craignez-vous, ne suis-je pas votre frère ?*
> *Est-ce pour vous qu'on fit un ordre si sévère*[433] *?*

La réalité est moins poétique. Les domestiques doivent s'occuper de Marcel à des heures incongrues. Jeanne donne des ordres pour qu'ils refusent, créant une position embarrassante pour eux, et infantilisante pour lui. Voici le malheureux Marcel recevant ses amis dans une chambre sans feu et si furieux qu'il prend pour cible Bertrand de Fénelon, son amour du moment, et piétine son chapeau neuf ! On pourrait ne voir dans tout cela qu'enfantillages, si ne s'y lisaient aussi un vrai désespoir et une grande violence.

Il accuse Jeanne : « La vérité c'est que dès que je vais bien, la vie qui me fait aller bien t'exaspérant, tu démolis tout jusqu'à ce que j'aille de nouveau mal. » Et de conclure : « Il est triste de ne pouvoir avoir à la fois affection et santé[434]. » Phrase écrite sous le coup de la colère – et d'une justesse dont il ne mesure sans doute pas toute la profondeur. D'autant plus cruelle pour une mère.

Les horaires de coucher de Marcel sont un véritable enjeu entre eux. Elle cherche à le protéger, mais en lui imposant un ordre qui n'est pas le sien. Il répond par le chantage à la maladie. Le sommeil est la pierre de touche du conflit, une source d'angoisse réciproque depuis toujours.

> « Quand je pense que je n'ai jamais su arriver à la seule chose que je désirais, m'apprendre à dormir quand j'avais encore Maman, ce qui était la seule chose qu'elle désirait »,

écrira-t-il des années après la mort de Jeanne à Lucien Daudet[435]

Et elle, ne lui reproche-t-elle pas de l'empêcher de dormir par ses retours tardifs ? Il arrive qu'elle doive attendre 11 heures du soir pour dîner avec lui. En mars, la crise éclate. Marcel accuse sa mère d'empêcher par son insistance « la triple réforme » qu'il allait adopter[436]. Il la rend responsable de son caractère velléitaire. Mais Jeanne n'est pas en reste : « Change ou tu n'auras pas ton dîner », le menace-t-elle quand il lui demande d'organiser une réception pour ses relations littéraires. Le ton est monté, et c'est par lettres qu'ils communiquent. « Un dîner de cocottes » ! Voilà comment elle désigne ce qui est aux yeux de Marcel une soirée professionnelle, aussi utile que les dîners de Robert ou de son père. Elle n'a pas employé ce mot au hasard. Cette expression blessante trahit le fond de la pensée de Jeanne, et peut-être un rejet inconscient des mœurs de son fils comme si, sous l'effet de la colère, l'indulgence se craquelait. Qu'il reçoive ses amis au restaurant, et à ses frais.

Elle ne relâche pas la pression. Elle exige qu'il se remette au travail et poursuive sa traduction de Ruskin, ce labeur qu'*elle* désire comme il le lui fait remarquer, et dont il perçoit déjà les limites. Mais elle en est sûre, c'est le travail qui le sauvera. Comment être à la hauteur de cette exigence ? Il se sent si faible, « brisé ». Comment échapper à cette volonté maternelle ? Et comment la satisfaire ? Jeanne impose ce dilemme à son fils, convaincue que c'est pour son bien, qu'il ne faut pas céder. Lui donner mais exiger en retour. Les trois premiers chapitres de *La Bible d'Amiens* viennent d'être publiés par une revue. Elle devrait être fière de lui. Mais « jusqu'au jour où je serai repris comme il y a deux ans, tu trouveras tout mal », s'écrie Marcel, dépité[437].

Et puis, il y a l'argent. Difficile pour Jeanne de donner à cet enfant gâté le sens de l'argent gagné et de sa valeur. On lui fait payer ses poudres de fumigation, on lui demande des comptes. Là encore, c'est contre elle, et non contre son père que s'exhale la mauvaise humeur de Marcel. Elle qui a toujours été d'accord pour dépenser sans compter pour les études de ses fils, cours de philosophie, de droit, de latin, voici qu'elle lui refuse un voyage à Londres ou à Rome. Sa dépendance financière ulcère Marcel. Il plaisantait jadis les « instincts [...] de la concision et de l'économie » de sa mère. Mais quand Antoine Bibesco gaffe – involontairement ? – en parlant devant ses parents de ses pourboires fastueux, il sanglote. Il rêve de s'établir à son compte, de vivre dans une « maison distincte » quitte à venir « vingt fois par jour » voir sa mère, il va le faire, il est sur le point... mais Jeanne sourit. Elle sait qu'il ne partira pas.

Pourtant, elle cède. Le 1er avril, il reçoit Paul Hervieu et Abel Hermant, Antoine Bibesco, Émile et Geneviève Straus, Constantin de Brancovan, Anna de Noailles et Hélène de Caraman-Chimay. Elle récidive en juillet, organisant un dîner autour de Gaston Calmette, le patron de Marcel au *Figaro*. Il l'en remercie tendrement remettant « à une autre fois la question budget ».

Un matin, elle trouve un mot de son fils évoquant « le paroxysme d'émotion » qu'il éprouve à nouveau en pensant à elle, après les déceptions des derniers mois dues à son ironie méprisante et à sa dureté. Ce retour de sa vraie nature morale est-il dû à celui de la maladie, qu'il nomme sa « vraie nature physique » ? En s'endormant, il a griffonné un second billet. C'est un aveu terrible :

> « J'aime mieux avoir des crises et te plaire que te déplaire et ne pas en avoir[438]. »

Elle le réveillera à 5 heures et demie cette après-midi, comme prévu. Qu'on évite de faire du bruit et d'ouvrir les fenêtres, M. Marcel dort.

Jeanne connaît assez son fils pour savoir aussi que sa vie sentimentale n'est guère heureuse. Bertrand de Fénelon se montre indifférent, Louis d'Albufera est amateur de jolies femmes comme la comédienne Louisa de Mornand, que Marcel fait semblant de courtiser. Illan de Casa-Fuerte, Francis de Croisset, Léon Radziwill, ses nouveaux amis, partagent ses goûts mais ne répondent pas à ses sentiments. Ils se marient les uns après les autres. Même Radziwill, dit Loche, désireux de faire plaisir à sa mère. « Il n'y a pas de plus sûr moyen de lui faire un jour de la peine et je pense que votre mère vous aime assez pour mettre son plaisir à ce que vous soyez heureux, et non à ce que vous viviez sacrifié [439] », lui écrit Marcel, qui sait de quoi il parle. Il n'a pas tort : Loche quitte sa femme une semaine après son mariage ! Avec Gabriel de La Rochefoucauld et Armand de Gramont, duc de Guiche [440], il fréquente la meilleure aristocratie, s'attirant les quolibets de son frère. Tous ces jeunes gens se rendent rue de Courcelles comme ils venaient boulevard Malesherbes. Pas plus que Mme Cocteau ou Mme Rostand, la mère de l'ineffable Maurice, rimmel et poudre de riz, Jeanne ne peut les ignorer. Mais fort de ses premières expériences de l'époque du lycée Condorcet, Marcel a appris à entretenir une fiction à laquelle chacun fait mine de croire. Son allure n'a rien d'efféminé. Il ne doit pas se faire passer gratuitement pour « salaïste » [441] aux yeux de sa famille, ne l'étant pas, explique-t-il à Antoine Bibesco que cette dénégation doit amuser au plus haut point. Mais, nous l'avons vu, Jeanne n'est pas dupe, et son silence vaut acceptation. « L'amour est notre grand initiateur, notre grand corrupteur », écrit Marcel Proust dans *Jean Santeuil*. Peut-être Jeanne, comme la mère de Jean, a-t-elle fini par tolérer ce qui jadis la révulsait.

Le plus proche de tous ses amis, Reynaldo Hahn, écrira plus tard :

> « Madame Proust n'avait rien à pardonner à son fils qu'elle plaçait au-dessus de tout et qu'elle ne s'est jamais avisée de juger ni même de vouloir pénétrer[442]. »

Demi-vérité, ou demi-mensonge, comme on voudra.

Adrien lui aussi a vieilli. Il aura bientôt 70 ans. Sa santé est moins bonne, son activité à peine ralentie depuis sa retraite de l'Hôtel-Dieu en 1899. Il a essuyé quelques revers : deux échecs à l'Académie des sciences morales et politiques à laquelle il rêvait d'appartenir, et plus grave, une mise en cause publique du système de quarantaine qu'il avait imposé en tant qu'inspecteur général des services sanitaires[443]. Il s'est défendu, mais nul doute que ces luttes l'ont fatigué. En octobre, il a participé très activement à la Conférence sanitaire internationale de Paris. Le lundi 23 novembre, il n'a pas manqué d'assister à la réunion annuelle de l'Association internationale contre la tuberculose, et a donné quelques consultations chez lui.

Avec l'âge, Adrien Proust a perdu un peu de sa superbe, et est devenu plus humain si l'on en croit *Jean Santeuil*. Il passe du temps avec sa femme, se montre délicat avec elle, attentif. Plus proche de son fils aîné aussi. Ils partageront même des moments de complicité quand Marcel écrira avec son père le discours d'inauguration du monument consacré à Pasteur à Chartres, et celui qu'Adrien Proust prononcera quelques semaines plus tard lors de la distribution des prix en juillet 1903 à Illiers.

Dans un très beau passage de son roman inachevé, Marcel Proust décrit le couple vieillissant des parents de Jean. Elle boite un peu, il marche en courbant les épaules, le souffle court. Ils louent une barque sur le lac du bois de Boulogne, dépense exceptionnelle pour ce couple économe qui, malgré sa fortune, n'a pas de voiture et se déplace en omnibus ou en voiture louée. Ils savourent ce plaisir inédit, et tandis qu'à son habitude M. Santeuil commente à voix haute tout ce qu'il voit, Madame rêve, heureuse de la présence de son mari à ses côtés, de cette intimité nouvelle, maintenant que les enfants ont grandi...

Cette idylle familiale sera de courte durée. A 4 heures de l'après-midi, le 24 novembre 1903, Jeanne reçoit un coup de téléphone : Adrien a été terrassé par une attaque à la faculté de médecine. Sa première pensée est de prévenir Marcel tout doucement, par la porte entrouverte : « Pardon de te réveiller, mais ton père s'est trouvé mal à l'École[444]... »

Quelque temps plus tard, on fait entrer un sinistre cortège : Adrien inanimé sur un brancard porté par deux infirmiers, suivi par Robert. Inquiet de la pâleur de son père passé chez lui, boulevard Saint-Germain, pour voir Marthe sur le point d'accoucher[445], le jeune médecin l'avait accompagné à la faculté où le professeur Proust présidait un jury de doctorat. Celui-ci s'était absenté de la salle d'examens, et cette absence avait duré. Un assistant vint prévenir Robert dans son laboratoire avant d'enfoncer la porte des toilettes où gisait Adrien, frappé d'une hémorragie cérébrale[446].

Il ne reprendra pas conscience, et mourra deux jours plus tard, le 26 novembre 1903.

Les obsèques solennelles se déroulent le samedi 28 novembre. Sous les fenêtres du 45, boulevard de Courcelles, devant l'entrée drapée de tentures noires, la fanfare du 5e bataillon de ligne rend les honneurs militaires à la dépouille du professeur Proust. Dans l'appartement, les amis défilent pour un dernier adieu. Sous les yeux de Jeanne qui semble ne pas la voir, une inconnue dépose à côté du corps un bouquet de violettes de Parme. Le cortège des chars couverts de fleurs se dirige ensuite vers l'église Saint-Philippe-du-Roule, où les sommités de la médecine, de la diplomatie, de la politique et du Tout-Paris côtoient le gratin du faubourg Saint-Germain venu soutenir Marcel. Blême et chancelant, il mène le deuil avec Robert. La famille Weil entoure Jeanne. Les hommages se succèdent, saluant « un collègue bon, serviable, qui ne comptait que des amis ». On enterre le professeur au cimetière du Père-Lachaise dans le caveau que, prévoyant, il venait d'acheter[447]. Le doyen de la faculté, le professeur Debove le dépeindra « assez épicurien pour jouir des choses sans prendre au tragique les petites misères de la vie humaine, assez sceptique pour être indulgent à ceux qui s'éloignent de ce que nous croyons le chemin de la vertu, assez stoïque pour envisager la mort sans faiblesse ». A son collègue, Adrien avait confié récemment : « J'ai été heureux toute ma vie, je n'ai qu'un souhait à formuler : m'en aller doucement et sans souffrance. »

Jeanne ne se remettra jamais de la mort de son mari.

24

LA VIE À DEUX

Jeanne était brisée mais cela ne se voyait pas. Pas encore. On admirait son énergie, son courage. Rien ne paraissait changé en elle. Même calme, même détermination. Mais Marcel savait que le drame se jouait à de telles profondeurs et avec une telle violence qu'on pouvait craindre le pire. Peut-être l'onde de choc n'était-elle pas encore parvenue en surface ; peut-être, la mort brutale de son mari restait-elle un peu abstraite : une absence plus longue que les autres. Les premiers temps, il y avait tant de choses à faire : les obsèques, les remerciements, les papiers...

Elle avait toujours tremblé pour Marcel, et c'était Adrien qui était mort. « Elle lui avait donné [...] toutes les minutes de sa vie », écrivait Marcel à Mme de Noailles. Elle n'avait vécu que pour son mari, protestait-il aussi dans une lettre à Maurice Barrès qui croyait lui faire plaisir en lui rappelant l'amour exclusif de sa mère pour lui. Quelle serait l'existence de Jeanne, désormais ? A qui la consacrer ? La réponse va de soi. A Marcel.

Ils vivent donc tous les deux seuls et l'on serait tenté

d'imaginer ce tête-à-tête comme les jours idylliques décrits dans *Jean Santeuil* lors d'un voyage du père. Mais la réalité est toujours plus nuancée. Marcel, conscient de sa responsabilité, envisage de plus en plus sérieusement de « réformer sa vie ».

> « J'aimerais tant, et je veux si absolument, pouvoir bientôt me lever en même temps que toi, prendre mon café au lait près de toi, lui écrit-il quelques jours après la mort de son père. Sentir nos sommeils et notre veille répartis sur le même espace de temps aurait, aura pour moi tant de charme[448]. »

Hélas, il est plus facile de passer du conditionnel au futur sur le papier que dans la vie réelle. Il a beau rêver de partager la vie de sa mère « aux mêmes heures, dans les mêmes pièces, à la même température », ses belles résolutions s'achèvent par : « Fais taire Marie et Antoine et laisse fermée la porte de la cuisine. »

Jeanne se fait-elle encore des illusions ? J'en doute. Par contre, il est un domaine auquel elle ne renonce pas : le travail. Apprenant que Marcel a abandonné Ruskin (il a égaré ses épreuves !), elle revient à la charge et utilise un argument imparable : son père attendait de jour en jour cette publication, c'était son désir le plus cher. Il doit continuer. Admirons au passage la finesse maternelle : ce n'est pas pour elle, mais pour son père que Marcel doit mener à bien sa traduction. Il se remet au travail. Entre-temps, il a commencé celle de *Sésame et les Lys* de Ruskin. *La Bible d'Amiens* paraîtra en février 1904 avec cette dédicace : « A la mémoire de mon père frappé en travaillant le 24 novembre 1903, mort le 26 novembre, cette traduction est tendrement dédiée[449]. »

Mais pour l'instant, il est surtout préoccupé par sa santé, ses amis, ses articles et ses velléités de déplacements. Jeanne voudrait qu'il parte sans elle en janvier 1904. Elle-même quitte Paris pour la campagne (peut-être Saint-Cloud où Robert et sa femme ont loué une maison). Mais elle rentre très malade, victime de coliques néphrétiques dues à des calculs rénaux. Elle parvient à cacher ses souffrances à son fils. Marcel ne se rend compte de rien. Pourtant, les signes de la maladie qui va l'emporter se multiplient. Elle marche difficilement, les jambes enflées par l'eau qui envahit son corps, les mains de plus en plus gonflées.

L'été suivant, elle rejoint Robert et sa famille à Étretat, pendant que Marcel fait une croisière à bord du yacht du beau-père de Robert de Billy. Après des pages de détails méticuleux concernant ses propres horaires, sa propre santé, ses propres activités – il a même reproché à sa mère de ne pas lire ses lettres ! – il consacre quelques lignes à leur séparation (« moi qui suis blotti dans ton cœur ») ainsi qu'à Robert et Marthe :

> « Je suis si heureux qu'ils soient pour toi des enfants gentils, plus gentils que moi[450]. »

Un zeste de jalousie, de culpabilité, de soulagement ? Il ne lui a pas posé une seule question sur sa santé.

Sans doute, comme il le dit, lui adresse-t-il mille fois par minute la parole en imagination, mais leur relation est ainsi faite qu'il en est le centre, unique. Aimer sa mère, depuis toujours, c'est aussi cela : ce compte rendu obsessionnel de ses faits et gestes. Lui montrer qu'il est vivant, malade mais vivant. « Ça me fait tant plaisir de me plaindre à toi[451] », avoue-t-il en toute innocence L'épargner ? Il n'y songe pas.

Mais elle sait qu'il est sincère quand il regrette qu'elle ne soit pas avec lui pour admirer la mer qu'elle aime tant, et respirer à pleins poumons l'air frais, elle que la chaleur oppresse ou endort. Elle a Robert pour veiller sur sa santé, Marcel lui recommande de parler en détail de sa fatigue à son cadet. Le caractère de Robert s'est adouci – la mère et le fils aîné craignaient-ils jusqu'alors ses réactions ? –, il est devenu moins « acide », « son intelligence et sa gentillesse te conseilleront ensemble ».

« Je vis à côté de toi les yeux fermés », ajoute Marcel. Jeanne se rend-elle compte que, sinon, il ne supporterait pas de la voir mourir à petit feu ?

En tout cas, elle prend son parti de la solitude. Après d'interminables tergiversations, Marcel décide de rester à Paris en septembre. Jeanne a tranché pour elle-même : elle est assez grande pour faire ce qu'elle veut[452]. Le 20 septembre, elle part pour Dieppe, où elle se rendait jeune fille avec ses parents. L'hôtel Royal est fermé, elle descend à l'hôtel Métropole et des Bains.

« Je crois que j'ai bien fait *pour moi* de venir ici[453]. »

Il fait un froid coupant, « sans ce vent de la mer vous obligeant à des luttes grandioses d'où l'on sort ennobli ». Sa chambre est glaciale. Elle est obligée d'enfiler deux chemises de nuit, d'accumuler édredons et couvertures, et de laisser l'électricité allumée pour ne pas avoir à traverser la chambre pour aller éteindre (« c'est te dire si l'éclairage est compris », ajoute-t-elle avec humour). Elle marche courageusement sur la jetée, va à la poste et achète les journaux. Il y a peu de monde, et les tables de restaurant ont été disposées dans la salle de la table d'hôte. Comme après la mort de Louis et de Nathé, c'est toute seule et à Dieppe qu'elle tente de récupérer des forces.

Marcel en profite pour essayer d'appliquer son grand plan de réforme dont il décrit les tentatives avec force détails. Pris d'un éclair de lucidité, il s'écrie :

> « Ma chère petite Maman je sens comme cela doit être assommant d'entendre ainsi parler de ma santé[454]. »

Oh oui ! pense peut-être chère petite Maman, comme le lecteur. Mais elle proteste :

> « Tu te trompes mon chéri tes lettres sont *toutes* charmantes *toutes* appréciées de moi comme j'apprécie mon loup type sous tous ses aspects[455]. »

Mère admirable, qui saisit l'occasion pour rappeler à son fils de 33 ans qu'il doit se faire couper les cheveux ! ! « Tes cheveux obscurcissent ma vue pendant que je t'écris », s'exclame-t-elle drôlement. Et d'ajouter : « J'espère qu'à l'heure où j'écris c'est fait. »

Admirable mais casse-pieds.

Pas de dolorisme chez elle. Elle commente l'actualité, le carnet mondain et dirige le personnel par Marcel interposé. Elle fait des mots d'esprit. Julia Daudet qui rentre de Lourdes devient ainsi Julia de Sacré-Cœur. Dès son retour, elle a fort à faire avec les corvées innombrables dont la charge son fils, courses diverses, cadeaux de mariage pour les amis. C'est elle qui dépose un exemplaire de *La Bible d'Amiens* chez Léon Daudet ou raccompagne Marie Nordlinger à Auteuil. La réforme a fait long feu. Marcel sort toujours la nuit sauf quand il est malade, ce qui est fréquent, et les jours anniversaires de la mort de son père. Comme après le décès de sa mère, le respect de ce rituel est pour Jeanne une forme de fidélité, un rendez-vous avec les absents qu'elle respecte scrupuleusement. Marcel, alors, lui tient compagnie. Les mardis, parce que c'est un mardi qu'Adrien a eu son attaque ; les 24 de chaque mois pour la même raison ; les 26, jour de sa mort ; le 28, date de ses obsèques ; et bien sûr, le 26 novembre 1904, où Jeanne ira au Père-Lachaise avec ses fils.

L'absence d'Adrien creuse un vide terrible. Elle a demandé à Marie Nordlinger de sculpter un médaillon à son effigie qu'elle placera sur la tombe.

Elle est aussi soucieuse pour son frère Georges. De plus en plus neurasthénique, il souffre de terribles maux d'estomac. Les médecins le rassurent : il n'a rien. Tout cela est purement psychologique. Il mourra d'urémie quelques mois[456] après sa sœur. Quant à elle, on doit l'hospitaliser de décembre 1904 au début janvier 1905.

Dans un testament olographe, Adrien Proust laissait toute sa fortune à Jeanne. Le texte daté du 26 mai 1896, entre la mort de Louis Weil et celle, prévisible de Nathé, précise : « J'institue pour ma légataire universelle en toute propriété, sans aucune exception, Mme Jeanne Weil, ma femme. » Le montant de la succession s'élève à 1 430 613 francs[457], auxquels s'ajoutent ses biens personnels, dot et héritages. Jeanne est riche, très riche. Les enfants aussi. Marcel recevra 194 582,64 francs. Une petite fortune[458].

Mais Jeanne ne change rien à son train de vie, toujours économe et sans doute désireuse d'assurer au mieux l'avenir de son fils aîné. Car si Robert a une profession, Marcel est bien loin de pouvoir vivre de sa plume, malgré ses efforts. Jeanne a-t-elle lu sa réponse à Maurice Le Blond, le gendre de Zola (mort deux ans plus tôt), qui, au nom de la liberté du créateur, milite pour la suppression du budget des Beaux-Arts ? Marcel y défend les principes qu'elle lui inculque depuis toujours : « le pouvoir malfaisant de la paresse, de la maladie, du snobisme » et les bienfaits de la discipline, aussi nécessaire au névropathe qu'à l'artiste, ajoutant que « la discipline est une chose féconde en soi-même quelle que soit la valeur de ce qu'elle prescrit ».

Jeanne ne pourrait mieux dire.

Malgré les crises d'asthme, il travaille. Il demande à sa mère de lui débrouiller oralement la préface de *Sésame et les Lys*. Il ne peut pas lui faire plus plaisir. Mais c'est Marie Nordlinger qui se chargera de la traduction.

Au fil des jours, leur vie à deux s'est organisée. Au début de l'année 1905, Marcel donne un grand dîner en l'honneur de Bertrand de Fénelon, de passage à Paris, puis un thé pour ses amis aristocrates. Il construit patiemment sa carrière, son réseau de relations, ambitionne d'entrer au Cercle de l'Union, moins sélect que le Jockey Club mais encore trop pour un ancien dreyfusard. Jeanne voit ses efforts. Il lit beaucoup et se documente. « Je mène une vie très douce de repos, de lecture et de très studieuse intimité avec Maman », écrit-il à son ami d'enfance Robert Dreyfus[459]. Cette intimité studieuse, j'aime à penser qu'elle a aussi pour objet la préface de *Sésame et les Lys* à laquelle il travaille, *Sur la lecture*, dont bien des pages évoquent son enfance, comme un avant goût de Combray. Les descriptions de la maison d'Illiers, le souvenir des vacances de Pâques et de ses heures de lecture solitaire ont émergé du deuil, comme un adieu à son père. Il a dû évoquer ces lieux avec Jeanne, lui demander des précisions, confronter leurs souvenirs. J'espère qu'elle a lu ce texte. Il est le premier pas vers l'œuvre à venir de Marcel Proust, la conscience de « la place inviolable du Passé : – du Passé familièrement surgi au milieu du présent[460] ».

Perçoit-elle le travail de la maladie en elle ? Elle marche péniblement, vite essoufflée, ivre d'épuisement. Elle souffre beaucoup de la chaleur. Des nausées de plus en plus fréquentes. En juin, Marcel, malade lui-même, rassemble ses forces pour aller voir l'exposition Whistler à l'École des Beaux-Arts. Ébloui, il fait un plan à Jeanne pour lui éviter une fatigue inutile et lui signale les œuvres à voir. Le billet de Marcel à la main, Jeanne contemple à son tour les « petites vues de Venise, rues, cours, rios » qu'ils ont visités jadis. Les instructions sont précises : « entre dans la salle, te retournant de façon à avoir devant toi la porte sur l'escalier par lequel tu es entrée, regarde sur le mur en face de toi (coupé par la porte donnant sur l'escalier) à ta gauche et à ta droite deux tableaux représentant des voiles sur un port, le soir ».

Il ne lui fait grâce de rien, mais la tient comme par le bras, et les mots du fils malade guident la mère bientôt mourante[461]. Elle voit par ses yeux. Elle aime ce qu'il aime.

L'état de Marcel s'aggrave, il est obligé de garder le lit plusieurs jours après chaque sortie. Après avoir consulté, il envisage sérieusement d'entrer en clinique. Sa mère continue à se charger pour lui de mille tâches, envoi de courrier ou de livres, achats divers. C'est elle qui, à deux reprises, malgré la chaleur, doit aller à Neuilly prendre des nouvelles d'Yturri, le secrétaire de Robert de Montesquiou, gravement atteint du diabète. Pour lui épargner le choc, elle ne révèle sa mort que progressivement à Marcel.

Le 8 septembre 1905, mère et fils se décident finalement à partir pour Évian. Jeanne n'y est pas revenue depuis la mort de son mari. Deux heures après son arrivée, elle tombe malade. Les crises d'urémie se succèdent, occasionnant vertiges et vomissements. L'infection rénale atteint le stade terminal. Ni l'eau, ni les toxines ne sont plus éliminées. L'œdème se généralise, le poison de l'urée se diffuse dans tout l'organisme. Épuisée, le teint gris, les poumons gonflés d'eau, Jeanne ne peut plus manger ni marcher. Elle insiste cependant pour descendre dès le matin dans le salon de l'hôtel, appuyée sur deux personnes pour ne pas tomber. Marcel téléphone à son amie Mme Catusse : sa mère voudrait être photographiée par elle, tout en ne le voulant pas, craignant de lui laisser une image trop triste. Jeanne refuse les analyses, ne veut pas voir de médecin. Alerté, Robert accourt et insiste pour la ramener à Paris. Il doit la traîner au wagon avec Mme Catusse. Dans un dernier effort, Jeanne exige que Marcel reste à Évian, pour lui épargner la souffrance d'une agonie qu'elle sait proche. Elle a vu sa mère mourir de la même mort. Jusqu'au bout elle va protéger son fils, préférant se priver de lui.

Marcel attend à Évian. Il ne rentrera que quelques jours plus tard. Elle ne peut déjà plus s'alimenter et refuse toute nourriture et tout médicament. Comme sa mère, son père et, plus tard son fils. Elle accepte à peine de voir le docteur Landovski. Elle n'a jamais eu confiance dans les médecins. Ont-ils seulement été capables de guérir son fils ? Malgré sa faiblesse, elle tient à se lever, se laver, à s'habiller. Désespéré, Marcel sait que la plus grande souffrance de sa mère est de le laisser seul au monde, si incapable de vivre sans elle, si désarmé. La religieuse qui la veille dira à Marcel qu'il avait toujours quatre ans pour sa mère. Jusqu'au dernier instant, malgré la paralysie naissante et l'aphasie qui la gagne, Jeanne luttera pour cacher son état à son fils.

Georges, lui, a compris. Dès ce jour, il disparaît. Nul ne saura où. Il ne rentrera que pour les obsèques de sa sœur.

Parlant avec difficulté, Jeanne s'éteint en citant Labiche et Molière, dernière élégance : « Que ce petit-là n'ait pas peur, sa Maman ne le quittera pas. Il ferait beau voir que je sois à Étampes et mon orthographe à Arpajon ! » Et puis, poursuit Marcel, « elle n'a plus pu parler. Une fois seulement, elle vit que je me retenais pour ne pas pleurer, et elle fronça les sourcils et fit la moue en souriant et je distinguai dans sa parole déjà si embrouillée : "Si vous n'êtes romain soyez digne de l'être[462]" ».

Sursum corda, petit loup !

A son chevet se trouve sa cousine Laure Nathan, « Tante Laure ». Marcel est dans la pièce à côté, malade. Jeanne ne peut plus ni parler ni bouger. Sur son visage, se dessine une expression de terrible angoisse, et avec ses lèvres, elle tente de former le mot : Marcel. Tante Laure se lève et sur la pointe des pieds va chercher Marcel. Quand il entra, devait-elle raconter ensuite, ce fut un miracle de voir la métamorphose du visage de sa mère, rayonnant de bonheur. Marcel allait bien. Elle pouvait mourir en paix. Ce furent ses derniers instants[463].

Jeanne Proust meurt le mardi 26 septembre 1905, à 56 ans.

Deux jours durant, Marcel restera près d'elle « parlant et souriant au cadavre à travers ses larmes ». Amaigrie, la chevelure noire, les traits lisses, elle paraît 30 ans.

Jeanne ne s'est jamais convertie, elle est restée fidèle à la religion de ses parents. Il n'y aura donc pas de prières à son domicile car son enterrement, comme celui de ses parents, de ses oncles et de ses tantes, est organisé par le Consistoire israélite de Paris[464]. Le char funèbre est couvert de fleurs mais c'est un rabbin, ultime geste d'un fils pour sa mère juive, qui devant la foule du Tout-Paris récitera la prière des morts.

Esther a rejoint son Assuérus.

Épilogue

« Ma vie a désormais perdu son seul but, sa seule douceur, son seul amour, sa seule consolation », écrivit Marcel. La descente aux enfers dura deux ans, avec des rémissions, des rechutes, des crises. Maman en mourant a emporté le petit Marcel, confia-t-il aussi.

Le petit Marcel était bien mort, mais il avait donné naissance à l'écrivain. Un Marcel Proust qui passerait le reste de ses jours à élaborer une œuvre dont sa mère aurait été fière. Le plus beau témoignage de sa reconnaissance en est peut-être, tout simplement, la première phrase : « Longtemps, je me suis couché de bonne heure. »

Oui, Maman aurait aimé cette phrase.

NOTES

1. La servante.

2. En 1900, les Proust, cherchant un appartement, se verront refusés par un propriétaire du boulevard Haussmann qui ne veut pas louer à un médecin ou à un avocat. A cette époque, pourtant, le docteur Proust ne reçoit plus guère de patients. Il se livre pour l'essentiel à ses travaux scientifiques. Corr., Tome II, p. 394.

3. Pour la carrière d'Adrien Proust, voir Daniel Panzac, *Le Docteur Adrien Proust*, L'Harmattan, 2003.

4. Soit environ 640 000 euros.

5. De son côté, Adrien apporte habits, meubles et bibliothèque pour une valeur de 20 000 francs, 2 000 francs en argent comptant, 4 000 francs remboursables par des débiteurs, et environ 7 000 francs en obligations diverses, des valeurs sûres.

6. Un additif au contrat en date des 22 et 29 octobre 1870 attestera du bon emploi de la dot.

7. AN LXXXV, 1235.

8. Il n'y a pas réciprocité, puisque la dot appartient à Jeanne. Cet article qui clôt le contrat a dû faire l'objet de transactions de dernière minute car tout ce qui aurait constitué une réciprocité est raturé. (Contrat de mariage, AN.)

9. Elle ne fait pas non plus l'objet d'une dispense. (Registre des dispenses, Archives de l'Archevêché de Paris.)

10. Archives de la police. Pour les mêmes raisons, le professeur Robin, fondateur de l'histologie et positiviste convaincu, avait été exclu en 1868 de la liste des jurés de la Seine. (Pierre Darmon, *La Vie quotidienne du médecin parisien en 1900*, Hachette, 1988.)

11. Proust n'a jamais achevé ce premier roman très autobiographique dont les fragments ont été réunis sous le titre de *Jean Santeuil*. « Puis-je appeler ce livre un roman ? s'interroge-t-il. C'est moins peut-être, et bien plus, l'essence même de ma vie, recueillie sans rien y mêler, dans ces heures de déchirure où elle découle. Ce livre n'a jamais été fait, il a été récolté. »

12. JS, p. 870.

13. *Ibid.*

14. *État nominatif des recettes du Judenschirmgeld*, n° 581. (Archives du Bas-Rhin.) L'orthographe de ces noms n'étant pas fixée, Weyl deviendra ensuite Weil.

15. André Aaron Fraenckel, *Mémoire juive en Alsace, contrats de mariage au XVIIIe siècle* (éd. du Cédrat, 1997) et *Index* par Rosanne et Daniel N. Leeson, Paris, 1999.

16. Il fait état de 3 942 familles, soit 19 624 personnes réparties en 150 communautés. (*Dénombrement des Juifs d'Alsace.*)

17. André Aaron Fraenckel, *op. cit.* En 1701, Louis XIV a obligé les Juifs d'Alsace à déposer chez les notaires les minutes de leurs contrats de mariage passés devant les rabbins. Pour la loi juive, l'épouse ne peut être l'héritière de son mari dont les biens passent directement aux enfants ou aux descendants les plus proches. Pour protéger malgré tout la future (et éventuelle) veuve, le contrat lui garantit un douaire ou *ketouba*, égal à une fois et demie sa dot.

18. Voir annexe. Ils se sont mariés le 28 juillet 1774.

19. Ils sont 178, regroupés en 37 foyers, soit environ 17 % de la population de Niedernai. (*Dénombrement des Juifs d'Alsace.*)

20. Tous ces noms sont tirés des registres d'état civil de Niedernai. Les Juifs n'y figurent qu'à partir de 1792. (Mairie de Niedernai, Bas-Rhin.)

21. D'après le recensement de 1836, sur 31 foyers juifs, on compte encore outre un rabbin et un chantre, 21 revendeurs, 3 bouchers, 1 marchand de bestiaux, 1 marchand de chiffons, 1 marchand de plumes de lits. (Claude Ruscher, *Niedernai en 1836... Un état des lieux* in Bulletin communal, 1998.)

22. En judéo-alsacien : la synagogue.

23. Sanctification du nom de Dieu à travers le vin (de l'hébreu *kaddosh* : saint).

24. De l'allemand *Milch* : lait. Produits dérivés ou à base de lait.

25. De l'allemand *Fleisch* : viande.

26. Gnocchis de pommes de terre.

27. Acte de décès de Cerf Weil du 27.09.1836 (Archives de Paris), reconstitué à partir d'un acte de notoriété de 1861 (Archives nationales) : « Cerf Weil, fabricant de porcelaines, chevalier de la Légion d'honneur, âgé de 48 ans sept mois passés, né à Bürgel, principauté d'Isembourg ». Bürgel appartient aujourd'hui à l'agglomération d'Offenbach-am-Main.

28. *Die Judengemeinden in Hesse*, Societäts-Verlag, Frankfurt/Main, 1971, 2 vol.

29. Tous les détails qui suivent sont empruntés à Rosine Alexandre, *Fontainebleau, naissance d'une communauté juive à l'époque de la Révolution (1798-1808)*, brochure éditée par l'auteur.

30. Jacob Benjamin est le futur beau-frère de Cerf Weil qui épousera en 1825 Zélie Cerfberr, la sœur de sa femme.

31. Lazare Weyl mourra à Fontainebleau en 1815.

32. Dans une France où les cimetières ont longtemps relevé de l'autorité religieuse, trouver des lieux de sépulture n'était pas pour les Juifs une mince affaire. On voit ainsi la communauté de Fontainebleau demander l'autorisation de clore la parcelle de cimetière qui leur a été accordée en 1794. Baruch et Lazare ont signé cette pétition. La réponse doit être adressée à Baruch, à la manufacture, ce qui montre que malgré son jeune âge, il joue déjà un rôle prépondérant dans la communauté.

33. Successivement en 1804,1805, 1806, 1807 et 1809.

34. Information P.A. Meyer. Pour Marx, les Juifs expriment l'essence même de la société bourgeoise. « Le Juif s'est émancipé de façon juive, non seulement parce qu'il s'est approprié la puissance de l'argent, mais parce que, grâce à lui ou sans lui, l'*argent* est devenu une puissance mondiale. »

« L'accent judéophobe du propos n'est pas rare sous la plume, de ce juif émancipé par le philosophe qui récuse l'émancipation des juifs par la fortune matérielle », commente Michel Winock (in Michel Winock, *Les Voix de la liberté*, p. 315,

Seuil, 2001). Ambivalence intéressante à comparer avec celle de Marcel Proust. Voir arbre généalogique.

35. Toutes ces informations sur la carrière de Baruch Weil sont tirées de l'ouvrage de Régine Plinval de Guillebon, *Faïence et porcelaine de Paris*, éditions Faton, 1995.

36. Il y présente, entre autres, deux grands vases recouverts d'un bleu œil de Sèvres et un déjeuner de 17 pièces à fond chamois.

37. Ces deux assiettes représentent respectivement des « habitants du royaume d'Andalousie, Espagne » (marli vert rehaussé de fleurs et de guirlandes dorées) et le « Bassin du Havre vu du bureau des constructions » d'après Horace Vernet (marli vert rehaussé de motifs de fleurs et de feuilles rouge et or). Elles figurent sur le catalogue de la vente Sotheby's Parke Bernet (Monaco) de 1977, n°s 31 et 38.

38. RTP, II, p. 257 et 258. Le narrateur de *A la recherche du temps perdu* s'intéresse lui aux services anciens de porcelaine, dont les Verdurin possèdent des pièces rares... (*La Prisonnière*, RTP, III, p. 731.)

39. Voir Annexes.

40. Le troisième décret, qualifié ensuite d'« infâme », est la contrepartie de cette reconnaissance. Ils subissent à nouveau une politique discriminatoire. Mais les Weil, en tant que « Juifs de Paris », échappent à ce décret. Enfin, un dernier décret plus tardif stipule que les Juifs doivent faire enregistrer leurs patronymes à l'état civil et qu'ils ne pourront en changer. Il leur est interdit d'adopter des patronymes bibliques ou des noms de localité, comme cela avait été le cas par le passé. Ils prennent des prénoms français. Ces listes d'enregistrement constituent aujourd'hui une source essentielle d'informations. Elles font état de 46 054 Juifs en France, dont 2 733 à Paris. A la veille de la Révolution, ils n'étaient guère plus de *cinq cents* dans la capitale.

41. Les consistoires sont composés d'un ou deux rabbins et de trois membres laïcs.

42. Ses appointements sont fixés à 1 500 F. Procès-verbal du Consistoire central, 27 février 1809.

43. Baruch Weil est trésorier du temple de la rue du cimetière Saint-André-des-Arts et du Comité de bienfaisance dont il est l'un des premiers souscripteurs et l'un des Présidents, ainsi que de la Société d'encouragement et de secours aux indigents israélites. Il administre la *Hevra* (société de secours mutuel) du Cimetière juif de Montrouge et du Père-Lachaise. Il fait aussi partie du Comité de l'école des garçons. (Source : Frédéric Viey, *Des Juifs à Fontainebleau*, dossier réalisé pour l'exposition du 17 septembre 2000 à Fontainebleau.)

44. Lettre à M. Rey, membre du Conseil général des manufactures et du jury central de 1827, relative à son mémoire sur la nécessité de bâtir un édifice consacré aux expositions générales des produits de l'Industrie, Paris, Donde-Dupré, imp., sept. 1827 (BNF, VP-5349 in-8°, 23 p.)

45. « Ce n'est donc que dans la nationalité que reposent les destinées futures de notre industrie, et quel moyen plus sage pour entretenir le feu sacré que de provoquer des réunions de commerçants, pour régler d'un commun accord les intérêts de chaque branche, fixer le cours des marchandises et la solde des ouvriers, aviser aux nouvelles entreprises, améliorer les produits nationaux, se communiquer des détails sur la solvabilité des acquéreurs, enfin faire respecter le commerce que l'on voit chaque jour prostitué à des étrangers qui viennent à Paris avec 50 000 F et emportent pour plus de 100 000 écus de marchandise, fruit de la sueur de l'ouvrier français, de la ruine du fabricant, et souvent du déshonneur du marchand. » *Ibid.*

46. Conseil de famille du mineur Baruch Weil, enfant du second lit. (AP). Comparaissent du côté paternel Godechaux Weil, demi-frère des enfants, leur oncle Cerf et le banquier Michel Goudchaux, proche ami de Baruch, l'un des premiers députés juifs, futur ministre des Finances sous la Deuxième République. Du côté maternel, on trouve Benoît Cohen, le gendre de Baruch, marié à Merline sa fille aînée, Aron Schmoll, un ami de longue date, et le négociant Moïse Schoubach, le père d'Hélène, la première femme du défunt. Tous habitent le même quartier, à l'exception du banquier installé rue de Vendôme.

47. Merline et son mari Benoît Cohen rachèteront le magasin et commenceront par s'associer avec leur oncle Cerf, remarié avec Zélie Théodore Cerfberr, et leur beau-frère Godechaux. La fabrique de Fontainebleau sera vendue en 1833. Godechaux et son oncle Cerf Weil finiront par créer une manufacture concurrente rue de Bondy.

48. Il est né le 7 octobre 1791 à Trèves, en Sarre.

49. Merl, Braiudel, Himel, Abraham et Hyman. Henriette (Himel) Berncastel épousera Maurice Leven, et Albert (Hyman) Berncastel, Sara Anspach, la fille d'un « israélite éclairé » de Metz. Son oncle Soloman, horloger, s'était, lui, installé en Angleterre, changeant son nom en Berncastle. Par la suite d'autres cousins Berncastel émigrèrent à leur tour en Grande-Bretagne, et leurs descendants aux Etats-Unis et en Australie. (Information de Pierre-André Meyer et de Jan Lees.)

50. Dossier de naturalisation de Nathan Berncastel (AN).

51. Leur nom provient d'un village à côté de Metz, Sileny, et il s'est peu à peu ajouté, puis substitué à leur patronyme d'origine : Cahen. Information de Pierre-André Meyer.

52. Très humiliant, ce serment fait des Juifs des citoyens à part, en les obligeant à jurer sur la Bible, dans la synagogue, et en des termes infamants qui laissent supposer leur duplicité : « Dans le cas où en ceci j'emploierais quelque fraude, que je sois éternellement maudit, dévoré et anéanti par le feu où périrent Sodome et Gomorrhe et accablé de toutes les malédictions décrites dans la *Torah.* » Le *more judaico*, reconnu illégal, ne sera aboli qu'en 1846.

53. Un moine, le père Thomas, et son serviteur disparaissent. Le crime est imputé aux Juifs. On torture sous l'accusation de crime rituel, appuyée par le chef du gouvernement français, Adolphe Thiers.

54. Discours du 10 juin 1845, cité par Daniel Amson, *Adolphe Crémieux, l'oublié de la gloire*, Seuil, 1988.

55. Fonds Crémieux (AN 369 APr).

56. « Le 25 juin de l'an 1837 a été baptisée par moi soussigné prêtre de Mortefontaine, arrondissement et canton de Senlis, département de l'Oise, une fille nommée Claire, Mathilde née le 13 décembre 1834 du légitime mariage de M. Isaac Crémieux et de Madame Louise Amélie Silny tous deux demeurant à Paris, le parrain a été M. Paul Dabrin, agent de change et la marraine, Mme la Baronne de Feuchères, née Sophie Saws qui ont signé avec nous. » Fonds Crémieux (AN 369 AP).

57. Un hommage offert en 1840 par la loge de Francfort et signé M. Oppenheim de Hambourg nous montre d'autres liens avec la famille Weil : Louis Weil, le frère de Nathé, a épousé Emilie Oppenheim, fille d'un banquier de Hambourg. La tante de Nathan Berncastel, Blume, avait elle aussi épousé un Jacob Oppenheim.

58. RTP, I, *A l'ombre des jeunes filles en fleurs*, p. 532.

59. Respectivement nées en 1821, 1824 et 1830.

60. En 1845, le montant de ses contributions (272,20 F) en dit long sur l'état plutôt florissant de ses affaires, même s'il est nettement inférieur aux 1 034,50 payés par un banquier comme Michel Goudchaux. (AP.)

61. RTP, III, p. 506.

62. Nathé Weil apporte 4 000 F en habits, linge, hardes, bijoux et meubles, et 43 000 F en deniers comptants et valeurs en portefeuille, « le tout provenant de ses gains et épargnes », ce qui laisse entendre qu'il n'a pas hérité. Le trousseau d'Adèle Berncastel est évalué à 3 000 F et elle apporte avec elle 30 000 F en deniers comptants, qui selon la loi, seront versés au marié à l'issue de la cérémonie du mariage. Les témoins de Nathé sont sa mère, Marguerite, et ses frères Moïse et Godechaux. Du côté d'Adèle, signent sa sœur Amélie, l'épouse de Moïse, Adolphe Crémieux, un cousin, Édouard Kann et Ernestine, sa sœur, qui au dernier moment a remplacé celle de Nathan, Flora Weil, encore demoiselle. (AN XXX 851.)

63. La dot d'Ernestine (20 000 francs) est inférieure à celle d'Adèle, sans doute parce que l'apport de son mari l'est également. (AN XXX 877.)

64. RTP, II, *Le Côté de Guermantes*, p. 640.

65. Le 21 avril 1849, à 11 heures du soir.

66. Le 19 avril 1814, la veille du départ de Napoléon pour l'île d'Elbe.

67. AP.

68. Corr., Tome XXI, p. 539.

69. Georges Baruch Denis Weil est né le 26 octobre 1847.

70. Ernest Feydeau, *Mémoires d'un coulissier*, Librairie nouvelle, 1873.

71. Émile Zola, *Carnets d'enquêtes*, p. 70, Terre humaine poche, Plon, 1986.

72. Robert Soupault, *Marcel Proust du côté de la médecine*, Plon, 1967.

73. RTP, I, *Du côté de chez Swann*, p. 17.

74. Henri Raczymow, *Le Cygne de Proust*, Gallimard, 1989, p. 72.

75. Leur neveu, Lionel Hauser, conseillera Marcel Proust pour ses placements... souvent hasardeux.

76. Émile Zola, *op. cit.*, p. 91 et 92.

77. RTP, I, Esquisse III, p. 669.

78. RTP, I, p. 17.

79. RTP, I, p. 480.

80. L'oncle Adolphe, amateur de jolies femmes, possède aussi un appartement rue de Bellechasse, où le narrateur enfant rencontrera « la dame en rose », première incarnation d'Odette de Crécy.

81. RTP, III, *Sodome et Gomorrhe*, p. 444.

82. Chargé de la construction du séminaire de Beauvais, il est solennellement remercié par l'Évêque en ces termes : « ... l'ère de la véritable tolérance date du jour où le clergé chrétien confie à un architecte israélite la construction d'un séminaire catholique. » (*L'Univers israélite*, juillet 1845.)

83. Service historique de l'Armée de terre, Vincennes.

84. Limitées à une douzaine du début du siècle à 1845, les conversions de Juifs passent à 75 de 1845 à 1849 (sur 381 au total) et connaissent une poussée spectaculaire de 1853 à 1855 pour disparaître presque entièrement vers 1860. (Registre des abjurations – Archives de l'Archevêché de Paris.)

85. Informations fournies par Philippe Landau, archiviste du Consistoire de Paris.

86. Frédéric Viey, *op. cit.*

87. JS, p. 702. Notons que ce prénom détonne curieusement dans l'entourage des Santeuil !

88. Frédéric Viey, *op. cit.*

89. On sait que Moïse et Louis Weil étaient francs-maçons. Peut-être était-ce aussi le cas de Nathé, mais nous n'en avons pas la preuve.

90. Toute cette évocation est tirée des archives de la Comédie-Française.

91. Esther la Juive est chargée par son oncle Mardochée d'intervenir auprès de son époux Assuérus, le roi des Perses, afin de sauver son peuple menacé par le ministre Aman. La fête de Pourim rappelle cet épisode qui symbolise la victoire sur les persécutions.

92. Juliette Hassine, *Marranisme et hébraïsme dans l'œuvre de Proust*, Mignard, 1994.

93. Elle a été Marianne dans *Les Caprices*, Camille dans *On ne badine pas avec amour* et Elsbeth dans *Fantasio*. Elle a même incarné la Muse dans *La Nuit d'Octobre.* (Archives de la Comédie-Française.)

94. Les documents de première main nous manquent, hormis les pièces d'état civil et les photographies. Le portrait d'Adèle Weil ne peut se lire qu'en filigrane, dans les écrits de sa fille ou de son petit-fils.

95. RTP, II, p. 35.

96. *Ibid*., p. 7.

97. C'est ainsi que seront encore éduquées bien des jeunes filles jusqu'en 1950. Ce sera le cas d'Adèle, la nièce de Jeanne. (Conversation avec Mme Annette Heuman, petite-fille de Georges Weil.)

98. Rapport d'inspection des écoles privées commandé par Victor Duruy en 1867. (AN AJ16 515.)

99. D'où peut-être l'affectation d'hésitation de la mère du narrateur quand elle fait une citation latine.

100. JS, p. 258.

101. Rapport au ministre de l'Instruction publique, Archives nationales.

102. Reste à savoir si Marie Pape-Carpantier assura son cours, question posée par Colette Cosmier, dans son livre *Marie Pape-Carpantier*, Fayard, 2003. (Conversation avec l'auteur.)

103. La moyenne d'âge pour les jeunes filles juives est alors de 22 ans. (Anne Lifschitz-Krams, *Les Mariages religieux juifs à Paris : 1848-1872*, Cercle de généalogie juive.)

104. Information de M. Monier qui m'en a aimablement fourni la photocopie.

105. C'est l'hypothèse la plus probable. A défaut de certitudes...

106. Les références de ce chapitre sont empruntées pour l'essentiel à l'article de Denise Mayer, « Le jardin de Marcel Proust », *Cahiers Marcel Proust*, n° 12, à *Jean Santeuil,* à la préface rédigée par Marcel Proust pour *Propos de peintre. De David à Degas*, de Jacques-Émile Blanche, et à *Du côté de chez Swann*.

107. La maison Trelon, Weldon et Weil possède une fabrique 246, rue de Bercy-Saint-Antoine et un magasin de vente 14 *bis*, boulevard Poissonnière.

108. Voir tableau généalogique en annexe.

109. Cet épisode rapporté par Proust à Céleste Albaret est peut-être à l'origine de la cruauté de Françoise, la cuisinière de tante Léonie, qui martyrise la fille de cuisine – la Charité de Giotto, comme l'appelle Swann – enceinte et allergique aux asperges.

110. JS, p. 224.

111. Emmanuel Berl, *Interrogatoire par Patrick Modiano*, suivi de *Il fait beau, allons au cimetière*, Gallimard, 1976.

112. Myosotis.

113. RTP, I, Esquisse II, p. 642.

114. P et J, p. 6.

115. JS, p. 70.

116. Corr., Tome VI, p. 28.

117. *Ibid.* C'est moi qui souligne.

118. « La mort de Baldassare Silvande », « La Fin de la jalousie », et « La Confession d'une jeune fille », trois récits tirés de *Les Plaisirs et les Jours*, *Jean Santeuil* et *Du côté de chez Swann.*

119. JS, p. 73.

120. RTP, I, Esquisse X, p. 677.

121. *Ibid.*

122. D'après RTP, I, *ibid.*

123. RTP, I, *Du côté de chez Swann*, p. 47.

124. JS, p. 162.

125. Ernestine est l'un des modèles de Françoise. Mais elle est née en 1855, et n'a que 31 ans à la mort de sa maîtresse... Voir Jeanne Monier, *Bulletin de la société archéologique d'Eure-et-Loir* : « Tante Léonie et sa maison dans la réalité d'Illiers ».

126. RTP, I, *Du côté de chez Swann*, p. 50.

127. Jeanne Monier, *op. cit.*, p. 13.

128. JS, p. 187.

129. Distribution des prix à l'école d'Illiers, extrait du *Progrès d'Eure-et-Loir*, 4 août 1903.

130. RTP, I, p. 48.

131. Céleste Albaret, *Monsieur Proust*, J'ai lu, 1973, p. 210.

132. JS, p. 226.

133. 5e et 6e lectures de la messe du Vendredi saint avant le concile de Vatican II.

134. JS, p. 174.

135. Information de M. Monier.

136. RTP, I, p. 99.

137. S et L, p. 11.

138. JS, p. 208.

139. JS, p. 172.

140. RTP, I, *Du côté de chez Swann*, II, p. 113.

141. Carnet de 1908. Ce texte est repris dans *Contre Sainte-Beuve*, coll. Idées, *op. cit.*, p. 346-354.

142. CSB, p. 356.

143. Corr., Tome II.

144. Céleste Albaret, *op. cit.*, p. 209.

145. Traité de César Daly, *L'Architecture privée au* XIXe *siècle*, 1864.

146. Ces détails sont empruntés à Robert Soupault, *op. cit.*

147. Fernand Gregh, *L'Age d'or*, Grasset, 1947.

148. R.-H. Guerrand, « Espaces privés » in *Histoire de la vie privée*, Points Seuil, 1999.

149. RTP, III, *La Prisonnière*, p. 888.

150. Sa tante Mathilde Lange est la fille de Gustave Neuburger.

151. JS, p. 605.

152. JS, p. 606.

153. RTP, I, *A l'ombre des jeunes filles en fleurs*.

154. Le bœuf mode de Céline Cottin ne lui cédera en rien, comme le prouve une lettre de Marcel Proust à la dernière cuisinière de sa mère.

155. JS, p. 226.

156. Céleste Albaret, *op. cit.*, p. 276.

157. *Ibid.*, p. 178.

158. Corr., Tome I, p. 160.

159. Céleste Albaret, *op. cit.*, p. 106.

160. Corr., Tome 2, 11 septembre 1899.

161. JS, p. 192.

162. JS, p. 190.

163. Elle fait allusion à une autre visite dans une lettre à Lucie Faure, et lui demande des renseignements sur un Duc de Richmond de Van Dyck « dont Marcel raffole et radote ». *BSAMP*, nº 7.

164. Corr., Tome I, p. 424.

165. Corr., Tome I, 1er août 1890.

166. *Essai sur l'éducation des femmes*, Ladvocat, 1824.

167. Cité par Mona Ozouf, dans « Claire ou la fidélité » in *Les Mots des femmes*, Fayard, 1995.

168. *Mémoires de Mme de Rémusat*, Calmann-Lévy, 1893.

169. Emmanuel Berl, *op. cit.*

170. S et L, p. 12. Ce portrait de la « grand-tante » s'applique à la perfection à Jeanne... à moins qu'il ne s'agisse d'Adèle, sa mère. Les lecteurs de Proust sont familiers de ces transpositions.

171. Il y est fait allusion dans la biographie d'André Maurois et dans la Correspondance éditée par Philip Kolb en 1970 (Tome 1, p. 132, note 3) qui l'a visiblement consulté. Un extrait en est reproduit dans le livre de Georges Cattaui, *Marcel Proust, Documents iconographiques*, paru en 1956. Ce cahier n'a donc pas été brûlé par Proust à la mort de sa mère comme on l'a prétendu.

172. Cité par Daniel Amson, *op. cit.*, p. 380.

173. Daniel Amson, *op. cit.*, p. 369.

174. AN, 369 APr 3.

175. Isaac Adolphe Crémieux est mort le 10 février 1880.

176. Daniel Amson, *op. cit.*, p. 379.

177. *Ibid.*, p. 380.

178. Daniel Amson, *op. cit.*, p. 379.

179. Anaïs Beauvais (?-1898), élève de Carolus Duran et de Henner, a débuté au

Salon de 1868 et peint des portraits et des scènes de genre. Elle se fit appeler aussi Anaïs Landelle.

180. Céleste Albaret, *op. cit.*, p. 179.

181. JS, p. 91.

182. Corr., Tome I, p. 130, 1er septembre 1889.

183. Robert Proust, « Marcel Proust intime », *Hommage à M. Proust*, p. 24, *Nouvelle Revue française*, janvier 1923.

184. Marcel Proust, *L'Indifférent*, Gallimard, 1978, p. 42 et 43.

185. 2 000 décès sont dus chaque année à l'asthme en France (*Recherche et Santé*, revue de la Fondation pour la recherche médicale, octobre 2002).

186. Voir Daniel Panzac, *op. cit.*

187. Cité par Christian Péchenard, *Proust et les autres*, La Table ronde, 1999, p. 368.

188. CSB, « Conversation avec Maman », p. 143.

189. Corr., Tome V, p. 348, 28 septembre 1905.

190. R. Soupault, *op. cit.*

191. Armand Wallon, *La Vie quotidienne dans les villes d'eaux (1850-1914)*, Hachette, 1981.

192. Dépôt Le Masle, BN.

193. Max Durand-Fardel, *Traité des eaux minérales de la France et de l'étranger*, Paris, 1883. Aujourd'hui encore, fibromes, infections à répétition et douleurs pelviennes font partie des maladies soignées à Salies-de-Béarn, avec la rhumatologie et les problèmes de croissance des enfants.

194. Maurice Duplay, « Mon ami, Marcel Proust, *Cahiers Marcel Proust*, n° 5, 1972, p. 55.

195. Corr., Tome XXI, p. 544.

196. Corr., Tome I, p. 113.

197. Corr., Tome I, p. 133.

198. Corr., Tome I, p. 129.

199. *Ibid.*, p. 128.

200. Corr., Tome XXI, p. 547.

201. Corr., Tome I, p. 133.

202. Corr., Tome XXI, p. 548.

203. Corr., Tome I, p. 102.

204. Corr., Tome XXI, p. 543.

205. Corr., Tome I, p. 110, 111.

206. Alain Corbin, *Histoire de la vie privée*, Tome IV, p. 475.

207. Corr., Tome I, p. 152.

208. JS, p. 871.

209. Cité par J.-Y Tadié, *Marcel Proust*, Folio, p. 77.

210. Corr., Tome I, p. 152.

211. *Ibid.*, p. 154.

212. *Ibid.*, p. 425.

213. J.-Y. Tadié, *op. cit.*, p. 75.

214. Céleste Albaret, *op. cit.*, p. 217.

215. J.-E. Blanche, « Souvenirs sur Marcel Proust », *La Revue hebdomadaire*, 21 juillet 1928.

216. Corr., Tome III, p. 455.

217. Alain Corbin, *op. cit.*, p. 497.

218. C. Péchenard, *op. cit.*, p. 359.

219. Dr Louis Seraine, *De la santé des gens mariés*. Cité par Zeldin, *Histoire des passions françaises*, Seuil, 1980.

220. Corr., Tome XXI, p. 550. On note au passage que Maman, sous la plume du jeune Marcel âgé de 17 ans, prend une majuscule – mais que papa s'écrit avec une minuscule...

221. JS, p. 80.

222. *Ibid.*, p. 856.

223. P. Soupault, *op. cit.*, p. 123.

224. RTP, IV, Esquisse LXIX, p. 977.

225. *Ibid.*, p. 978.

226. *Op. cit.*, p. 501.

227. Corr., Tome II, p. 150. Il s'agit d'un article du *Journal des Débats*. Jeanne ne fait pas la lecture qu'à son fils.

228. JS, p. 863.

229. *Ibid.*, p. 871.

230. Alain Corbin, *op. cit.*, p. 419.

231. *Hygiène du neurasthénique*, p. 154.

232. Le père de Charles Nathan (Lunéville 1830-Paris 1915), Abraham Nathan, était le frère de Marguerite Nathan, la femme de Baruch Weil. Charles épousa en 1874 Laure Rodrigues-Ély, qui devint l'une des meilleures amies de Jeanne.

233. RTP, I, Esquisse III, p. 646.

234. Corr., Tome XXI, p. 554-555.

235. Corr., Tome XXI, p. 554.

236. *Ibid.*

237. Maurice Duplay, *op. cit.*

238. Ces mots sont empruntés à « Conversation avec Maman », in CSB. Voir sur ce point Michel Schneider qui en fait l'une des clefs de leur relation, *Maman*, Gallimard, 1999.

239. Je laisse aux psychanalystes le soin d'expliquer, chacun à leur façon, le lien entre l'attachement de Marcel Proust à sa mère et son homosexualité. Mère castratrice, mère séductrice, mère trop bonne, identification, amour incestueux (y compris, selon l'un d'eux, pour son frère Robert), les interprétations ne manquent pas. On pourra consulter avec profit *Marcel Proust visiteur des psychanalystes*, PUF Quadrige, réédition du numéro 2, 1999, de la *Revue française de psychanalyse*, épuisé. L'introduction d'Andrée Bauduin et Françoise Coblence pose très bien le problème.

240. Corr., Tome I, p. 103.

241. Écr., p. 57.

242. Corr., Tome I, p. 117.

243. Rappelons qu'elle se livre au plaisir avec son amie devant le portrait de son père mort, le musicien Vinteuil, qui l'adorait.

244. RTP, I, p. 162.

245. Écr., *op. cit.*, p. 123.

246. RTP, I, p. 161.

247. Ce document a été vendu à Drouot, en juin 1988. (n° 56 du catalogue Boisgirard, lettre du 26 octobre 1888.)

248. P et J, *La Confession d'une jeune fille*, p. 173.

249. Charcot et Victor Magnan, *Inversion du sens génital et autres perversions sexuelles*, 1882, Krafft-Ebing, *Psychopathia sexualis*, 1885, Havelock Ellis, *Sexual Inversion*, 1897.

250. Florence Tamagne, *Mauvais genre ? Une histoire des représentations de l'homosexualité*, La Martinière, 2001, à qui j'emprunte une partie de ce développement.

251. Cité par Lawrence Olivier in *Michel Foucault : problématique pour une histoire de l'homosexualité* (sur Internet).

252. *Avant la nuit*, in P et J, Pléiade, p. 169.

253. JS, p. 793.

254. Écr., *op. cit.*, p. 25.

255. Daniel Halévy : Journal (inédit), Carnet n° 1 (1886-1888) in Écr., *op. cit.*, p. 53.

256. Georges Hérelle, cité par Philippe Lejeune, in *Romantisme*, 2e tr., CDU-SEDES, 1987, p. 90.

257. Écr., *op. cit.*, p. 149.

258. Corr., Tome I, p. 123-124.

259. *Ibid.*

260. Écr., p. 152.

261. CSB, coll. Idées, p. 146.

262. Document signalé par M. Monier.

263. Corr., Tome I, p. 136.

264. *Ibid.*, p. 150.

265. Corr., Tome I, p. 160.

266. *Ibid.*, p. 159.

267. Corr., Tome I, p. 139.

268. *Ibid.*, p. 137.

269. Corr., Tome I, p. 143.

270. Corr., Tome I, p. 152.

271. Corr., Tome I, p. 131.

272. Corr., Tome I, p. 135.

273. L'urémie peut être le signe d'une maladie familiale, telle que le diabète gras ou la polykystose.

274. Corr., Tome I, p. 139.

275. Corr., p. 144.

276. RTP, II, p. 614.

277. RTP, II, p. 615.

278. *Ibid.*, p. 619.

279. *Ibid.*, p. 639.

280. *Ibid.*, p. 640.

281. Guide Conty, *De Paris à Trouville et ses environs, guide pratique et illustré*. (Cité in *Trouville*, Institut français d'architecture, Mardaga, 1989.)

282. Voir Cahier photos.

283. Corr., Tome I, p. 231.

284. RTP, III, p. 165.

285. Il s'agit d'une ombrelle.

286. RTP, III, p. 167.

287. Tous les détails concernant l'hôtel sont empruntés au livre d'Emmanuelle Gallo, *Les Roches noires*, paru aux Cahiers du Temps, 2000.

288. « Souvenir », paru dans la *Revue blanche*, n° 26, décembre 1893. In JS, coll. La Pléiade, p. 171.

289. L'hôtel sera à nouveau remanié en 1925 par l'architecte Robert Mallet-Stevens, à qui l'on doit également la villa Noailles à Hyères. Marguerite Duras, qui a habité les Roches noires transformé en résidence, a rendu célèbre le grand hall qui a servi de décor à plusieurs de ses films.

290. Corr., Tome I, p. 236.

291. Elles sont nées la même année, Jeanne est même la cadette de Geneviève, née le 26 février 1849.

292. Chantal Bischoff, *Geneviève Straus*, Balland, 1992.

293. Bibliothèque nationale, fonds Pierre Lavallée.

294. Louis Weil est décédé le 10 mai 1896 et Nathé le 30 juin de la même année.

295. Corr., Tome XXI, p. 288.

296. Robert de Billy, *Marcel Proust*, éditions des Portiques, 1930.

297. Archives du Consistoire de Paris, Registre des décès.

298. Corr., Tome II, p. 92.

299. Corr., Tome II, p. 91.

300. Corr., Tome II, p. 93.

301. Dieppe et Trouville étaient bien équipées d'établissements de bains chauds, mais elle semble avoir opté pour le « bain à la lame ».

302. Allusion, bien sûr, à la phrase d'Oscar Wilde : « L'une des plus grandes tragédies de ma vie est la mort de Lucien de Rubempré », et signe de la culture anglophone de Jeanne.

303. Corr., Tome II, p. 132.

304. Prière de sanctification, en particulier lors d'un décès.

305. *L'Univers israélite*, le « Journal des principes conservateurs du judaïsme » signalera son décès, de même que celui de Nathé Weil, preuve supplémentaire des liens que conservent les Weil avec la communauté. (N°s 34 et 42 de l'année 1896.) Il a choisi des funérailles de 4e classe, sur les 8 que propose le Consistoire.

306. Il laisse un héritage composé de titres boursiers évalué à 506 000 francs (soit 1 619 200 euros). Quant à la fortune de Louis Weil, elle est évaluée à 1 540 000 francs, soit environ 5 millions d'euros. Rappelons que 1 franc de 1900 équivaut à 3,2 euros de 2004. Pour le détail, voir D. Panzac, *op. cit.*

307. Estimé à 568 119 francs.

308. Soit 75 000 francs.

309. R. Duchêne, *L'Impossible Marcel Proust*, p. 308.

310. Camille Bessière est mort le 9 mai 1892.

Notes

311. *BSAMP*, n° 24, 1974.

312. Rappelons qu'Hélène est la fille de Moïse Weil, le demi-frère de Nathé et de Louis, architecte à Beauvais.

313. JS, p. 858.

314. Ce récit s'inspire des souvenirs de Maurice Duplay, publié dans le *BSAMP*, *op. cit.*

315. Cette attitude repose-t-elle, comme l'affirme un psychanalyste, sur une identification de Marcel avec sa mère, seule solution à sa culpabilité face aux sentiments éprouvés à la naissance de son petit frère ? Cette relation est-elle à l'origine de celles qu'il entretiendra avec de jeunes garçons ? C'est la thèse de Milton L. Miller dans *Psychanalyse de Proust*, Fayard, 1977.

316. Corr., Tome II, p. 320 (14 septembre 1899).

317. Rappelons que le narrateur de *A la recherche du temps perdu* est, lui, fils unique.

318. Corr. XI, p. 137 (3 juin 1912).

319. JS, p. 418-419, « Journées de lecture » (CSB, p. 528-531, RTP, Tome II, p. 431 à 435. Pour l'analyse, on se reportera à J.-Y. Tadié, *op. cit.*, p. 465 à 471.

320. Jean Lazard (1854-1922) est le second fils de Simon Lazard, le fondateur de Lazard frères, la fameuse banque. Il fit carrière dans l'agriculture et épousa une riche héritière.

321. Corr., Tome III, p. 182 (4 décembre 1902).

322. Et dont on réunira les extraits sous le titre de *Jean Santeuil.*

323. Corr., Tome III, p. 146. On notera le suffixe en « age », affectation commune à la mère et au fils.

324. Corr., Tome II, p. 151.

325. Le 20 avril 1891 (Paris, XVIIe).

326. Frédéric Viey, *op. cit.*

327. Mathilde, la sœur d'Amélie, épouse Albert Hecht, et leur fille, Suzanne, le directeur de l'Ecole des Beaux-Arts, Pontrémoli. Son frère et une autre de ses sœurs sont alliés aux Bensaude, d'origine portugaise.

328. Entretien avec Mme Annette Heuman, petite-fille de Georges-Denis Weil.

329. JS, p. 41.

330. Lucien Daudet, *Autour de soixante lettres*, Gallimard, 1928.

331. *Ibid.*

332. JS, p. 260.

333. *Ibid.*, p. 264.

334. JS, p. 260-269.

335. Allusion au rite juif qui consiste pour les époux, durant la cérémonie du mariage, à casser en signe de pérennité le verre dans lequel ils ont bu ensemble.

336. Corr., Tome II, p. 160.

337. Robert de Billy, *Lettres et conversations*, éditions des Portiques, 1930.

338. Il s'agit de Wilhelmina Berncastel qui, née en 1803 à Trèves, épousa Mayer Levy, un médecin converti au catholicisme. Leurs enfants (de la génération d'Adèle Berncastel) portèrent le nom de Berncastel. L'un d'entre eux fut prêtre, un autre professeur de langue dans le Kent. Tous les autres s'installèrent également en Angleterre.

339. C'est l'hypothèse la plus vraisemblable, mais il peut aussi s'agir d'un kyste ovarien. Le dossier médical existe, mais l'accès m'en a été refusé.

340. Livret du centenaire de la clinique Bizet 1887-1987.

341. Pierre Darmon, *op. cit*.

342. Corr., Tome II, p. 236.

343. *Ibid*., p. 260.

344. Corr., Tome II, p. 66. Cette lettre est non datée. Kolb propose le 19 mai 1896, elle suivrait la publication de l'article de Zola « Pour les Juifs » (voir plus loin).

345. De 1807 à 1914, il n'y a que 877 israélites sur les 10 820 conversions enregistrées par l'Archevêché de Paris (soit 8 %). On observe une progression sous la Troisième République, et de 1895 à 1906, on compte 193 cas, la plupart du temps des femmes qui épousent un catholique, ou des hommes déjà éloignés du judaïsme. Dans bien des cas, cette conversion entraîne une rupture avec la famille. (Philippe Landau in *Archives juives*, n° 35, 1er semestre 2002.)

346. Simon Schwarzfuchs, *Du Juif à l'Israélite*, Fayard, 1989, p. 265.

347. Corr., Tome I, p. 147.

348. RTP, Tome III, *La Prisonnière*, p. 829.

349. RTP, Tome II, *A l'ombre des jeunes filles en fleurs*, p. 132.

350. Le philosophe Henri Bergson a épousé Louise, la fille de Laure Lazarus et de Gustave Neuburger. Marcel a été garçon d'honneur à son mariage, en 1892.

351. Le « franco-judaïsme » est une doctrine élaborée par James Darmesteter, normalien et directeur de l'École pratique des hautes études. Il mourut le 19 octobre 1894, dix jours avant la nouvelle de l'arrestation de Dreyfus... Voir Michaël R. Marrus, *Les Juifs de France à l'époque de l'affaire Dreyfus*, Calmann-Lévy, 1972.

352. Personnages de *A la recherche du temps perdu*. Mais rappelons que, dans le dernier volume, Albert Bloch, devenu Jacques du Rozier et portant monocle, mariera l'une de ses filles à un catholique. Quant à la famille de Swann, prétend la médisante Mme de Gaillardon, elle est convertie depuis deux générations, ce qui peut expliquer ses succès mondains.

353. S et L, p. 89, note 2. A comparer avec RTP, IV, p. 237 : « Et pourtant, croistu tout de même, me dit ma mère, si le père Swann – que tu n'as pas connu, il est vrai – aurait pu penser qu'il aurait un jour un arrière-petit-fils ou une arrière-petite-fille où couleraient confondus le sang de la mère Moser qui disait : "Ponchour Mezieurs" et le sang du duc de Guise !" »

354. S. Schwarzfuchs, *op. cit*., p. 329.

355. Marcel Proust aussi y aura recours à plusieurs reprises, non pour répondre à des attaques antisémites mais, par exemple, pour défendre sa « virilité » mise en cause par Jean Lorrain en février 1897.

356. L. Wogue, « Une séance mémorable », *Univers israélite*, 1er juillet 1893.

357. B. Lazare, *Contre l'antisémitisme : histoire d'une polémique*, édition de la Différence, 1983.

358. RTP, II, p. 584. Ou bien : « [...] ce compatriote de votre ami aurait commis un crime contre sa patrie s'il avait trahi la Judée, mais qu'est-ce qu'il a à voir avec la France ? » *ibid*.

359. G. Maire, *Bergson mon maître*, Grasset, 1935, p. 157. Cité par J.-Y. Fadié, *op. cit*.

360. M. Duplay, *op. cit*., p. 64 à 66.

361. L'île du Diable où fut déporté Dreyfus est l'une des îles du Salut.

362. Corr., Tome II, p. 305.

363. Corr., Tome III, p. 381. Lettre à Georges de Lauris, 29 juillet 1903.

364. Hannah Arendt verra dans ces organisations paramilitaires la première forme des mouvements totalitaires modernes.

365. Il est marié à Henriette, la petite-fille d'Adolphe Crémieux.

366. Georges Poisson, *Histoire de l'Élysée*, Perrin, 1997.

367. Corr., Tome II, p. 257, septembre 1898.

368. *Ibid.*, p. 315.

369. *Ibid.*, p. 312. D'après Philip Kolb, Gustave Clin et sa femme, concierges au 9, boulevard Malesherbes, l'avaient été au 40 *bis* rue du Faubourg-Poissonnière, du temps des Weil.

370. RTP, II, p. 586.

371. Corr., Tome II, p. 308.

372. C'était le terme utilisé par les antidreyfusards pour désigner les Juifs.

373. Corr, Tome II, p. 407.

374. Corr., Tome II, p. 330.

375. Haine de soi.

376. *Concordances*, n° 4, juillet 1971.

377. RTP, II, *Le Côté de Guermantes* I, p. 544.

378. Corr., Tome III, p. 275.

379. J'emprunte ce terme au roman de Philip Roth, Gallimard.

380. Corr., Tome V, p. 180.

381. B. Lazare, « Le nouveau ghetto », *La Justice*, 17 novembre 1894.

382. RTP, IV, *Albertine disparue*, p. 155.

383. L'oncle maternel d'Emmanuel Berl est Oscar Lange, marié à Mathilde, la fille de Gustave et Laure Neuburger. (Revue *Concordances*, *op. cit.*, « Proust devant le judaïsme ».)

384. JS, p. 517.

385. CSB, coll. Idées, p. 146.

386. JS, p. 866.

387. George D. Painter, *Marcel Proust*, Mercure de France, 1966.

388. Pour tout ce qui concerne Proust et Ruskin, nous renvoyons à J.-Y. Tadié, *op. cit.*, p. 585 à 641.

389. Mona Ozouf, *Les Mots des femmes, essai sur la singularité française*, Fayard, 1995.

390. Les manuscrits peuvent être consultés à la Bibliothèque nationale. NAF 16617 et 16618 : *Bible d'Amiens* ; 16622, f. 11 à 67 : copie par Mme Proust de textes divers de Ruskin ; 16623 : *Bible d'Amiens*, chapitre 2 ; 16624 à 26 : *Sésame et les Lys* ; 16627 : *Mornings in Florence* ; 16630-16631 : notes de Mme A. Proust relatives à Ruskin.

391. Voir l'article de Cynthia Gamble, « Proust traducteur de *La Bible d'Amiens* » (*Bulletin d'Informations proustiennes*).

392. Corr., Tome II, p. 365 (vers octobre 1899).

393. Corr., Tome II, p. 414, jeudi 24 janvier 1901. Nous renvoyons à P. Kolb, *op. cit.*, pour les notes concernant le texte de Ruskin.

394. J.-Y. Tadié, *op. cit.*, p. 491.

395. Corr., Tome II, p. 383.

396. A titre indicatif, Paris-Venise en 1913 par le Simplon représente vingt-deux heures de train. Départ Paris à 21 h 30, arrivée à Venise à 19 h 30, par train direct pour un prix aller-retour de 206,85 francs en 1re classe.

397. Corr., Tome II à Pierre Lavallée, p. 397.

398. *BSAMP*, nº 3, p. 36. Le contexte montre qu'il s'agit bien du voyage de Marcel avec sa mère.

399. Marcel Proust ne s'installera à l'hôtel de l'Europe que lors de son deuxième voyage, en octobre de la même année. Situé vis-à-vis de la Dogana di Mare, il a vu en ses murs, alors ceux du palais Giustiani, Turner (qui peindra en 1842 *La Douane, San Giorgio, Citadella, Vue des marches de l'Hôtel Europa*), Claude Monet et Richard Wagner.

400. RTP, IV, p. 204.

401. BSAMP, nº 3.

402. RTP, IV, p. 204.

403. RTP, IV, p. 225.

404. CSB, coll. Idées, p. 141 ; RTP, IV, p. 229-234 ; Esquisse XV, p. 694-696.

405. Dans une esquisse plus crédible mais moins belle, il se contente de faire croire qu'il est parti et se tient hors de la vue de sa mère « pour faire durer son chagrin ». (RTP, IV, p. 695.)

406. JS, p. 642.

407. Cet établissement devenu l'hôtel Britannia et transféré dans la demeure voisine, portera successivement les noms d'hôtel Europa, hôtel Europa et Britannia, hôtel Europa et Regina.

408. Tous mes remerciements à Nathalie Mauriac, qui m'a confié ce document.

409. Mme Louis Tirman, par exemple, figure sans son mari, décédé le 2 août 1899. Armand Fallières, qui figure avec cette mention, est élu président du Sénat le 3 mars 1899.

410. Corr., Tome V, p. 318.

411. RTP, I, p. 368.

412. Ce fait divers inspirera en 1907 à Marcel Proust un article, « Sentiments filiaux d'un parricide », le premier texte écrit après la mort de sa mère. Il s'agit, au sens littéral, d'un matricide...

413. C. Charle, *Les Élites de la République (1880-1900)*, Fayard, 1987. Cité par Daniel Panzac, qui montre comment Adrien Proust correspond à l'archétype de cette élite. *Op. cit.*, p. 102.

414. Cocteau cité par Claude Arnaud, *Jean Cocteau*, Gallimard, 2003.

415. Albert Flament, *Le Bal du Pré-Catelan*, Fayard, 1946.

416. Corr., Tome II, p. 341.

417. André Bénac est administrateur de la Banque de Paris et des Pays-Bas, et membre du Conseil d'administration des Chemins de fer de l'État. Les Bénac ont une maison à Beg-Meil, où Marcel Proust se rendra avec Reynaldo Hahn en septembre 1895.

418. Les Levi Alvarès sont les fondateurs du cours pour jeunes filles de la cité Trévise qu'a peut-être fréquenté Jeanne.

419. Corr., Tome II, p. 341.

420. Corr., Tome III, p. 402.

421. Corr., Tome I, p. 402.

422. *Ibid.*

423. Corr., Tome I, p. 134.

424. Corr., Tome II, p. 406.

425. Corr., Tome II, p. 347.

426. Corr., Tome III, p. 399.

427. Duplay, *op. cit.*

428. J.-Y. Tadié, *op. cit.*, p. 695.

429. Claude Francis et Fernande Gontier, *Marcel Proust et les siens*, p. 141.

430. A N Minutier central, LXXXV 1235, Étude de maître Cottin.

431. Corr., Tome II, p. 249.

432. Corr., Tome II, p. 235.

433. CSB, p. 144. La citation est extraite de Racine.

434. Corr., Tome III, p. 191.

435. Marcel Proust, *Mon cher petit, Lettre à Lucien Daudet*, Gallimard, 1991, p. 165.

436. Un écho de ces querelles se trouve dans *Sodome et Gomorrhe*, RTP, III, 407.

437. Corr., Tome III, p. 265-268.

438. Corr., Tome III, p. 328.

439. G. Painter, II, *op. cit.*, p. 55.

440. Le père de celui-ci, le duc de Gramont a fait construire, grâce à l'argent de sa femme, Marguerite de Rothschild, le château de Vallières, sur un domaine qui avait appartenu à la baronne de Feuchères. L'inspiratrice de Gérard de Nerval, on s'en souvient peut-être, avait été la marraine de la fille d'Adolphe Crémieux lors de la conversion d'Amélie Silny.

441. Proust affectionne ce terme recherché dérivé de « sala », et désignant « un homme de mœurs douteuses », selon P. Kolb (II, p. 465, note 2).

442. Lettre à Henri Massis. BNF, NAF, 25260.

443. Pour le détail, voir Daniel Panzac, *op. cit.*

444. On retrouve ce détail à la mort de la grand-mère, dans *La Recherche.*

445. Jeanne tiendra à ce que l'enfant porte le prénom d'Adrienne. Mais Adrienne-Suzanne choisira plus tard celui de Suzy, à la grande désapprobation de son oncle Marcel.

446. D'après le récit de Suzy Mante-Proust, Claude Francis et Fernande Gonthier, *op. cit.* p. 135. Proust s'inspirera de cet épisode pour l'attaque de la grand-mère dans le chalet de nécessité des Champs-Elysées, dans *Le Côté de Guermantes*. (RTP, II, p. 607 et 608.)

447. Le monument a été remplacé en 1956 par une tombe en marbre noir, sur laquelle figure en vedette le nom de Marcel Proust, tandis que ceux de son père, de sa mère, de son frère et de sa belle-sœur sont inscrits sur les côtés. A la place de la croix figure un signe assez insolite en forme de trèfle à quatre feuilles.

448. Corr., Tome III, p. 445.

449. Marcel Proust, lui aussi, mourra en travaillant.

450. Corr., Tome IV, p. 212.

451. Corr., Tome IV, p. 285.

452. *Ibid.*

453. *Ibid.*, p. 277.

454. Corr., Tome IV, p. 280.

455. *Ibid.*, p. 299.

456. Le 23 août 1906. Il sera enterré le 26.

457. Soit plus de 4,5 millions d'euros.

458. 622 662 euros. Roger Duchêne, *op. cit.*, p. 464. A sa mort, Jeanne Proust léguera à ses enfants un capital de 1 734 573 francs-or (5 550 633 euros), auquel s'ajoute l'immeuble du 102, boulevard Haussmann, hérité de l'oncle Louis, en copropriété avec Georges. (Duchêne, *ibid.*, p. 530).

459. Corr., Tome V, p. 147.

460. S et L, p. 58.

461. Comment ne pas penser à Bergotte...

462. Ce récit, extrait des *Cahiers*, est le seul dans lequel Marcel Proust évoque la mort de sa mère.

463. Valentine Thomson, « My cousin Marcel Proust », *Harpers magazine*, vol. 164, p. 710 à 720, mai 1932, p. 714. Il ne peut s'agir de Laure Neuburger, née Lazarus, comme l'indique Philip Kolb, puisque celle-ci est morte en 1898. La cousine et meilleure amie de Jeanne est bien Laure Nathan, née Rodrigues-Ély, que tout le monde appelait « Tante Laure ».

464. Archives du Consistoire de Paris. Le document précise qu'il s'agit d'un enterrement de 3e classe, ce qui correspond aux usages de la grande bourgeoisie. Notons que la présence du rabbin, attestée par M. Landau, archiviste du Consistoire, n'est signalée nulle part. Mais les journaux mentionnent parmi l'assemblée, très nombreuse : le marquis d'Albulfera, Mme Félix Faure, le comte et la comtesse de Noailles, le comte et la comtesse de Chevigné, le vicomte et la vicomtesse de Grouchy, MM. et Mmes R. de Madrázo, Charles Nathan, le baron Robert de Rothschild, Abel Hermant, Reynaldo Hahn, Lucien Daudet, Léon Brunschvicg, Henri Bergson...

ANNEXES

ANNEXE 1

Questionnaire posé aux notables juifs en 1806 :

1. Est-il licite aux Juifs d'épouser plusieurs femmes ?
2. Le divorce est-il permis par la loi juive ? Le divorce est-il valable sans qu'il soit prononcé par les tribunaux et en vertu de lois contradictoires à celles du Code français ?
3. Une Juive peut-elle se marier avec un Chrétien et une Chrétienne avec un Juif ? Ou la loi veut-elle que les Juifs ne se marient qu'entre eux ?
4. Aux yeux des Juifs, les Français sont-ils des frères ou sont-ils des étrangers ?
5. Dans l'un et l'autre cas, quels sont les rapports que leur loi leur prescrit avec les Français qui ne sont pas de leur religion ?
6. Les Juifs nés en France et traités par la loi comme citoyens français regardent-ils la France comme leur patrie ? Ont-ils l'obligation de la défendre ? Sont-ils obligés d'obéir aux lois et de suivre toutes les dispositions du Code civil ?
7. Qui nomme les rabbins ?
8. Quelle juridiction de police exercent les rabbins parmi les Juifs ? Quelle police judiciaire exercent-ils parmi eux ?
9. Ces formes d'élection, cette juridiction de police sont-elles voulues par leur loi ou seulement consacrées par l'usage ?
10. Est-il des professions que la loi des Juifs leur défende ?
11. La loi des Juifs leur défend-elle de faire l'usure à leurs frères ?
12. Leur défend-elle ou leur permet-elle de faire l'usure aux étrangers ?

ANNEXE 2

L'Empereur a veillé personnellement à l'effort d'intégration des Juifs comme le montre ce dialogue avec les représentants du Consistoire central en décembre 1808, qui nous en dit autant sur son regard sur eux que sur son art de la conversation !

« L'Empereur :
— Votre nom ?
— Sire, Lazard.
— Et vous ?
— Cologna.
— Rabbin, sans doute.
— Sire, Grand Rabbin.
A Lazard :
— Etes-vous des principaux ? êtes-vous de Paris ?
— Sire, je suis de Paris et membre du Consistoire central.
— De Paris même ?
— Oui, Sire, de Paris.
— Eh bien, comment cela va-t-il ?
— Sire, nous nous organisons.
— Commencez-vous à corriger les mauvais ?
— Sire, ils seront tous dignes d'être les sujets de Votre Majesté.

— C'est bien... c'est bien... Faites comme ceux de Bordeaux... Comme les Portugais... » (Procès-verbaux du Consistoire central, 12 décembre 1808.)

ANNEXE 3

Tableaux généalogiques

Tableau généalogique 1

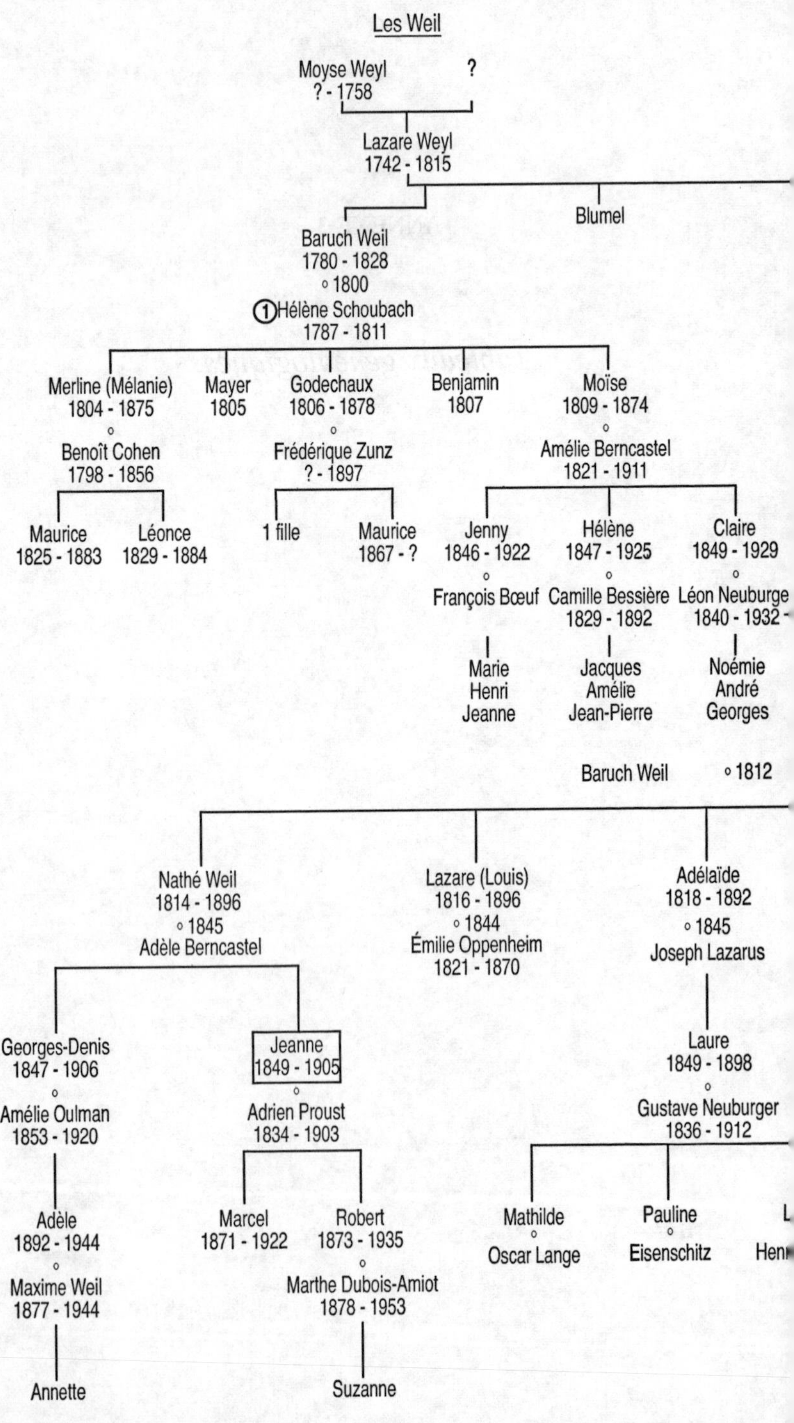
Les Weil
Moyse Weyl
? - 1758
?
Lazare Weyl
1742 - 1815
Blumel
Baruch Weil
1780 - 1828
∘ 1800
① Hélène Schoubach
1787 - 1811
Merline (Mélanie)
1804 - 1875
∘
Benoît Cohen
1798 - 1856
Mayer
1805
Godechaux
1806 - 1878
∘
Frédérique Zunz
? - 1897
Benjamin
1807
Moïse
1809 - 1874
∘
Amélie Berncastel
1821 - 1911
Maurice
1825 - 1883
Léonce
1829 - 1884
1 fille
Maurice
1867 - ?
Jenny
1846 - 1922
∘
François Bœuf
Marie
Henri
Jeanne
Hélène
1847 - 1925
∘
Camille Bessière
1829 - 1892
Jacques
Amélie
Jean-Pierre
Claire
1849 - 1929
∘
Léon Neuburge
1840 - 1932
Noémie
André
Georges
Baruch Weil
∘ 1812
Nathé Weil
1814 - 1896
∘ 1845
Adèle Berncastel
Lazare (Louis)
1816 - 1896
∘ 1844
Émilie Oppenheim
1821 - 1870
Adélaïde
1818 - 1892
∘ 1845
Joseph Lazarus
Georges-Denis
1847 - 1906
∘
Amélie Oulman
1853 - 1920
Adèle
1892 - 1944
∘
Maxime Weil
1877 - 1944
Annette
Jeanne
1849 - 1905
∘
Adrien Proust
1834 - 1903
Marcel
1871 - 1922
Robert
1873 - 1935
∘
Marthe Dubois-Amiot
1878 - 1953
Suzanne
Laure
1849 - 1898
∘
Gustave Neuburger
1836 - 1912
Mathilde
∘
Oscar Lange
Pauline
∘
Eisenschitz
L
Hen

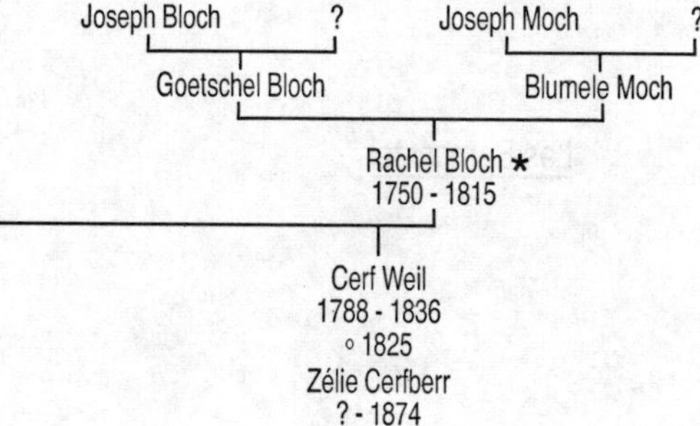

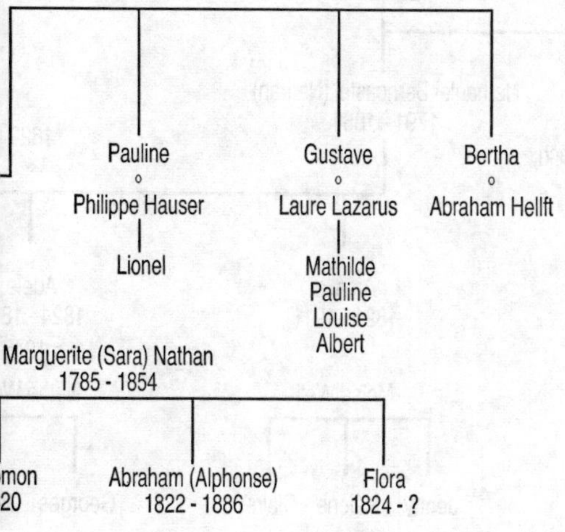

ert

Baur

* La famille de Rachel Bloch est fortunée. Son père, Goetschel, est le fils de Joseph Bloch, prévôt des Juifs et négociant, l'un des créanciers de Samson Ferdinand de Landsberg. Joseph Bloch a aussi acquis un droit précieux : celui de débiter le sel. Il est *Salzhandel*, marchand de sel. À sa mort, en 1761, sa veuve cédera ce droit à Meyer de Strasbourg, sous la forme d'un bail de douze ans. Joseph Bloch a offert au mariage de son fils Goetschel 1 200 florins et une maison à Niedernai. Quant à la dot de la fiancée, Blumele (petite fleur !), fille de Joseph Moch d'Obernai, elle est de 2 500 florins, et son douaire de 3 750 florins. Hélas ! Petite Fleur ne survivra guère... et Goetschel reprendra femme sept ans après ses premières noces. Une Judith sera donc la belle-mère de Reichel, alors âgée de 3 ans. Peut-être est-ce la raison pour laquelle la fiancée de Lazare, fille d'un premier lit, est si pauvrement dotée...

Tableau généalogique 2

Les Berncastel

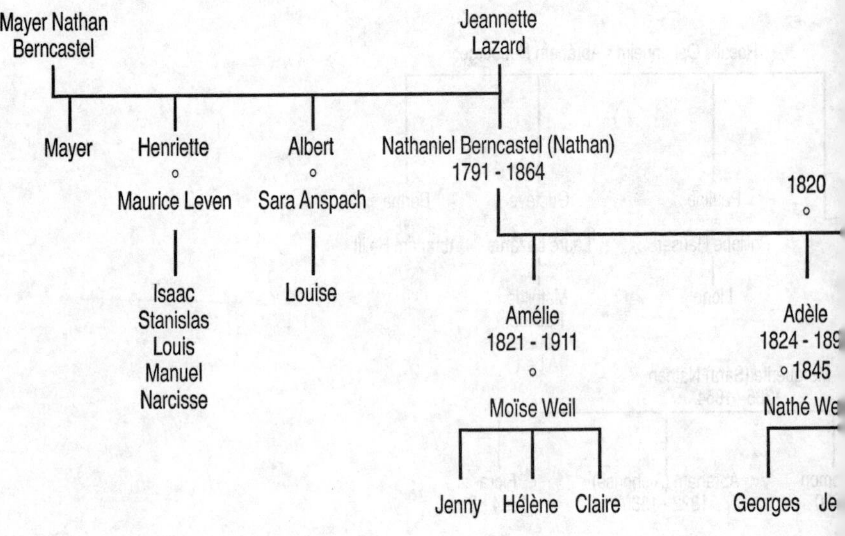

Voir tableau 1

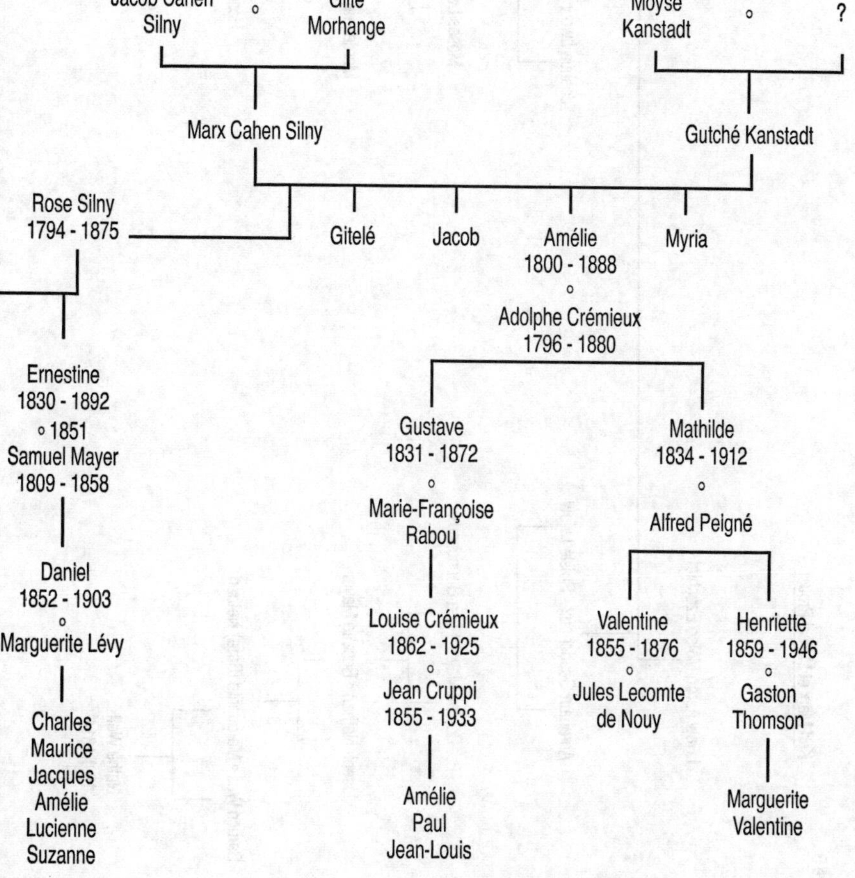

Jacob Cahen Silny
°
Gilté Morhange
Moyse Kanstadt
°
?
Marx Cahen Silny
Gutché Kanstadt
Rose Silny
1794 - 1875
Gitelé
Jacob
Amélie
1800 - 1888
°
Adolphe Crémieux
1796 - 1880
Myria
Ernestine
1830 - 1892
° 1851
Samuel Mayer
1809 - 1858
Daniel
1852 - 1903
°
Marguerite Lévy
Charles
Maurice
Jacques
Amélie
Lucienne
Suzanne
Gustave
1831 - 1872
°
Marie-Françoise Rabou
Louise Crémieux
1862 - 1925
°
Jean Cruppi
1855 - 1933
Amélie
Paul
Jean-Louis
Mathilde
1834 - 1912
°
Alfred Peigné
Valentine
1855 - 1876
°
Jules Lecomte de Nouy
Henriette
1859 - 1946
°
Gaston Thomson
Marguerite
Valentine

Tableau généalogique 3

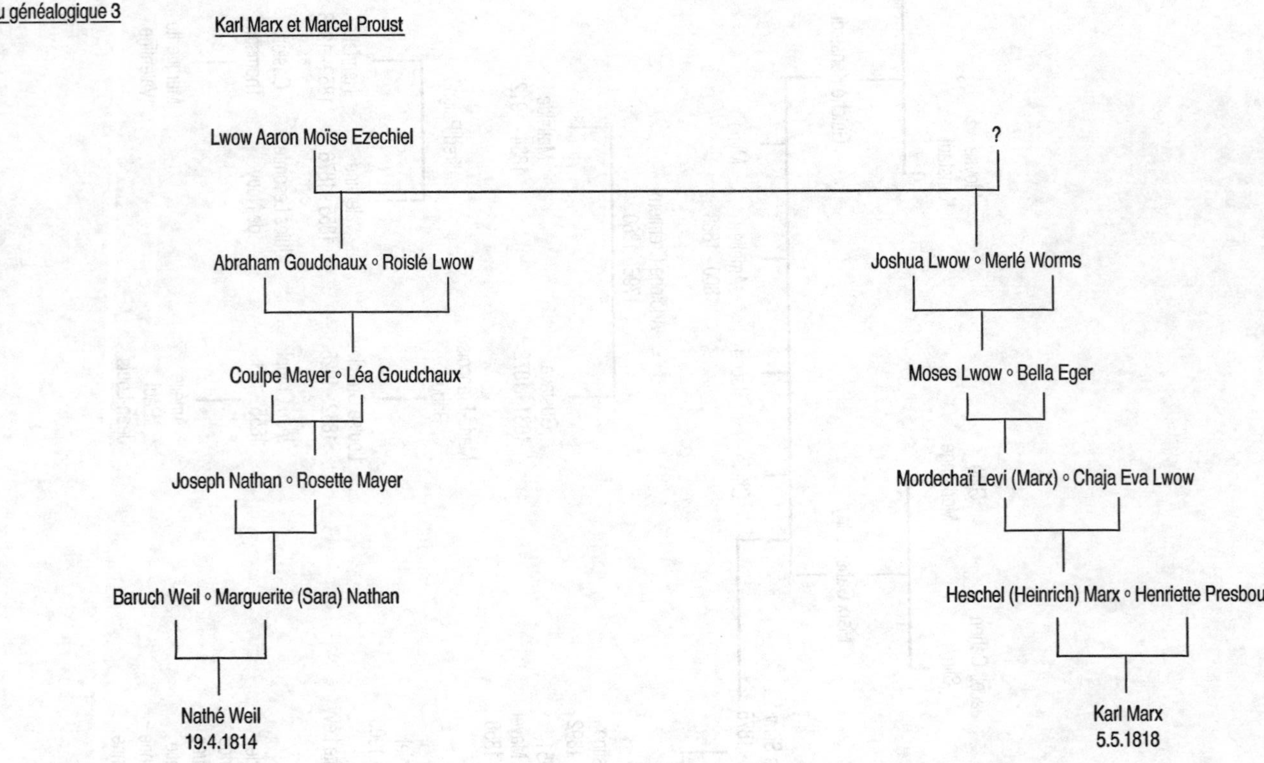

Informations fournies par Pierre-André Meyer

Bibliographie

*

Index

BIBLIOGRAPHIE

Voici quelques-uns des livres qui m'ont aidée à écrire le mien...

Albaret Céleste, *Monsieur Proust*, J'ai lu, 1973.

Amson Daniel, *Adolphe Crémieux, l'oublié de la gloire*, Seuil, 1988.

Bauduin Andrée et Coblence Françoise, *Marcel Proust visiteur des psychanalystes*, PUF, Quadrige, 2003.

Benbassa Esther, *Histoire des Juifs de France*, Points Seuil, 1997.

Berl Emmanuel, Jean d'Ormesson, *Tant que vous penserez à moi*, Les Cahiers rouges, Grasset, 1992.

Berl Emmanuel, *Interrogatoire par Patrick Modiano*, suivi de *Il fait beau, allons au cimetière*, Gallimard, 1976.

Bernard Anne-Marie, *Le Monde de Proust vu par Paul Nadar*, éditions du Patrimoine, 1999.

Billy Robert de, *Marcel Proust, Lettres et conversations*, éditions des Portiques, 1930.

Bischoff Chantal, *Geneviève Straus*, Balland, 1992.

Blanche Jacques-Émile, *La Pêche aux souvenirs*, Flammarion, 1949.

Blum Léon, *Souvenirs sur l'Affaire*, Idées, Gallimard, 1981.

Blumenkrantz Bernard, *Histoire des Juifs de France*, Privat, 1972.

Borrel Anne, *Voyager avec Marcel Proust*, La Quinzaine littéraire-Louis Vuitton, 1994.

Borrel Anne, *Proust, La Cuisine retrouvée*, Le Chêne, 1994.

Botton Alain de, *Comment Proust peut changer votre vie*, 10/18, 1997.

Bourdrel Philippe, *Histoire des Juifs de France*, tome 1 (Des origines à la Shoah), Albin Michel, nouv. édition, 2004.

Burns Michaël, *Histoire d'une famille française, les Dreyfus*, Fayard, 1994.

Carter William, *Marcel Proust, a life*, Yale University Press, 2000.

Citati Pietro, *La Colombe poignardée,* Gallimard, 1997.

Cohen David, *La Promotion des Juifs de France à l'époque du Second Empire*, Université de Provence, 1980.

Culot Maurice et Nada Jakovljevic (sous la direction de), *Trouville*, Mardaga, 1989.

Bibliographie

Darmon Pierre, *Le Médecin parisien en 1900*, Pluriel, Hachette Littératures, 2003.

Daudet Lucien, *Autour de 60 lettres de Marcel Proust*, Gallimard, 1928.

Diesbach Ghislain de, *Proust*, Perrin, 1991.

Dreyfus Robert, *Souvenirs sur Marcel Proust*, Les Cahiers rouges, Grasset, 2001.

Duchêne Roger, *L'Impossible Marcel Proust*, Laffont, 1994.

Fouquières André de, *Mon Paris et ses Parisiens*, Horay, 1953.

Fraisse Luc, *Proust au miroir de sa correspondance*, SEDES, 1996.

Francis Claude et Gontier Fernande, *Marcel Proust et les siens*, Plon, 1981.

Graetz Michaël, *Les Juifs en France au XIXe siècle*, Seuil, 1989.

Gregh Fernand, *L'Âge d'or*, Grasset, 1947.

Hassine Juliette, *Marranisme et hébraïsme dans l'œuvre de Proust*, Mignard, 1994.

Hermont-Belot Rita, *L'émancipation des Juifs en France*, PUF, 1999.

Katz Jacob, *Juifs et francs-maçons en Europe (1723-1939)*, éditions du Cerf.

Lauris Georges de, *Souvenirs d'une belle époque*, Amiot-Dumont, 1948.

Marrus Michaël, *Les Juifs de France à l'époque de l'affaire Dreyfus*, Calmann-Lévy, 1972.

Martin-Fugier Anne, *Les Salons de la IIIe République*, Perrin, 2003.

—, Anne, *La Bourgeoise*, Grasset, 1983.

Maurois André, *A la Recherche de Marcel Proust*, Hachette, 1949.

Milton Miller, *Psychanalyse de Proust*, Fayard, 1977.

Muchawsky-Schnapper Ester, *Les Juifs d'Alsace*, Musée d'Israël, Jérusalem, 1991.

Muhlstein Anka, *James de Rothschild*, Gallimard, 1981.

Painter George D., *Marcel Proust*, Mercure de France, 1966.

Panzac Daniel, *Le Docteur Adrien Proust*, L'Harmattan, 2003.

Péchenard Christian, *Proust et les autres*, La Table ronde, 1999.

Perrot Michèle (sous la direction de), *Histoire de la vie privée*, vol. 4, Points Seuil, 1999.

Raczymow Henri, *Le Cygne de Proust*, L'un et l'autre, Gallimard, 1989.

—, *Le Paris littéraire et intime de Marcel Proust*, Parigramme, 1995.

Raphaël Freddy (sous la direction de), *Regards sur la culture judéo-alsacienne*, La Nuée bleue, 2001.

Récanati Jean, *Profils juifs de Marcel Proust*, Buchet Chastel, 1979.

Rémusat Mme de, *Mémoires*, Calmann-Lévy, 1893.

Schneider Michel, *Maman*, L'un et l'autre, Gallimard, 1999.

Schumann Henry, *Mémoire des communautés juives de Moselle*, présentation de Pierre-André Meyer, éditions Serpenoise, 1999.

Schwarzfuchs Simon, *Du Juif à l'Israélite*, Fayard, 1989.

Soupault Robert, *Marcel Proust du côté de la médecine*, Plon, 1967.

Tadié Jean-Yves, *Marcel Proust*, coll. Folio, Gallimard, 1996.

Tamagne Florence, *Mauvais genre ? Une histoire des représentations de l'homosexualité*, La Martinière, 2001.

Urbain Jean-Didier, *Sur la plage*, Payot et Rivages, 1994.

Vergez-Chaignon Bénédicte, *Les Internes des hôpitaux de Paris* 1802-1952, Hachette Littératures, 2002.

Madame Proust

Wallon Armand, *La Vie quotidienne dans les villes d'eaux (1850-1914)*, Hachette, 1981.

Zeldin Théodore, *Histoire des passions françaises*, Points Seuil, 1980.

Et bien sûr, avant tout, l'œuvre de Marcel Proust (voir p. 10) ainsi que les revues qui lui sont consacrées :

Le Bulletin de la Société des amis de Marcel Proust.

Les Cahiers Marcel Proust.

Le Bulletin d'informations proustiennes.

INDEX

des personnages principaux

Index

Ce livre est né d'une rencontre : merci tout d'abord à ma bonne fée. Elle se reconnaîtra.

Merci à Nathalie Mauriac, qui m'a confié le précieux carnet d'adresses de Jeanne Proust.

Merci à Mme Claude Heuman, petite-fille de Georges Weil.

Merci à Nicole Rodrigues-Ély, qui m'a parlé de Tante Laure.

Merci à Mireille Naturel, Secrétaire générale de la Société des amis de Marcel Proust, qui a répondu patiemment à mes questions.

Merci à Anne Borrel qui la première m'a aidée et encouragée.

Merci à Pierre-André Meyer, le généreux généalogiste.

Merci à Jean-Pierre Kleist, qui m'a aidée à déchiffrer les grimoires alsaciens.

Merci à mon amie Malika Mokeddem, pour sa consultation à distance.

Merci à Marina Gasperi de chez Sotheby's Monaco.

Merci à M. et Mme Monier d'Illiers-Combray.

Merci à Anne-Marie Bernard pour les photos de Nadar.

Merci à Philippe Landau, archiviste du Consistoire central.

Merci à Valérie Sueur, de la Bibliothèque Nationale.

Merci à Isabelle Arcos de la bibliothèque de Trouville.

Merci à André Trillaud et à son œil de lynx.

Merci, enfin et toujours, à mon cher éditeur, Manuel Carcassonne.

Et merci à Pierre.

TABLE

Première partie

Deuxième partie

TROISIÈME PARTIE

Impression réalisée par

BUSSIÈRE

GROUPE CPI

à Saint-Amand-Montrond (Cher)
pour le compte des Éditions Grasset
en novembre 2004

Photocomposition Nord Compo
59650 Villeneuve-d'Ascq

N° d'Édition : 13514. N° d'Impression : 044615/4.
Première édition : dépôt légal : août 2004.
Nouveau tirage : dépôt légal : novembre 2004.

Imprimé en France

ISBN 2-246-63011-8